일반순경 | 해양경찰 | 시험대비

브랜드만족 1위 박문각

2024

# 박문각 경찰

# 경찰직 모의고사

## 3권 | 헌법·형사법·경찰학

박충신 | 최정훈 | 박용증 편저

동영상강의 www.pmg.co.kr

문제 풀이영상 QR코드 수록

박문각

# 이 책의 차례 CONTENTS

## 3권 문제편



## 3권 정답 및 해설편

PART

# 01

# 경찰헌법

## 문제편

# 경찰헌법 1회 모의고사

**01** 기본권의 효력에 관한 설명으로 가장 적절한 것은? (다툼이 있는 경우 판례에 의함)

① 객관적 가치질서로서의 기본권은 입법·사법·행정의 모든 국가기능의 방향을 제시하는 지침으로서 작용하므로, 국가기관에게 기본권의 객관적 내용을 실현할 의무를 부여한다.
② 기본권 규정은 그 성질상 사법관계에 간접 적용될 수 있는 예외적인 것을 제외하고는 사법상의 일반원칙을 규정한 민법 제2조, 제103조, 제750조, 제751조 등의 내용을 형성하고 그 해석기준이 되어 '직접적으로' 사법관계에 효력을 미치게 된다.
③ 기본권의 충돌이란 하나의 규제로 인해 동일한 기본권 주체의 여러 기본권이 동시에 제약을 받는 경우를 말한다.
④ 기본권의 경합이란 상이한 복수의 기본권 주체가 서로의 권익을 실현하기 위해 하나의 동일한 사건에서 국가에 대하여 서로 대립되는 기본권의 적용을 주장하는 경우를 말한다.

**02** 기본권의 효력에 관한 설명으로 가장 적절하지 않은 것은? (다툼이 있는 경우 판례에 의함)

① 기본권 경합의 경우 기본권 침해를 주장하는 제청신청인과 제청법원의 의도 및 기본권을 제한하는 입법자의 객관적 동기 등을 참작하여 '사안과 가장 밀접한 관계에 있고 침해의 정도가 큰 주된 기본권'을 중심으로 해서 제한의 한계를 따져 보아야 한다.
② 국민이 선택하고 수행하고자 하는 직업이 공직인 경우에는 공무담임권과 결부되고 그것을 통하여 실현되므로 공직의 경우 직업선택의 자유는 공무담임권에 대한 '특별기본권'이어서 후자의 적용을 배제한다.
③ 상하의 위계질서가 있는 기본권끼리 충돌하는 경우에는 '상위기본권 우선의 원칙'에 따라 하위기본권이 제한될 수 있다.
④ 두 기본권이 서로 충돌하는 경우에는 헌법의 통일성를 유지하기 위하여 상충하는 기본권 모두가 최대한으로 그 기능과 효력을 나타낼 수 있도록 하는 조화로운 방법이 모색되어야 한다.

**03** 기본권의 제한에 관한 설명으로 가장 적절하지 않은 것은? (다툼이 있는 경우 판례에 의함)

① 국민의 모든 자유와 권리는 국가안전보장·질서유지 또는 공공복리를 위하여 필요한 경우에 한하여 법률로써 제한할 수 있으며, 제한하는 경우에도 자유와 권리의 본질적인 내용을 침해할 수 없다.
② 헌법 제37조 제2항의 규정은 기본권 제한입법의 수권규정이지만, 그것은 동시에 기본권 제한입법의 한계규정이기도 하다.
③ 헌법 제37조 제2항의 국가의 안전보장의 개념은 국가의 존립·헌법의 기본질서의 유지 등을 포함하는 개념으로서 결국 국가의 독립, 영토의 보전, 헌법과 법률의 기능, 헌법에 의하여 설치된 국가기관의 유지 등의 의미로 이해될 수 있다.
④ 법률유보의 원칙은 '법률에 근거한' 규율만을 뜻하는 것이 아니라 '법률에 의한' 규율을 요청하는 것이므로 기본권 제한의 형식이 반드시 법률의 형식일 필요는 없다.

**04** 법률유보원칙에 관한 설명으로 가장 적절하지 않은 것은? (다툼이 있는 경우 판례에 의함)

① 국민의 기본권은 헌법 제37조 제2항에 의하여 국가안전보장, 질서유지 또는 공공복리를 위하여 필요한 경우에 한하여 이를 제한할 수 있으나, 그 제한은 원칙적으로 법률로써만 가능하다.

② 법치주의는 법률유보원칙, 즉 행정작용에는 국회가 제정한 형식적 법률의 근거가 요청된다는 원칙을 그 핵심적 내용으로 하고 있다.

③ 규율대상이 지극히 다양하거나 수시로 변화하는 성질의 것일 때에는 위임의 구체성・명확성의 요건이 강화되어야 한다.

④ 모법의 위임범위를 벗어난 하위법령은 법률의 근거가 없는 것으로 법률유보원칙에 위반된다.

**05** 명확성 원칙에 관한 설명으로 가장 적절하지 않은 것은? (다툼이 있는 경우 판례에 의함)

① 명확성 원칙을 산술적으로 엄격히 관철하도록 요구하는 것이 입법기술상 불가능하거나 현저히 곤란하다고 할 수 없으므로 보편적 내지 일반적 개념의 용어 사용은 허용되지 않는다.

② 당해 법률이 제정된 목적과 타 규범과의 연관성을 고려하여 합리적인 해석이 가능한지의 여부에 따라 명확성의 구비 여부가 가려져야 한다.

③ 법관의 보충적인 가치판단을 통해서 그 의미내용을 확인해낼 수 있고, 그러한 보충적 해석이 해석자의 개인적인 취향에 따라 좌우될 가능성이 없다면 명확성의 원칙에 반한다고 할 수 없다.

④ 표현의 자유를 규제하는 법률은 그 규제로 인해 보호되는 다른 표현에 대하여 위축적 효과가 미치지 않도록 규제되는 표현의 개념을 세밀하고 명확하게 규정할 것이 헌법적으로 요구된다.

**06** 과잉금지원칙에 관한 설명으로 가장 적절하지 않은 것은? (다툼이 있는 경우 판례에 의함)

① 과잉금지원칙이란 국가가 국민의 기본권을 제한하는 내용의 입법활동을 함에 있어서 준수하여야 할 기본원칙 내지 입법활동의 한계를 의미한다.

② 헌법 제37조 제2항은 "국민의 모든 자유와 권리는 필요한 경우에 한하여 법률로써 제한할 수 있다."고 규정하고 있는데 이는 과잉금지의 원칙을 규정한 것이다.

③ 헌법 제37조 제2항의 비례원칙은 기본권 제한의 일반원칙에 그치는 것이고, 모든 국가작용은 정당한 목적을 달성하기 위하여 필요한 범위 내에서만 행사되어야 한다는 국가작용의 한계를 선언한 것은 아니다.

④ 목적의 정당성이란 국민의 기본권을 제한하려는 입법의 목적이 헌법 및 법률의 체제상 그 정당성이 인정되어야 한다는 것을 말한다.

**07** 방법의 적절성에 관한 설명으로 가장 적절하지 않은 것은? (다툼이 있는 경우 판례에 의함)

① 방법의 적절성이란 정당한 입법목적을 달성하기 위한 방법이 '효과적이고 적절해야' 한다는 것을 말한다.

② 국가작용에 있어서 취해진 어떠한 조치나 선택된 수단은 그것이 달성하려는 사안의 목적에 적합하여야 함은 물론 그 조치나 수단이 목적달성을 위하여 유일무이한 것일 필요가 있다.

③ 헌법재판소가 방법의 적절성으로 심사하는 내용은 입법자가 선택한 방법이 최적의 것이었는가 하는 것이 아니고, 그 방법이 입법목적 달성에 유효한 수단인가 하는 점에 한정된다.

④ 입법목적을 달성하기 위한 수단으로서 반드시 가장 합리적이며 효율적인 수단을 선택하여야 하는 것은 아니라고 할지라도 적어도 현저하게 불합리하고 불공정한 수단의 선택은 피하여야 한다.

**08** 침해의 최소성에 관한 설명으로 가장 적절하지 않은 것은? (다툼이 있는 경우 판례에 의함)

① 침해의 최소성이란 입법권자가 선택한 기본권 제한의 조치가 입법목적 달성을 위하여 적절하다 할지라도 보다 완화된 형태나 방법을 모색함으로써 기본권의 제한은 필요한 최소한도에 그치도록 하여야 한다는 것을 말한다.

② 과잉금지원칙의 한 내용인 '최소침해의 원칙'이라는 것은 어디까지나 입법목적의 달성에 있어 동일한 효과를 나타내는 수단 중에서 되도록 당사자의 기본권을 덜 침해하는 수단을 채택하라는 헌법적 요구이다.

③ 입법자가 택한 수단보다 국민의 기본권을 덜 침해하는 수단이 존재한다면 그 다른 수단이 효과 측면에서 입법자가 선택한 수단과 동등하거나 유사하다고 단정할 만한 명백한 근거가 없더라도 과잉금지원칙에 반한다고 할 수 있다.

④ 입법자가 임의적 규정으로도 법의 목적을 실현할 수 있는 경우에 구체적 사안의 개별성과 특수성을 고려할 수 있는 가능성을 일체 배제하는 필요적 규정을 둔다면, 이는 비례의 원칙의 한 요소인 최소침해성의 원칙에 위배된다.

**09** 특별권력관계에 관한 설명으로 가장 적절하지 않은 것은? (다툼이 있는 경우 판례에 의함)

① 19세기 독일 공법이론의 산물인 특별권력관계 이론에 따르면, 국민은 일반국민과 특별권력관계에 있는 국민으로 구분되고 후자에게는 기본권이 적용되지 않는다고 한다.

② 현대법치국가에서는 국가와 특수한 관계에 있는 국민에 대하여 기본권 보호의 사각지대를 인정한 특별권력관계이론은 제한적으로 용인될 수 있는 이론이다.

③ 모든 국가기관이 기본권의 구속을 받는 헌법국가에서 기본권의 구속으로부터 자유로운 국가행위의 영역은 원칙적으로 인정되지 않는다.

④ 특별권력관계에 있어서도 일반행정법관계에 있어서와 마찬가지로 행정청의 위법한 처분 또는 공권력의 행사・불행사 등으로 인하여 권리 또는 법적 이익을 침해당한 자는 행정소송 등에 의하여 그 위법한 처분 등의 취소를 구할 수 있다.

**10** 기본권보호의무에 관한 설명으로 가장 적절하지 않은 것은? (다툼이 있는 경우 판례에 의함)

① 기본권보호의무란 기본권적 법익을 기본권 주체인 사인에 의한 위법한 침해 또는 침해의 위험으로부터 보호하여야 하는 국가의 의무를 말하며, 주로 사인인 제3자에 의한 개인의 생명이나 신체의 훼손에서 문제된다.

② 기본권보호의무는 타인에 의하여 개인의 신체나 생명 등 법익이 국가의 보호의무 없이는 무력화될 정도의 상황에서만 적용될 수 있다.

③ 우리 헌법은 제10조에서 국가는 개인이 가지는 불가침의 기본적 인권을 확인하고 이를 보장할 의무를 진다고 규정함으로써, 소극적으로 국가권력이 국민의 기본권을 침해하는 것을 금지하는 데 그치지 아니하고 나아가 적극적으로 국민의 기본권을 타인의 침해로부터 보호할 의무를 부과하고 있다.

④ 국민의 기본권에 대한 국가의 적극적 보호의무는 입법자의 입법행위를 매개로 하지 아니하고 단순히 기본권이 존재한다는 것만으로 실현될 수 있다.

# 경찰헌법 2회 모의고사

**01** 기본권보호의무에 관한 설명으로 가장 적절하지 않은 것은? (다툼이 있는 경우 판례에 의함)

① 국가의 보호의무를 입법자가 어떻게 실현하여야 할 것인가 하는 문제는 원칙적으로 권력분립 원칙과 민주주의 원칙에 따라 국민에 의해 직접 민주적 정당성을 부여받고 자신의 결정에 대해 정치적 책임을 지는 입법자의 책임범위에 속한다.

② 국가가 국민의 기본권 보호의무를 이행함에 있어 그 행위의 형식에 관하여도 폭넓은 형성의 자유가 인정되는 것은 아니며 반드시 법령에 의하여 이행하여야 한다.

③ 헌법재판소는 권력분립의 관점에서 소위 "과소보호금지원칙", 즉 국가가 국민의 법익보호를 위하여 적어도 적절하고 효율적인 최소한의 보호조치를 취했는가를 기준으로 심사한다.

④ 헌법재판소는 원칙적으로 국가의 보호의무에서 특정조치를 취해야 할 또는 특정법률을 제정해야 할 구체적인 국가의 의무를 이끌어 낼 수 없다.

**02** 국가인권위원회에 관한 설명으로 가장 적절하지 않은 것은? (다툼이 있는 경우 판례에 의함)

① 국가인권위원회의 위원은 국회가 선출하는 4명(상임위원 2명을 포함), 대통령이 지명하는 4명(상임위원 1명을 포함), 대법원장이 지명하는 3명을 대통령이 임명한다.

② 위원회는 진정이 없는 경우에도 인권침해나 차별행위가 있다고 믿을 만한 상당한 근거가 있고 그 내용이 중대하다고 인정할 때에는 직권으로 조사할 수 있다.

③ 위원회는 피해자의 명시한 의사에 반하여 대한법률구조공단 또는 그 밖의 기관에 피해자를 위한 법률구조를 요청할 수 있다.

④ 위원회의 진정에 대한 조사·조정 및 심의는 비공개로 한다. 다만, 위원회의 의결이 있을 때에는 공개할 수 있다.

**03** 인간의 존엄과 가치에 관한 설명으로 가장 적절하지 않은 것은? (다툼이 있는 경우 판례에 의함)

① 인간으로서의 존엄과 가치조항은 1980년 헌법(제8차 개정헌법)에서 도입되었다.

② 인간의 존엄과 가치 조항은 헌법 이념의 핵심으로 국가는 헌법에 규정된 개별적 기본권을 비롯하여 헌법에 열거되지 아니한 자유와 권리까지도 보장하여야 한다.

③ 인간의 존엄과 가치는 모든 인간을 그 자체로서 목적으로 존중할 것을 요구하고, 인간을 다른 목적을 위한 단순한 수단으로 취급하는 것을 허용하지 아니한다.

④ 인간의 존엄성은 '국가권력의 한계'로서 국가에 의한 침해로부터 보호받을 개인의 방어권일 뿐 아니라, '국가권력의 과제'로서 국민이 제3자에 의하여 인간존엄성을 위협받을 때 국가는 이를 보호할 의무를 부담한다.

**04** 인격권에 관한 설명으로 가장 적절하지 않은 것은? (다툼이 있는 경우 판례에 의함)

① 개인의 인격권 및 행복추구권의 본질적 내용은 개인이 자신의 신변이나 생활에 관한 사항은 이를 스스로 선택·결정하는데 있다 할 것이고, 그 선택의 대상에는 성생활에 관한 사항도 당연히 포함된다.

② 사회활동을 통한 개인의 자유로운 인격발현을 위해서는, 타인의 눈에 비치는 자신의 모습을 형성하는 데 있어 결정적인 인자가 될 수 있는 각종 정보자료에 관하여 스스로 결정할 수 있는 권리, 다시 말하여 사회적 인격상에 관한 자기결정권이 보장되어야 한다.

③ 헌법 제10조로부터 도출되는 일반적 인격권에는 각 개인이 그 삶을 사적으로 형성할 수 있는 자율영역에 대한 보장이 포함되어 있음을 감안할 때, 장래 가족의 구성원이 될 태아의 성별 정보에 대한 접근을 국가로부터 방해받지 않을 부모의 권리는 일반적 인격권에 의하여 보호된다.

④ 법인의 목적과 사회적 기능에 비추어 볼 때 자연인과 마찬가지로 인격권의 한 내용인 사회적 신용이나 명예 등의 주체가 된다고 보기 어렵다.

**05** 자기결정권에 관한 설명으로 가장 적절하지 않은 것은? (다툼이 있는 경우 판례에 의함)

① 자기결정권은 인간의 존엄성을 실현하기 위한 수단으로서 인간이 자신의 생활영역에서 인격의 발현과 삶의 방식에 관한 근본적인 결정을 자율적으로 내릴 수 있는 권리다.

② 일반적 인격권은 인간의 존엄성과 밀접한 연관관계를 보이는 자유로운 인격발현의 기본조건을 포괄적으로 보호하는데, 개인의 자기결정권은 일반적 인격권에서 파생된다.

③ 개인의 인격권·행복추구권에는 개인의 자기운명결정권이 전제되는 것이고, 이 자기운명결정권에는 임신과 출산에 관한 결정, 즉 임신과 출산의 과정에 내재하는 특별한 희생을 강요당하지 않을 자유가 포함되어 있다.

④ 자도소주구입명령제도는 소비자가 자신의 의사에 따라 자유롭게 상품을 선택하는 것을 제약함으로써 소비자의 인격권에서 파생되는 자기결정권도 제한하고 있다.

**06** 생명권에 관한 설명으로 가장 적절하지 않은 것은? (다툼이 있는 경우 판례에 의함)

① 생명에 대한 권리는 비록 헌법에 명문의 규정이 없다 하더라도 인간의 생존본능과 존재목적에 바탕을 둔 선험적이고 자연법적인 권리로서 헌법에 규정된 모든 기본권의 전제로서 기능하는 기본권 중의 기본권이다.

② 국가는 헌법상 용인될 수 있는 정당한 사유 없이 생명권을 박탈하는 내용의 입법 등을 하여서는 아니될 뿐만 아니라, 한편으로는 사인의 범죄행위로 인해 일반국민의 생명권이 박탈되는 것을 방지할 수 있는 입법 등을 함으로써 일반국민의 생명권을 최대한 보호할 의무가 있다.

③ 인간이라는 생명체의 형성이 출생 이전의 그 어느 시점에서 시작됨을 인정한다면, 법적으로 사람의 시기를 출생의 시점에서 시작되는 것으로 보는 것은 헌법적으로 금지된다.

④ 생명이 이념적으로 절대적 가치를 지닌 것이라 하더라도 생명에 대한 법적 평가가 예외적으로 허용될 수 있다고 할 것이므로, 생명권 역시 헌법 제37조 제2항에 의한 일반적 법률유보의 대상이 될 수밖에 없다.

**07** 행복추구권에 관한 설명으로 가장 적절하지 않은 것은? (다툼이 있는 경우 판례에 의함)

① 행복추구권은 국민이 행복을 추구하기 위하여 필요한 급부를 국가에게 적극적으로 요구할 수 있는 것만을 내용으로 하는 것이 아니라, 국민이 행복을 추구하기 위한 활동을 국가권력의 간섭 없이 자유롭게 할 수 있다는 포괄적인 의미의 자유권으로서의 성격도 가진다.

② 행복추구권은 다른 기본권에 대한 보충적 기본권으로서의 성격을 지니므로, 공무담임권이라는 우선적으로 적용되는 기본권이 존재하여 그 침해 여부를 판단하는 이상, 행복추구권 침해 여부를 독자적으로 판단할 필요가 없다.

③ 헌법 제10조 전문은 행복추구권을 보장하고 있는데 행복추구권에는 그 구체적인 표현으로서 일반적 행동자유권과 개성의 자유로운 발현권이 포함된다.

④ 공물을 사용·이용하게 해달라고 청구할 수 있는 권리는 청구권의 영역에 속하는 것이므로 이러한 권리가 행복추구권에 포함된다고 할 수 없다.

**08** 일반적 행동의 자유에 관한 설명으로 가장 적절하지 않은 것은? (다툼이 있는 경우 판례에 의함)

① 일반적 행동자유권에는 적극적으로 자유롭게 행동을 하는 것은 물론 소극적으로 행동을 하지 않을 자유, 즉 부작위의 자유도 포함된다.

② 일반적 행동자유권의 보호영역에는 개인의 생활방식과 취미에 관한 사항도 포함되며, 여기에는 위험한 스포츠를 즐길 권리와 같은 위험한 생활방식으로 살아갈 권리는 포함되지 않는다.

③ 계약자유의 원칙은 헌법상의 행복추구권 속에 함축된 일반적 행동자유권으로부터 파생되는 것이다.
④ 무상 또는 일회적 · 일시적으로 가르치는 행위는 헌법 제15조의 직업의 자유에 의하여 보호되는 생활영역이 아니라 일반적 행동의 자유에 속하는 것으로서 헌법 제10조의 행복추구권에 의하여 보호된다.

**09** 평등권에 관한 설명으로 가장 적절하지 않은 것은? (다툼이 있는 경우 판례에 의함)

① 평등의 원칙은 국민의 기본권 보장에 관한 우리 헌법의 최고원리로서 국가가 입법을 하거나 법을 해석 및 집행함에 있어 따라야 할 기준인 동시에, 국가에 대하여 합리적 이유 없이 불평등한 대우를 하지 말 것과, 평등한 대우를 요구할 수 있는 모든 국민의 권리로서, 국민의 기본권 중의 기본권이다.
② 우리 헌법이 선언하고 있는 '법 앞에 평등'은 행정부나 사법부에 의한 법적용상의 평등만을 의미하는 것이 아니고, 입법권자에게 정의와 형평의 원칙에 합당하게 합헌적으로 법률을 제정하도록 하는 것을 명하는 '법내용상의 평등'을 의미한다.
③ 평등원칙 위반의 특수성은 법률효과가 수범자의 한 집단에만 귀속하여 '다른 집단과 사이에 차별'이 발생한다는 점에 있는 것이 아니라, 대상 법률이 정하는 '법률효과' 자체가 위헌이라는 점에 있다.
④ 헌법 제11조 제1항의 평등의 원칙은 일체의 차별적 대우를 부정하는 절대적 평등을 의미하는 것이 아니라 입법과 법의 적용에 있어서 합리적 근거 없는 차별을 하여서는 아니 된다는 상대적 평등을 뜻한다.

**10** 평등권에 관한 설명으로 가장 적절하지 않은 것은? (다툼이 있는 경우 판례에 의함)

① 평등원칙 위반 여부를 심사함에 있어 엄격한 심사척도에 의할 것인지, 완화된 심사척도에 의할 것인지는 입법자에게 허용되는 '입법형성권의 정도'에 따라서 달라진다.
② 입법자가 설정한 차별이 국민들 간에 단순한 이해관계의 차별을 넘어서서 '기본권에 관련된 차별'을 가져온다면 헌법재판소는 그러한 차별에 대해서는 자의금지 내지 합리성 심사를 넘어서 목적과 수단 간의 엄격한 비례성이 준수되었는지를 심사하여야 한다.
③ 헌법이 스스로 차별의 근거로 삼아서는 안 되는 기준을 제시하거나 차별을 특히 금지하고 있는 영역을 제시하고 있는 경우이거나, 차별적 취급으로 인하여 관련 기본권에 중대한 제한을 초래하게 되는 경우에는 입법형성권은 축소되어 엄격한 심사척도가 적용되어야 한다.
④ 자의심사의 경우에는 단순히 합리적인 이유의 존부 문제가 아니라 차별을 정당화하는 이유와 차별 간의 상관관계에 대한 심사, 즉 비교대상 간의 사실상의 차이의 성질과 비중 또는 입법목적(차별목적)의 비중과 차별의 정도에 적정한 균형관계가 이루어져 있는가를 심사하게 된다.

# 경찰헌법 3회 모의고사

**01** 평등권에 관한 설명으로 가장 적절하지 않은 것은? (다툼이 있는 경우 판례에 의함)

① 헌법이 규정한 평등의 원칙은 국가가 언제 어디에서 어떤 계층을 대상으로 하여 기본권에 관한 상황이나 제도의 개선을 시작할 것인지를 선택하는 것을 방해하지는 않는다.
② 적극적 평등실현조치(Affirmative Action)는 대체로 '일정한 혜택을 통하여 종래 차별을 받아온 소수집단에게 사회의 각 영역에서 보다 많은 참여의 기회를 부여하려는 제반 조치'를 의미한다.
③ 헌법 제11조 제1항 후문의 규정은 불합리한 차별의 금지에 초점이 있고, 예시한 사유가 있는 경우에 절대적으로 차별을 금지할 것을 요구함으로써 입법자에게 인정되는 입법형성권을 제한하는 것이다.
④ 헌법 제11조 제1항에서의 사회적 신분이란 사회에서 장기간 점하는 지위로서 일정한 사회적 평가를 수반하는 것을 의미한다 할 것이므로 전과자도 사회적 신분에 해당된다.

**02** 신체의 자유에 관한 설명으로 가장 적절한 것은?

① 누구든지 법률과 적법한 절차에 의하지 아니하고는 체포·구속·압수·수색 또는 심문을 받지 아니하며, 법률에 의하지 아니하고는 처벌·보안처분 또는 강제노역을 받지 아니한다.
② 체포·구속·압수 또는 수색을 할 때에는 법률과 적법한 절차에 따라 검사의 신청에 의하여 법관이 발부한 영장을 제시하여야 한다.
③ 형사피의자 스스로 변호인을 구할 수 없을 때에는 법률이 정하는 바에 의하여 국가가 변호인을 붙인다.
④ 피고인의 자백이 고문·폭행·협박·구속의 부당한 장기화 또는 기망 기타의 방법에 의하여 자의로 진술된 것이 아니라고 인정될 때 또는 정식재판에 있어서 피고인의 자백이 그에게 불리한 유일한 증거일 때에는 이를 유죄의 증거로 삼거나 이를 이유로 처벌할 수 없다.

**03** 신체의 자유에 관한 설명으로 가장 적절하지 않은 것은? (다툼이 있는 경우 판례에 의함)

① 신체의 자유는 신체의 안전성이 외부로부터의 물리적인 힘이나 정신적인 위험으로부터 침해당하지 아니할 자유와 신체활동을 임의적이고 자율적으로 할 수 있는 자유를 말한다.
② 헌법 제12조 제3항의 '체포·구속·압수·수색'에는 강제구금은 물론 강제구인, 강제동행 및 강제구류 등이 포함된다.
③ 헌법 제12조 제4항 본문에 규정된 변호인의 조력을 받을 권리는 행정절차에서 구속을 당한 사람에게도 즉시 보장된다.
④ 인터넷회선 감청은 서버에 저장된 정보가 아니라, 인터넷상에서 발신되어 수신되기까지의 과정 중에 수집되는 정보, 즉 전송 중인 정보의 수집을 위한 수사이므로, 압수·수색에 해당한다.

**04** 보안처분에 관한 설명으로 가장 적절하지 않은 것은? (다툼이 있는 경우 판례에 의함)

① 보안처분은 형벌만으로는 행위자의 장래의 재범에 대한 위험성을 제거하기에 충분하지 못한 경우에 사회방위와 행위자의 사회복귀의 목적을 달성하기 위하여 고안된 특별예방적 목적처분으로, 제5차 개정헌법 이래 보안처분제도를 헌법상의 제도로 수용하여 왔다.
② 형벌과 보안처분은 다 같이 형사제재에 해당하지만, 형벌은 책임의 한계 안에서 과거 불법에 대한 응보를 주된 목적으로 하는 제재이고, 보안처분은 장래 재범 위험성을 전제로 범죄를 예방하기 위한 제재이다.
③ 보안처분의 본질인 재범의 위험성은 보안처분으로 인한 신체의 자유박탈이라는 인권 제한과의 비례(균형)원칙상 단순한 재범의 가능성만으로는 부족하고 상당한 개연성을 요구한다.
④ 보안처분은 형벌과는 달리 행위자의 장래 재범위험성에 근거하는 것으로서, 행위 시가 아닌 재판 시의 재범위험성 여부에 대한 판단에 따라 보안처분 선고를 결정하므로 원칙적으로 재판 당시 현행법을 소급적용할 수 있다고 보는 것이 타당하고 합리적이다.

**05** 죄형법정주의에 관한 설명으로 가장 적절하지 않은 것은? (다툼이 있는 경우 판례에 의함)

① 죄형법정주의는 개인의 법적 안정성을 보호하고 성문의 형벌법규에 의한 실정법질서를 확립하여 국가형벌권의 자의적 행사로부터 개인의 자유와 권리를 보장하려는 법치국가 형법의 기본원칙이다.

② 죄형법정주의를 천명한 헌법 제12조 제1항 후단이나 제13조 제1항 전단에서 말하는 법률은 입법부에서 제정한 형식적 의미의 법률만을 의미하는 것은 아니다.

③ 구성요건의 명확성이란 입법권자가 모든 구성요건을 단순한 의미의 서술적인 개념에 의하여 규정하여야 한다는 것은 아니고, 자의를 허용하지 않는 통상의 해석방법에 의하더라도 당해 처벌법규의 보호법익과 그에 의하여 금지된 행위 및 처벌의 종류와 정도를 누구나 알 수 있도록 규정되어 있어야 한다는 의미이다.

④ 형벌에 관한 준용규정이 죄형법정주의 명확성원칙에 위배되는지 여부는 구성요건 및 벌칙규정의 준용 여부가 준용규정에 의하여 명확한지에 달린 것이지 형벌규정이라고 해서 포괄적 준용 방식은 금지되고 반드시 열거적 준용 방식을 택하여만 하는 것은 아니다.

**06** 형벌불소급원칙에 관한 설명으로 가장 적절하지 않은 것은? (다툼이 있는 경우 판례에 의함)

① 신법이 피적용자에게 유리한 경우에는 이른바 시혜적인 소급입법이 가능하지만 이를 입법자의 의무라고는 할 수 없고, 그러한 소급입법을 할 것인지의 여부는 입법재량의 문제로서 그 판단은 일차적으로 입법기관에 맡겨져 있다.

② 형벌불소급원칙에서 의미하는 '처벌'은 단지 형법에 규정되어 있는 형식적 의미의 형벌 유형에 국한된다.

③ 공소시효의 정지규정을 과거에 이미 행한 범죄에 대하여 적용하도록 하는 법률이라 하더라도 그 사유만으로 헌법 제12조 제1항 및 제13조 제1항에 규정한 죄형법정주의의 파생원칙인 형벌불소급의 원칙에 언제나 위배되는 것으로 단정할 수는 없다.

④ 개정된 법률 이전의 행위를 소급하여 형사처벌하도록 규정하고 있는 것이 아니라 형사처벌을 규정하고 있던 행위시법이 사후 폐지되었음에도 신법이 아닌 행위시법에 의하여 형사처벌하도록 규정한 것은 헌법 제13조 제1항의 형벌불소급원칙 보호영역에 포섭되지 아니한다.

**07** 적법절차의 원칙에 관한 설명으로 가장 적절하지 않은 것은? (다툼이 있는 경우 판례에 의함)

① 헌법 제12조 제1항 후문과 제3항은 적법절차의 원칙을 헌법상 명문규정으로 두고 있는데, 이는 제8차 개정헌법에서 처음으로 영미법계의 국가에서 국민의 인권을 보장하기 위한 기본원리의 하나로 발달되어 온 적법절차의 원칙을 도입하여 헌법에 명문화한 것이다.

② 적법절차의 원칙(due process of law)은 공권력에 의한 국민의 생명 · 자유 · 재산의 침해는 반드시 합리적이고 정당한 법률에 의거해서 정당한 절차를 밟은 경우에만 유효하다는 원리이다.

③ 적법절차의 원칙은 형사절차상의 제한된 범위 내에서만 적용되는 것이 아니라 국가작용으로서 기본권 제한과 관련되든 아니든 모든 입법작용 및 행정작용에도 광범위하게 적용된다.

④ 국가기관이 국민과의 관계에서 공권력을 행사함에 있어서 준수해야 할 법원칙으로서 형성된 적법절차의 원칙을 국가기관에 대하여 헌법을 수호하고자 하는 탄핵소추절차에는 직접 적용할 수 없다.

## 08 이중처벌금지원칙에 관한 설명으로 가장 적절하지 않은 것은? (다툼이 있는 경우 판례에 의함)

① 이중처벌금지의 원칙은 한번 판결이 확정되면 동일한 사건에 대해서는 다시 심판할 수 없다는 일사부재리의 원칙이 국가형벌권의 기속원리로 헌법상 선언된 것이다.

② 헌법 제13조 제1항에서 말하는 처벌은 원칙으로 범죄에 대한 '국가의 형벌권 실행으로서의 과벌'을 의미하는 것이고, 국가가 행하는 일체의 제재나 불이익처분을 모두 그 처벌에 포함시킬 수는 없다.

③ 하나의 형사재판절차에서 다루어진 사건을 대상으로 동시에 징역형과 자격정지형을 병과하는 것은 이중처벌금지원칙에 위반된다.

④ 집행유예가 실효되는 경우에 부활되는 본형은 집행유예에 본래부터 내재되어 있던 효과가 발생한 것에 불과하고 동일한 범죄행위에 대하여 국가가 형벌권을 거듭 행사하도록 하는 것이 아니므로 이중처벌금지원칙은 문제되지 않는다.

## 09 무죄추정의 원칙에 관한 설명으로 가장 적절하지 않은 것은? (다툼이 있는 경우 판례에 의함)

① 무죄추정이란 유죄의 판결이 확정되기 전에 죄 있는 자에 준하여 취급함으로써 법률적, 사실적 측면에서 유형, 무형의 불이익을 주는 것을 말하고, 여기서 불이익이란 유죄를 근거로 그에 대하여 사회적 비난 내지 기타 응보적 의미의 차별 취급을 가하는 유죄 인정의 효과로서의 불이익을 뜻한다.

② 무죄추정의 원칙은 형사절차 내에서의 원칙이므로 형사절차 외의 기타 일반 법생활 영역에서의 기본권 제한과 같은 경우에도 적용되는 것은 아니다.

③ 구속은 예외적으로 구속 이외의 방법에 의하여서는 범죄에 대한 효과적인 투쟁이 불가능하여 형사소송의 목적을 달성할 수 없다고 인정되는 경우에 한하여 최후의 수단으로만 사용되어야 한다.

④ 무죄추정의 원칙이 제도적으로 표현된 것으로는, 공판절차의 입증단계에서 거증책임을 검사에게 부담시키는 제도, 보석 및 구속적부심 등 인신구속의 제한을 위한 제도, 그리고 피의자 및 피고인에 대한 부당한 대우 금지 등이 있다.

## 10 영장주의에 관한 설명으로 가장 적절하지 않은 것은? (다툼이 있는 경우 판례에 의함)

① 헌법상 영장주의의 본질은 체포·구속·압수·수색 등 기본권을 제한하는 강제처분을 함에 있어서는 중립적인 법관의 구체적 판단을 거쳐야 한다는 데에 있다.

② 형사절차가 아니라 하더라도 실질적으로 수사기관에 의한 인신구속과 동일한 효과를 발생시키는 인신구금은 영장주의의 본질상 그 적용대상이 되어야 한다.

③ 헌법 제12조 제3항 중 "검사의 신청"이라는 부분의 취지는 수사단계에서 영장의 발부를 신청할 수 있는 자를 검사로 한정한 것이 아니라 모든 영장의 발부에 검사의 신청이 필요하다는 것으로 해석함이 타당하다.

④ 법원이 직권으로 발부하는 영장과 수사기관의 청구에 의하여 발부하는 구속영장의 법적 성격은 같지 않는데, 전자는 명령장으로서의 성질을 갖고 후자는 허가장으로서의 성질을 갖는다.

# 경찰헌법 4회 모의고사

**01** 진술거부권에 관한 설명으로 가장 적절하지 않은 것은? (다툼이 있는 경우 판례에 의함)

① 진술거부권은 고문 등 폭행에 의한 진술을 강요당하지 아니함을 의미하며, 법률로써 진술을 강요하는 것은 허용된다.
② 진술거부권은 현재 피의자나 피고인으로서 수사 또는 공판절차에 계속 중인 자뿐만 아니라 장차 피의자나 피고인이 될 자에게도 보장된다.
③ 진술거부권에 있어서의 진술이란 형사상 자신에게 불이익이 될 수 있는 진술이므로 범죄의 성립과 양형에서의 불리한 사실 등을 말하는 것이고, 그 진술내용이 자기의 형사책임에 관련되는 것일 것을 전제로 한다.
④ 진술거부권의 보호대상이 되는 진술이란 언어적 표출, 즉 개인의 생각이나 지식, 경험사실을 정신작용의 일환인 언어를 통하여 표출하는 것을 의미한다.

**02** 변호인의 조력을 받을 권리에 관한 설명으로 가장 적절하지 않은 것은? (다툼이 있는 경우 판례에 의함)

① 변호인의 조력을 받을 권리란 국가권력의 일방적인 형벌권 행사에 대항하여 자신에게 부여된 헌법상·소송법상 권리를 효율적이고 독립적으로 행사하기 위하여 변호인의 도움을 얻을 피의자 및 피고인의 권리를 말한다.
② "누구든지 체포 또는 구속을 당한 때에는 즉시 변호인의 조력을 받을 권리를 가진다"고 규정한 헌법 제12조 제4항에 비추어 볼 때, 불구속 피의자의 경우에는 변호인의 조력을 받을 권리가 인정되지 않는다.
③ 교정시설에 수용중인 수형자는 원칙적으로 변호인의 조력을 받을 권리의 주체가 될 수 없다. 다만, 수형자의 경우에도 재심절차 등에는 변호인 선임을 위한 일반적인 교통·통신이 보장될 수도 있다.
④ 미결수용자가 형사사건의 변호인이 아닌 민사재판, 행정재판, 헌법재판 등에서 변호사와 접견할 경우에는 원칙적으로 헌법상 변호인의 조력을 받을 권리의 주체가 될 수 없다.

**03** 변호인의 조력을 받을 권리에 관한 설명으로 가장 적절하지 않은 것은? (다툼이 있는 경우 판례에 의함)

① 변호인을 선임하지 않은 피의자 등의 변호인 조력을 받을 권리는 변호인 선임을 통하여 구체화되는데, 피의자 등의 변호인 선임권은 변호인의 조력을 받을 권리의 출발점이자 가장 기초적인 구성부분으로서 법률로써도 제한할 수 없는 권리이다.
② 변호인의 조력을 받을 권리의 내용 중 하나인 변호인과의 접견교통권은 국가안전보장·질서유지 또는 공공복리를 위해 필요한 경우에도 법률로써 제한될 수 없다.
③ 변호인과 상담하고 조언을 구할 권리는 변호인의 조력을 받을 권리의 내용 중 구체적인 입법형성이 필요한 다른 절차적 권리의 필수적인 전제요건으로서 변호인의 조력을 받을 권리 그 자체에서 막바로 도출된다.
④ 불구속 피의자가 피의자신문시 변호인의 조언과 상담을 원한다면, 위법한 조력의 우려가 있어 이를 제한하는 다른 규정이 있고 그가 이에 해당한다고 하지 않는 한 수사기관은 피의자의 위 요구를 거절할 수 없다.

**04** 개인정보자기결정권에 관한 설명으로 가장 적절하지 않은 것은? (다툼이 있는 경우 판례에 의함)

① 개인정보자기결정권은 자신에 관한 정보가 언제 누구에게 어느 범위까지 알려지고 또 이용되도록 할 것인지를 그 정보주체가 스스로 결정할 수 있는 권리이다. 즉 정보주체가 개인정보의 공개와 이용에 관하여 스스로 결정할 권리를 말한다.
② 개인정보자기결정권은 헌법 제10조 제1문에서 도출되는 일반적 인격권 및 헌법 제17조의 사생활의 비밀과 자유에 의하여 보장된다.
③ 개인정보자기결정권의 보호대상이 되는 개인정보는 개인의 내밀한 영역이나 사사(私事)의 영역에 속하는 정보에 국한되고 공적 생활에서 형성되었거나 이미 공개된 개인정보까지 포함하는 것은 아니다.
④ 개인정보를 대상으로 한 조사·수집·보관·처리·이용 등의 행위는 모두 원칙적으로 개인정보자기결정권에 대한 제한에 해당한다.

**05** 거주·이전의 자유에 관한 설명으로 가장 적절하지 않은 것은? (다툼이 있는 경우 판례에 의함)

① 거주·이전의 자유는 생활형성의 중심지, 즉 거주지나 체류지라고 볼 만한 정도로 생활과 밀접한 연관을 갖는 장소를 선택하고 변경하는 행위를 보호하는 기본권이다.
② 거주·이전의 자유는 국민에게 그가 선택할 직업 내지 그가 취임할 공직을 그가 선택하는 임의의 장소에서 자유롭게 행사할 수 있는 권리까지 보장한다.
③ 거주·이전의 자유는 국내에서 체류지와 거주지를 자유롭게 정할 수 있는 자유영역뿐 아니라 국외에서 체류지와 거주지를 자유롭게 정할 수 있는 '해외여행 및 해외 이주의 자유'를 포함하고 대한민국의 국적을 이탈할 수 있는 '국적변경의 자유' 등도 그 내용에 포섭된다.
④ 해외여행 및 해외이주의 자유는 필연적으로 외국에서 체류 또는 거주하기 위해서 대한민국을 떠날 수 있는 '출국의 자유'와 외국체류 또는 거주를 중단하고 다시 대한민국으로 돌아올 수 있는 '입국의 자유'를 포함한다.

**06** 통신의 자유에 관한 설명으로 가장 적절하지 않은 것은? (다툼이 있는 경우 판례에 의함)

① 통신의 자유란 개인이 그 의사나 정보를 우편물이나 전기통신 등의 수단에 의하여 전달 또는 교환하는 경우에 그 내용 등이 본인의 의사에 반하여 공개되지 아니할 자유를 말한다.
② 통신의 자유란 통신수단을 자유로이 이용하여 의사소통할 권리이고, 이러한 '통신수단의 자유로운 이용'에는 자신의 인적사항을 누구에게도 밝히지 않는 상태로 통신수단을 이용할 자유, 즉 통신수단의 익명성 보장도 포함된다.
③ 통신의 비밀이란 서신·우편·전신의 통신수단을 통하여 개인 간에 의사나 정보의 전달과 교환(의사소통)이 이루어지는 경우, 통신의 내용과 통신이용의 상황이 개인의 의사에 반하여 공개되지 아니할 자유를 의미한다.
④ 자유로운 의사소통은 통신내용의 비밀을 보장하는 것만으로는 충분하므로 구체적인 통신으로 발생하는 외형적인 사실관계, 특히 통신관여자의 인적 동일성·통신시간·통신장소·통신횟수 등 통신의 외형을 구성하는 통신이용의 전반적 상황의 비밀까지도 보장해야 하는 것은 아니다.

**07** 통신의 자유의 제한에 관한 설명으로 가장 적절하지 않은 것은? (다툼이 있는 경우 판례에 의함)

① 통신의 중요한 수단인 서신의 당사자나 내용은 본인의 의사에 반하여 공개될 수 없으므로 서신의 검열은 절대적으로 금지된다.
② 통신비밀보호법상 '감청'이란 대상이 되는 전기통신의 송·수신과 동시에 이루어지는 경우만을 의미하고, 이미 수신이 완료된 전기통신의 내용을 지득하는 등의 행위는 포함되지 않는다.
③ 불법검열에 의하여 취득한 우편물이나 그 내용 및 불법감청에 의하여 지득 또는 채록된 전기통신의 내용은 재판 또는 징계절차에서 증거로 사용할 수 없다.

④ 검사 또는 사법경찰관은 통신사실 확인자료제공을 받은 사건에 관하여 통신비밀보호법이 정한 기간 내에 통신사실 확인자료제공을 받은 사실과 제공요청기관 및 그 기간 등을 통신사실 확인자료제공의 대상이 된 당사자에게 서면으로 통지하여야 한다.

**08** **양심의 자유에 관한 설명으로 가장 적절하지 않은 것은? (다툼이 있는 경우 판례에 의함)**

① 인간의 존엄성 유지와 개인의 자유로운 인격발현을 최고의 가치로 삼는 우리 헌법상의 기본권체계 내에서 양심의 자유의 기능은 개인적 인격의 정체성과 동질성을 유지하는 데 있다.
② 헌법상 보호되는 양심은 어떤 일의 옳고 그름을 판단함에 있어서 그렇게 행동하지 아니하고는 자신의 인격적인 존재가치가 허물어지고 말 것이라는 강력하고 진지한 마음의 소리로서 절박하고 구체적인 양심을 말한다.
③ 특정한 내적인 확신 또는 신념이 양심으로 형성된 이상 그 내용 여하를 떠나 양심의 자유에 의해 보호되는 양심이 될 수 있으므로, 헌법상 양심의 자유에 의해 보호받는 '양심'으로 인정할 것인지의 판단은 그것이 깊고, 확고하며, 진실된 것인지 여부에 따르는 것은 아니다.
④ 양심은 그 대상이나 내용 또는 동기에 의하여 판단될 수 없으며, 특히 양심상의 결정이 이성적・합리적인가, 타당한가 또는 법질서나 사회규범・도덕률과 일치하는가 하는 관점은 양심의 존재를 판단하는 기준이 될 수 없다.

**09** **양심의 자유에 관한 설명으로 가장 적절하지 않은 것은? (다툼이 있는 경우 판례에 의함)**

① 법률판단의 문제는 개인의 인격형성과는 무관하며, 대화와 토론을 통하여 가장 합리적인 것으로 그 내용이 동화되거나 수렴될 수 있는 포용성을 가지는 분야에 속한다고 할 것이므로 헌법 제19조에 의하여 보장되는 양심의 영역에 포함되지 아니한다.
② 양심에 대한 사회적・도덕적 판단이나 평가는 당연히 가능한 것은 아니며, 양심이라면 그 자체로 정당하다거나 도덕적이라는 의미다.
③ 헌법에 의해 보호받는 양심은 법질서와 도덕에 부합하는 사고를 가진 다수가 아니라 이른바 '소수자'의 양심이다.
④ 양심형성의 자유는 내심에 머무르는 한, 절대적으로 보호되는 기본권이라 할 수 있는 반면, 양심실현의 자유는 법질서에 위배되거나 타인의 권리를 침해할 수 있기 때문에 법률에 의하여 제한될 수 있다.

**10** **종교의 자유에 관한 설명으로 가장 적절하지 않은 것은? (다툼이 있는 경우 판례에 의함)**

① 신앙의 자유는 신과 피안 또는 내세에 대한 인간의 내적 확신에 대한 자유를 말하는 것으로서, 이러한 신앙의 자유는 그 자체가 내심의 자유의 핵심이기 때문에 법률로써도 이를 침해할 수 없다.
② 종교의 자유에는 신앙에 대한 침묵을 뜻하는 소극적인 신앙고백의 자유와 자신의 종교적인 확신에 반하는 행위를 강요당하지 아니하는 소극적인 종교행위의 자유 등이 포함된다.
③ 종교전파의 자유는 국민에게 그가 선택한 임의의 장소에서 자유롭게 행사할 수 있는 권리까지 보장한다.
④ 종교교육이 학교나 학원이라는 교육기관의 형태를 취할 경우에는 교육법이나 학원법상의 규정에 의한 규제를 받게 된다고 보아야 할 것이고, 종교교육이라고 해서 예외가 될 수 없다.

# 경찰헌법 5회 모의고사

**01** **표현의 자유에 관한 설명으로 가장 적절하지 않은 것은? (다툼이 있는 경우 판례에 의함)**

① 의사표현 또는 전파의 매개체는 어떠한 형태이건 가능하며 그 제한이 없으므로, 담화·연설·토론·연극·방송·음악·영화·가요 등과 문서·소설·시가·도화·사진·조각·서화 등 모든 형상의 의사표현 또는 의사전파의 매개체를 포함한다.

② 표현의 자유는 의사표현과 여론형성 그리고 정보의 전달을 통하여 국민의 정치적 공감대에 바탕을 둔 민주정치를 실현시키고 동화적 통합을 이루기 위한 객관적 가치질서로서의 성격도 갖는다.

③ 표현의 자유는 개인이 자기의 인격을 형성하는 개인적 가치인 자기실현의 수단임과 동시에 정치적 의사결정에 참여하는 사회적 가치인 자기통치를 실현하는 수단이라는 점에서 공무원에게는 원칙적으로 인정되지 않는다.

④ 표현의 자유는 사상 또는 의견의 자유로운 표명(발표의 자유)과 그것을 전파할 자유(전달의 자유)를 의미한다. 이러한 표현의 자유는 표현의 형식과 방법, 시기 면에서도 원칙적으로 제한받지 않을 것이 요구된다.

**02** **언론·출판의 자유에 관한 설명으로 가장 적절하지 않은 것은? (다툼이 있는 경우 판례에 의함)**

① 광고가 단순히 상업적인 상품이나 서비스에 관한 사실을 알리는 경우에도 그 내용이 공익을 포함하는 때에는 헌법 제21조의 표현의 자유에 의하여 보호된다.

② 일반적으로 표현의 자유는 정보의 전달 또는 전파와 관련지어 생각되므로 구체적인 전달이나 전파의 상대방이 없는 집필의 단계를 표현의 자유의 보호영역에 포함시킬 수 없다.

③ 자유로운 표명과 전파의 자유에는 자신의 신원을 누구에게도 밝히지 아니한 채 익명 또는 가명으로 자신의 사상이나 견해를 표명하고 전파할 익명표현의 자유도 그 보호영역에 포함된다.

④ 인터넷 공간에서의 익명표현이 부작용을 초래할 우려가 있다 하더라도 그것이 갖는 헌법적 가치에 비추어 강하게 보호되어야 한다.

**03** **알 권리에 관한 설명으로 가장 적절하지 않은 것은? (다툼이 있는 경우 판례에 의함)**

① 알 권리란 모든 정보원으로부터 일반적 정보를 수집하고 이를 처리할 수 있는 권리를 말한다. 여기서 일반적이란 신문, 잡지, 방송 등 불특정 다수인에게 개방될 수 있는 것을 말하며, 정보란 양심, 사상, 의견, 지식 등의 형성에 관련이 있는 일체의 자료를 말한다.

② 정보에의 접근·수집·처리의 자유, 즉 알 권리는 표현의 자유에 당연히 포함되는 것으로 보아야 한다.

③ 알 권리는 표현의 자유와 표리일체의 관계에 있으며 자유권적 성질과 청구권적 성질을 공유한다.

④ 알 권리의 실현은 법률의 제정이 뒤따라 이를 구체화시키는 것이 필요하므로 그러한 법률이 제정되어 있지 않다면 불가능하다.

**04** **알 권리에 관한 설명으로 가장 적절하지 않은 것은? (다툼이 있는 경우 판례에 의함)**

① 알 권리의 핵심은 정부가 보유하고 있는 정보에 대한 국민의 알권리, 즉 국민의 정부에 대한 일반적 정보공개를 구할 권리(청구권적 기본권)이다.

② 국민은 국회의 의사에 대하여는 직접적인 이해관계 유무와 상관없이 일반적 정보공개청구권을 가진다고 할 수 없다.

③ 국가안전의 보장과 관련된 내용이 아닌 정부 또는 어떤 정치세력의 단순한 정치적 이익이나 행정편의에 관련된 것에 불과한 이른바 가성비밀은 국가기밀에 해당하지 아니한다.

④ 알 권리에서 파생되는 정부의 공개의무는 특별한 사정이 없는 한 국민의 적극적인 정보수집 행위, 특히 특정의 정보에 대한 공개청구가 있는 경우에야 비로소 존재한다.

**05** 언론 · 출판의 자유의 한계에 관한 설명으로 가장 적절하지 않은 것은? (다툼이 있는 경우 판례에 의함)

① 헌법 제21조 제4항은 언론 · 출판의 자유에 따르는 책임과 의무를 강조하는 동시에 헌법상 표현의 자유의 보호영역 한계를 설정한 것이다.
② 명예란 사람의 품성, 명성, 신용 등 인격적 가치에 대하여 사회로부터 받는 객관적인 평가를 말하고, 명예훼손이란 명예주체에 대한 사회적 평가를 저하시키는 일체의 행위를 말한다.
③ 개인의 언론 활동이 타인의 명예를 훼손하는 경우, 행위자와 피해자라는 개인 대 개인 간의 사적 관계에서는 언론의 자유보다 명예 보호라는 인격권이 우선하나, 당해 표현이 공공적 · 사회적 · 객관적인 의미를 가진 정보에 해당되는 것은 그 평가를 달리 하여야 한다.
④ 음란표현은 헌법 제21조가 규정하는 언론 · 출판의 자유의 보호영역 내에 있다.

**06** 사전검열금지의 원칙에 관한 설명으로 가장 적절하지 않은 것은? (다툼이 있는 경우 판례에 의함)

① 헌법 제21조 제2항의 검열은 그 명칭이나 형식과 관계없이 실질적으로 국가기관이 주체가 되어 사상이나 의견 등이 발표되기 이전에 예방적 조치로서 그 내용을 심사, 선별하여 발표를 사전에 억제하는 제도를 뜻한다.
② 사전검열은 절대적으로 금지되고, 여기에서 절대적이라 함은 언론 · 출판의 자유의 보호를 받는 표현에 대해서는 사전검열금지원칙이 예외 없이 적용된다는 의미이다.
③ 영화의 상영으로 인한 실정법위반의 가능성을 사전에 막고, 청소년 등에 대한 상영이 부적절할 경우 이를 유통단계에서 효과적으로 관리할 수 있도록 미리 등급을 심사하는 것은 사전검열이 아니다.
④ 검열을 행정기관이 아닌 독립적인 위원회에서 행한다고 하더라도, 행정권이 주체가 되어 검열절차를 형성하고 검열기관의 구성에 지속적인 영향을 미칠 수 있는 경우라면 실질적으로 그 검열기관은 행정기관이라고 보아야 한다.

**07** 집회의 자유에 관한 설명으로 가장 적절하지 않은 것은? (다툼이 있는 경우 판례에 의함)

① 집회의 자유에는 집회를 통하여 형성된 의사를 집단적으로 표현하고 이를 통해 불특정 다수인의 의사에 영향을 줄 자유를 포함한다.
② 일반적으로 집회는, 일정한 장소를 전제로 하여 특정 목적을 가진 다수인이 일시적으로 회합하는 것을 말하는 것으로 일컬어지고 있고, 그 공동의 목적은 공동의 의견을 형성하여 이를 대외적으로 표명하는 것이다.
③ 헌법이 집회의 자유를 보장한 것은 관용과 다양한 견해가 공존하는 다원적인 '열린사회'에 대한 헌법적 결단이다.
④ 집회의 자유는 다른 법익의 보호를 위하여 정당화되지 않는 한, 집회장소를 항의의 대상으로부터 분리시키는 것을 금지한다.

**08** 집회의 자유에 관한 설명으로 가장 적절하지 않은 것은? (다툼이 있는 경우 판례에 의함)

① 비록 헌법이 명시적으로 밝히고 있지는 않으나, 집회의 자유에 의하여 보호되는 것은 단지 '평화적' 또는 '비폭력적' 집회이다.
② 행정청에 의한 사전허가뿐만 아니라 입법자가 법률로써 일반적으로 집회를 제한하는 것도 헌법상 '사전허가금지'에 해당한다.
③ 집회의 금지와 해산은 원칙적으로 공공의 안녕 질서에 대한 직접적인 위협이 명백하게 존재하는 경우에 한하여 허용될 수 있다.
④ 집회의 금지와 해산은 집회의 자유를 보다 적게 제한하는 다른 수단, 즉 조건을 붙여 집회를 허용하는 가능성을 모두 소진한 후에 비로소 고려될 수 있는 최종적인 수단이다.

09 집회의 자유에 관한 설명으로 가장 적절하지 않은 것은? (다툼이 있는 경우 판례에 의함)

① 옥외집회나 시위를 주최하려는 자는 그에 관한 목적, 일시, 장소, 주최자, 참가 예정인 단체와 인원, 시위의 경우 그 방법 모두를 적은 신고서를 옥외집회나 시위를 시작하기 720시간 전부터 48시간 전에 관할 경찰서장에게 제출하여야 한다.

② 집회의 성격상 부득이하여 주최자가 질서유지인을 두고 미리 신고한 경우에는 관할경찰관서장은 질서 유지를 위한 조건을 붙여 해가 뜨기 전이나 해가 진 후에도 옥외집회를 허용할 수 있다.

③ 경찰관은 집회 또는 시위의 주최자에게 알리고 그 집회 또는 시위의 장소에 정복을 입고 출입할 수 있다. 다만, 옥내집회 장소에 출입하는 것은 직무 집행을 위하여 긴급한 경우에만 할 수 있다.

④ 관할 경찰관서장은 단순히 신고사항에 미비점이 있었다거나 신고의 범위를 일탈하였다는 이유만으로 당해 옥외집회 또는 시위 자체를 해산하거나 저지할 수 있다.

10 결사의 자유에 관한 설명으로 가장 적절하지 않은 것은? (다툼이 있는 경우 판례에 의함)

① 결사란 자연인 또는 법인의 다수가 상당한 기간 동안 공동목적을 위하여 자유의사에 기하여 결합하고 조직화된 의사형성이 가능한 단체를 말하는 것으로, 공법상의 결사나 법이 특별한 공공목적에 의하여 구성원의 자격을 정하고 있는 특수단체의 조직활동도 포함된다.

② 헌법재판소는 결사의 자유에서 말하는 결사의 공동목적의 범위를 비영리적인 것으로 제한하지는 않았고, 영리단체를 결사에서 제외하여야 할 뚜렷한 근거가 없는 터이므로, 영리단체도 헌법상 결사의 자유에 의하여 보호된다.

③ 결사의 자유는 인격발현과 관련된 기본권이라는 점에서 외국인에게도 인정되고, 법인 등 결사체도 그 조직과 의사형성에 있어서, 그리고 업무수행에 있어서 자기결정권을 가지고 있어 결사의 자유의 주체가 된다.

④ 결사의 자유에는 '단체활동의 자유'도 포함되는데, 단체활동의 자유는 단체 외부에 대한 활동뿐만 아니라 단체의 조직, 의사형성의 절차 등의 단체의 내부적 생활을 스스로 결정하고 형성할 권리인 '단체 내부 활동의 자유'를 포함한다.

## 경찰헌법 6회 모의고사

**01** 재산권에 관한 설명으로 가장 적절하지 않은 것은? (다툼이 있는 경우 판례에 의함)

① 우리 헌법상의 재산권에 관한 규정은 다른 기본권규정과는 달리 그 내용과 한계가 법률에 의해 구체적으로 형성되는 기본권 형성적 법률유보의 형태를 띠고 있다.

② 재산권의 내용과 한계를 법률로 정한다는 것은 헌법적으로 보장된 재산권의 내용을 구체화하면서 이를 제한하는 것으로 볼 수 있다.

③ 헌법상의 재산권은 토지소유자가 이용가능한 모든 용도로 토지를 자유로이 최대한 사용할 권리나 가장 경제적 또는 효율적으로 사용할 수 있는 권리를 보장하는 것을 의미한다.

④ 재산권 수용적 법률이란 국가가 구체적인 공적 과제를 수행하기 위하여 이미 형성된 구체적인 재산적 권리를 전면적 또는 부분적으로 박탈하거나 제한하는 법률을 말한다.

**02** 재산권에 관한 설명으로 가장 적절하지 않은 것은? (다툼이 있는 경우 판례에 의함)

① 재산권의 내용을 새로이 형성하는 규정은 자의금지의 원칙을 기준으로 판단하였을 때 공익에 의하여 정당화되는 경우에만 합헌적이다.

② 재산권의 내용과 한계를 정하는 법률도 사유재산제도나 사유재산을 부인하는 것은 재산권 보장 규정의 침해를 의미하고 결코 재산권 형성적 법률유보라는 이유로 정당화될 수 없다.

③ 새로운 법규정으로 토지를 종래 합법적으로 행사된 토지이용의 목적으로도 사용할 수 없는 경우에는 토지재산권의 제한을 단순히 사회적 제약으로 판단할 수 없고 수용적 효과를 인정해야 한다.

④ 공용수용은 국민의 재산권을 그 의사에 반하여 강제적으로라도 취득해야 할 공익적 필요성이 있을 것, 수용과 그에 대한 보상은 모두 법률에 의거할 것, 정당한 보상을 지급할 것의 요건을 갖추어야 합헌적이다.

**03** 부담금에 관한 설명으로 가장 적절하지 않은 것은? (다툼이 있는 경우 판례에 의함)

① 조세는 국가 등의 일반적 과제의 수행을 위한 것으로서 담세능력이 있는 일반국민에 대해 부과되지만, 부담금은 특별한 과제의 수행을 위한 것으로서 당해 공익사업과 일정한 관련성이 있는 특정 부류의 사람들에 대해서만 부과되는 점에서 차이가 있다.

② 어떤 공과금이 조세인지 아니면 부담금인지는 그 실질적인 내용을 기준으로 할 것이 아니라, 법률에서 그것을 무엇으로 성격 규정하고 있느냐를 기준으로 삼아야 한다.

③ 재정조달목적의 부담금은 조세에 대한 관계에서 어디까지나 예외적으로만 인정되어야 하며, 어떤 공적 과제에 관한 재정조달을 조세로 할 것인지 아니면 부담금으로 할 것인지에 관하여 입법자의 자유로운 선택권을 허용하여서는 안 된다.

④ 부담금은 국민의 재산권을 제한하는 성격을 가지고 있으므로 부담금을 부과함에 있어서도 평등원칙이나 비례성원칙과 같은 재산권 제한 입법의 한계 역시 준수되어야 한다.

**04** 직업의 자유에 관한 설명으로 가장 적절하지 않은 것은? (다툼이 있는 경우 판례에 의함)

① 직업이란 생활의 기본적 수요를 충족시키기 위한 계속적인 활동 중 사회적으로 무해한 행위, 즉 총체적이며 경제적 성질을 가지는 모든 소득활동 중 사회적으로 유해하지 않은 행위를 의미한다.

② 헌법에서 인정하는 직업의 자유는 원칙적으로 대한민국 국민에게 인정되는 기본권이지, 외국인에게 인정되는 기본권은 아니다.

③ 개개인이 선택한 직업의 수행에 의하여 국가의 사회질서와 경제질서가 형성된다는 점에서, 직업의 자유는 사회적 시장경제질서라고 하는 객관적 법질서의 구성요소이기도 하다.

④ 직업선택의 자유에는 자신이 원하는 직업 내지 직종에 종사하는 데 필요한 전문지식을 습득하기 위한 직업교육장을 임의로 선택할 수 있는 직업교육장 선택의 자유도 포함된다.

**05** 직업의 자유에 관한 설명으로 가장 적절하지 않은 것은? (다툼이 있는 경우 판례에 의함)

① 헌법 제15조가 보장하는 직업의 자유는 독립적 형태의 직업활동뿐만 아니라 고용된 형태의 종속적인 직업활동도 보장한다. 따라서 직업선택의 자유는 직장선택의 자유를 포함한다.

② 직장선택의 자유는 원하는 직장을 제공하여 줄 것을 청구하거나 한번 선택한 직장의 존속보호를 청구할 권리를 보장하며, 또한 사용자의 처분에 따른 직장 상실로부터 직접 보호하여 줄 것을 청구할 수도 있다.

③ 좁은 의미의 직업선택의 자유를 제한하는 것은 인격발현에 대한 침해의 효과가 직업수행의 자유를 제한하는 경우보다 일반적으로 크기 때문에 전자에 대한 제한은 후자에 대한 제한보다 더 엄격한 제약을 받는다.

④ 객관적 사유에 의한 직업선택의 자유의 제한은 가장 엄격한 요건이 갖추어진 경우에만 허용될 수 있고 그 제한법률에 대한 심사기준도 엄격한 비례의 원칙이 적용된다.

**06** 참정권에 관한 설명으로 가장 적절하지 않은 것은? (다툼이 있는 경우 판례에 의함)

① 헌법 제72조에 의한 중요정책에 관한 국민투표는 국가안위에 관계되는 사항에 관하여 대통령이 제시한 구체적인 정책에 대한 주권자인 국민의 승인절차라 할 수 있다.

② 대의기관의 선출주체가 곧 대의기관의 의사결정에 대한 승인주체가 되는 것은 당연한 논리적 귀결이므로, 국민투표권자의 범위는 대통령선거권자・국회의원선거권자와 일치되어야 한다.

③ 국민투표법조항이 국회의원선거권자인 재외선거인에게 국민투표권을 인정하지 않은 것은 국회의원선거권자의 헌법개정안 국민투표 참여를 전제하고 있는 헌법 제130조 제2항의 취지에 부합한다.

④ 대법원은 국민투표무효의 소송에 있어서 국민투표에 관하여 국민투표법 또는 국민투표법에 의하여 발하는 명령에 위반하는 사실이 있는 경우라도 국민투표의 결과에 영향이 미쳤다고 인정하는 때에 한하여 국민투표의 전부 또는 일부의 무효를 판결한다.

**07** 공무담임권에 관한 설명으로 가장 적절하지 않은 것은? (다툼이 있는 경우 판례에 의함)

① 공무담임권이란 입법부, 집행부, 사법부는 물론 지방자치단체 등 국가, 공공단체의 구성원으로서 그 직무를 담당할 수 있는 권리를 말한다.

② 직무를 담당한다는 것은 모든 국민이 현실적으로 그 직무를 담당할 수 있다고 하는 의미가 아니라, 국민이 공무담임에 관한 자의적이지 않고 '평등한 기회를 보장받음'을 의미한다.

③ 공무담임권의 보호영역에는 공직취임의 기회의 자의적인 배제뿐 아니라, 공무원 신분의 부당한 박탈까지 포함된다.

④ 승진시험의 응시제한이나 이를 통한 승진기회의 보장 문제는 공무담임권의 보호영역에 포함된다.

**08** 공무담임권에 관한 설명으로 가장 적절하지 않은 것은? (다툼이 있는 경우 판례에 의함)

① 승진임용은 신규임용과 함께 공무원을 임용하는 방법 중 하나이므로, 공무담임권은 공직취임의 기회 균등뿐만 아니라 취임한 뒤 승진할 때에도 균등한 기회 제공을 요구한다.

② 기능직공무원이 일반직공무원으로 우선 임용될 수 있는 기회의 보장은 공무담임권에서 당연히 파생되는 것으로 볼 수 없다.

③ 헌법 제25조의 공무담임권이 공무원의 재임기간 동안 충실한 공무 수행을 담보하기 위하여 공무원의 퇴직급여 및 공무상 재해보상을 보장할 것까지 그 보호영역으로 하고 있다고 보기 어렵다.

④ 헌법 제25조의 공무담임권의 보호영역에는 공무원이 특정의 장소에서 근무하는 것이나 특정의 보직을 받아 근무하는 것을 포함하는 일종의 공무수행의 자유까지 포함된다.

**09** 청원권에 관한 설명으로 가장 적절하지 않은 것은? (다툼이 있는 경우 판례에 의함)

① 청원권은 공권력과의 관계에서 일어나는 여러 가지 이해관계, 의견, 희망 등에 관하여 적법한 청원을 한 모든 당사자에게 국가기관이 청원을 수리할 뿐만 아니라 이를 심사하여 청원자에게 그 처리결과를 통지할 것을 요구할 수 있는 권리를 말한다.

② 국민이 여러 가지 이해관계 또는 국정에 관해서 자신의 의견이나 희망을 해당 기관에 직접 진술하는 외에 그 본인을 대리하거나 중개하는 제3자를 통해 진술하더라도 이는 청원권으로서 보호된다.

③ 동일인이 같은 내용의 청원서를 2개 이상의 청원기관에 제출한 경우 소관이 아닌 청원기관의 장은 청원서를 반려하거나 종결처리할 수 있다.

④ 청원기관의 장은 청원심의회의 심의를 거쳐 청원을 처리하여야 한다. 다만, 청원심의회의 심의를 거칠 필요가 없는 사항에 대해서는 심의를 생략할 수 있다.

**10** 청원권에 관한 설명으로 가장 적절하지 않은 것은? (다툼이 있는 경우 판례에 의함)

① 청원기관의 장은 청원을 접수한 때에는 특별한 사유가 없으면 90일 이내에 처리결과를 청원인에게 알려야 한다.

② 청원사항의 처리결과에 심판서나 재결서에 준하여 이유를 명시할 것을 요구하는 것은 청원권의 보호범위에 포함된다.

③ 청원이 단순한 호소나 요청이 아닌 구체적인 권리행사로서의 성질을 갖는 경우라면 그에 대한 피청구인의 거부행위는 청구인의 법률관계나 법적 지위에 영향을 미치는 것으로서 당연히 헌법소원의 대상이 되는 공권력의 행사라고 할 수 있다.

④ 국회에 청원을 하려는 자는 의원의 소개를 받거나 국회규칙으로 정하는 기간 동안 국회규칙으로 정하는 일정한 수 이상의 국민의 동의를 받아 청원서를 제출하여야 한다.

## 경찰헌법 7회 모의고사

**01** 재판을 받을 권리에 관한 설명으로 가장 적절하지 않은 것은? (다툼이 있는 경우 판례에 의함)

① 재판을 받을 권리에는 민사재판, 형사재판, 행정재판, 헌법재판이 포함된다.
② 국민에게 중요한 사항으로서 '사실확정과 법률의 해석적용'에 관련된 문제이고 사법절차를 통하여 결정되어야 할 만한 속성을 지닌 것이라면 재판청구권의 보호범위에 포함된다.
③ '피고인 스스로 치료감호를 청구할 수 있는 권리'는 헌법상 재판청구권의 보호범위에 포함된다.
④ 교정시설 내 수용자와 변호사 사이의 접견교통권의 보장은 헌법상 보장되는 재판청구권의 한 내용 또는 그로부터 파생되는 권리로 볼 수 있다.

**02** 재판을 받을 권리에 관한 설명으로 가장 적절하지 않은 것은? (다툼이 있는 경우 판례에 의함)

① 재판청구권의 실현은 재판권을 행사하는 법원의 조직과 소송절차에 관한 입법에 의존하고 있기 때문에 입법자에 의한 재판청구권의 구체적 형성은 불가피하며, 따라서 입법자는 소송요건과 관련하여 소송의 주체·방식·절차·시기·비용 등에 관하여 규율할 수 있다.
② 재판청구권과 같은 절차적 기본권은 자유권적 기본권 등 다른 기본권의 경우와 비교하여 볼 때 상대적으로 입법자의 광범위한 입법형성권이 인정되므로, 관련 법률에 대한 위헌심사기준은 합리성원칙 내지 자의금지원칙이 적용된다.
③ 재심청구권은 입법형성권의 행사에 의하여 비로소 창설되는 법률상의 권리일 뿐, 헌법 제27조 제1항, 제37조 제1항에 의하여 직접 발생되는 기본적 인권은 아니다.
④ 헌법 제27조에서 규정한 재판을 받을 권리에 모든 사건에 대해 상소법원의 구성법관에 의한, 상소심 절차에 의한 재판을 받을 권리까지도 당연히 포함된다.

**03** 재판을 받을 권리에 관한 설명으로 가장 적절하지 않은 것은? (다툼이 있는 경우 판례에 의함)

① 헌법과 법률이 정한 법관에 의하여 재판을 받을 권리라 함은 헌법과 법률이 정한 자격과 절차에 의하여 임명되고, 물적 독립과 인적 독립이 보장된 법관에 의한 재판을 받을 권리를 의미한다.
② 헌법 제27조 제2항에 비추어 볼 때 군인 신분 취득 전에 범한 '일반형사범죄'에 대한 군사법원의 재판권은 헌법상 당연히 용인되어야 한다.
③ 우리 헌법상 헌법과 법률이 정한 법관에 의한 재판을 받을 권리는 직업법관에 의한 재판을 주된 내용으로 하는 것이므로 국민참여재판을 받을 권리가 헌법 제27조 제1항에서 규정한 재판을 받을 권리의 보호범위에 속한다고 볼 수 없다.
④ 공정한 재판을 받을 권리는 공개된 법정의 법관 앞에서 모든 증거자료가 조사되고 검사와 피고인이 서로 공격·방어할 수 있는 공평한 기회가 보장되는 재판을 받을 권리를 포함한다.

**04** 국가배상청구권에 관한 설명으로 가장 적절하지 않은 것은? (다툼이 있는 경우 판례에 의함)

① 국가나 지방자치단체는 공무원 또는 공무를 위탁받은 사인이 직무를 집행하면서 고의 또는 과실로 법령을 위반하여 타인에게 손해를 입혔을 때에는 국가배상법에 따라 그 손해를 배상하여야 한다.
② 국가배상청구의 요건인 공무원의 직무에는 권력적 작용만이 아니라 비권력적 작용도 포함되며 단지 행정주체가 사경제주체로서 하는 활동만 제외된다.
③ 국가배상법에 따른 손해배상의 소송은 배상심의회에 배상신청을 하지 아니하고도 제기할 수 있다.
④ 생명·신체·재산의 침해로 인한 국가배상을 받을 권리는 양도하거나 압류하지 못한다.

**05** 형사보상청구권에 관한 설명으로 가장 적절하지 않은 것은? (다툼이 있는 경우 판례에 의함)

① 형사피의자 또는 형사피고인으로서 구금되었던 자가 법률이 정하는 불기소처분을 받거나 무죄판결을 받은 때에는 법률이 정하는 바에 의하여 국가에 정당한 보상을 청구할 수 있다.

② 헌법 제28조에서 문제되는 신체의 자유에 대한 제한인 구금으로 인하여 침해되는 가치는 객관적으로 산정할 수 있으므로, 일단 침해된 신체의 자유에 대하여 어느 정도의 보상을 하여야 완전한 보상을 하였다고 할 것인지 단언할 수 있다.

③ 형사소송법에 따라 면소 또는 공소기각의 재판을 받아 확정된 피고인이 면소 또는 공소기각의 재판을 할 만한 사유가 없었더라면 무죄재판을 받을 만한 현저한 사유가 있었을 경우 국가에 대하여 구금에 대한 보상을 청구할 수 있다.

④ 1개의 재판으로 경합범의 일부에 대하여 무죄재판을 받고 다른 부분에 대하여 유죄재판을 받았을 경우에는 법원은 재량으로 보상청구의 전부 또는 일부를 기각할 수 있다.

**06** 형사보상청구권에 관한 설명으로 가장 적절하지 않은 것은?

① 형사보상법은 보상을 받을 자는 다른 법률에 따라 손해배상을 청구하는 것이 금지된다.

② 보상청구는 무죄재판이 확정된 사실을 안 날부터 3년, 무죄재판이 확정된 때부터 5년 이내에 하여야 한다.

③ 보상결정에 대하여는 1주일 이내에 즉시항고를 할 수 있고, 청구기각 결정에 대하여는 즉시항고를 할 수 있다.

④ 보상결정이 송달된 후 2년 이내에 보상금 지급청구를 하지 아니할 때에는 권리를 상실한다.

**07** 범죄피해자구조청구권에 관한 설명으로 가장 적절하지 않은 것은? (다툼이 있는 경우 판례에 의함)

① 범죄피해자구조청구권의 법적 성격은 생존권적 기본권으로서의 성격을 가지는 청구권적 기본권이다.

② 국가는 구조피해자나 유족이 해당 구조대상 범죄피해를 원인으로 하여 손해배상을 받았으면 그 범위에서 구조금을 지급하지 아니한다.

③ 구조금의 신청은 해당 구조대상 범죄피해의 발생을 안 날부터 3년이 지나거나 해당 구조대상 범죄피해가 발생한 날부터 5년이 지나면 할 수 없다.

④ 구조금을 받을 권리는 그 구조결정이 해당 신청인에게 송달된 날부터 2년간 행사하지 아니하면 시효로 인하여 소멸된다.

**08** 인간다운 생활을 할 권리에 관한 설명으로 가장 적절하지 않은 것은? (다툼이 있는 경우 판례에 의함)

① 사회적 기본권의 구체적인 실현에 있어서 입법자는 광범위한 형성의 자유를 가지나 헌법 제34조로부터 지방자치단체장을 위한 별도의 퇴직급여제도를 마련할 입법의무가 도출된다.

② 인간다운 생활을 할 권리로부터 인간의 존엄에 상응하는 최소한의 물질적인 생활의 유지에 필요한 급부를 요구할 수 있는 구체적인 권리가 상황에 따라서는 직접 도출될 수 있다.

③ 모든 국민은 인간다운 생활을 할 권리를 가진다는 헌법 규정은 헌법재판에 있어서 입법부나 행정부가 국민으로 하여금 인간다운 생활을 영위하도록 하기 위하여 객관적으로 필요한 최소한의 조치를 취할 의무를 다하였는지를 기준으로 국가기관의 행위의 합헌성을 심사하는 통제규범으로 작용한다.

④ 국가가 행하는 생계보호의 수준이 인간다운 생활을 보장하기 위한 객관적 내용의 최소한을 보장하고 있는지의 여부는 생활보호법에 의한 생계보호급여만을 가지고 판단하여서는 아니 되고 그 외의 법령에 의거하여 국가가 생계보호를 위하여 지급하는 각종 급여나 각종 부담의 감면 등을 총괄한 수준을 가지고 판단한다.

**09** 사회보장수급권에 관한 설명으로 가장 적절하지 않은 것은? (다툼이 있는 경우 판례에 의함)

① 사회적 기본권의 성격을 가지는 사회보장수급권은 국가에 대하여 적극적으로 급부를 요구하는 것으로 헌법규정만으로는 이를 실현할 수 있다.

② 분만급여청구권은 사회보장제도 중 사회보험으로서의 의료보험급여의 일종으로 의료보험법이라는 입법에 의하여 구체적으로 형성된 권리이다.

③ 의료보험법상의 보험급여는 가입자가 기여금의 형태로 납부한 보험료에 대한 반대급부의 성질을 갖는 것이고 본질상, 보험사고로 초래되는 가입자의 재산상의 부담을 전보하여 주는 경제적 유용성을 가지므로 의료보험수급권은 재산권의 성질을 갖는다.

④ 공무원연금법상 퇴직연금수급권은 경제적 가치 있는 권리로서 헌법 제23조에 의하여 보장되는 재산권으로서의 성격을 가진다.

**10** 사회보장수급권에 관한 설명으로 가장 적절하지 않은 것은? (다툼이 있는 경우 판례에 의함)

① 산재보험법상의 유족급여는 헌법 제34조의 인간다운 생활을 할 권리에 근거하여 산재보험법에 구체화된 사회보장적 성격의 보험급여이다.

② 국가유공자가 받게 될 보훈은 헌법 제36조 제2항에 의해 직접 보장되는 것이지 법률에 규정됨으로써 비로소 구체적인 법적 권리로 형성되는 것은 아니다.

③ 사회복지란 공적부조대상자 등 요보호자가 자립의 생활능력을 계발하는 데 필요한 지원을 하는 국가적 활동을 말한다.

④ 국가는 노인의 특성에 적합한 주택정책을 복지향상차원에서 개발하여 노인으로 하여금 쾌적한 주거활동을 할 수 있도록 노력하여야 할 의무를 부담한다.

# 경찰헌법 8회 모의고사

**01** 인간다운 생활을 할 권리에 관한 설명으로 가장 적절하지 않은 것은? (다툼이 있는 경우 판례에 의함)

① 인간다운 생활을 할 권리는 사회권적 기본권의 일종으로서 인간의 존엄에 상응하는 최소한의 물질적인 생활의 유지에 필요한 급부를 요구할 수 있는 권리를 의미한다.

② 인간다운 생활을 할 권리를 규정하고 있는 헌법 제34조로부터 바로 지방자치단체장을 위한 별도의 퇴직급여제도를 마련할 입법의무가 도출된다.

③ 헌법재판에 있어서 헌법 제34조는 입법부나 행정부가 국민으로 하여금 인간다운 생활을 영위하도록 하기 위하여 객관적으로 필요한 최소한의 조치를 취할 의무를 다하였는지를 기준으로 국가기관의 행위의 합헌성을 심사하여야 한다는 통제규범으로 작용한다.

④ 인간다운 생활을 보장하기 위한 객관적 내용의 최소한을 보장하고 있는지의 여부는 특정한 법률에 의한 급부만을 가지고 판단하여서는 아니 되고 그 외 국가가 생계보호를 위하여 지급하는 각종 급여나 각종 부담의 감면 등을 총괄한 수준을 가지고 판단한다.

**02** 사회보장수급권에 관한 설명으로 가장 적절하지 않은 것은? (다툼이 있는 경우 판례에 의함)

① 사회보장수급권은 국가에 대하여 적극적으로 급부를 요구하는 것이므로 헌법규정만으로는 이를 실현할 수 없고, 법률에 의한 형성을 필요로 한다.

② 사회보험료는 급여혜택을 받지 못하는 제3자인 사용자에게도 보험료 납부의무가 부과된다는 점에서 수익자부담금으로 보아야 한다.

③ 분만급여청구권은 사회보장제도 중 사회보험으로서의 의료보험급여의 일종으로 의료보험법이라는 입법에 의하여 구체적으로 형성된 권리이다.

④ 국가는 노인의 특성에 적합한 주택정책을 복지향상차원에서 개발하여 노인으로 하여금 쾌적한 주거활동을 할 수 있도록 노력하여야 할 의무를 부담한다.

**03** 교육을 받을 권리에 관한 설명으로 가장 적절하지 않은 것은? (다툼이 있는 경우 판례에 의함)

① 교육을 받을 권리는 국민이 능력에 따라 균등하게 교육받을 수 있도록 국가가 적극적으로 배려하여 줄 것을 요구할 수 있는 권리로, 오직 사회권적 기본권의 성격을 가진다.

② 헌법은 제31조 제1항에서 '교육을 받을 권리'를 보장함으로써 국가로부터 교육에 필요한 시설의 제공을 요구할 수 있는 권리 및 각자의 능력에 따라 교육시설에 입학하여 배울 수 있는 권리를 국민의 기본권으로서 보장하고 있다.

③ 평등권으로서 교육을 받을 권리는 '취학의 기회균등', 즉 각자의 능력에 상응하는 교육을 받을 수 있도록 학교 입학에 있어서 자의적 차별이 금지되어야 한다는 차별금지원칙을 의미한다.

④ 헌법 제31조 제1항은 취학의 기회에 있어서 고려될 수 있는 차별기준으로 '능력'을 제시함으로써, 능력 이외의 다른 요소에 의한 차별을 원칙적으로 제한하고 있는데, 여기서 '능력'이란 '수학능력'을 의미한다.

**04** 교육을 받을 권리에 관한 설명으로 가장 적절하지 않은 것은? (다툼이 있는 경우 판례에 의함)

① 교육을 받을 권리가 국가에 대하여 특정한 교육제도나 시설의 제공을 요구할 수 있는 권리를 뜻하는 것은 아니다.

② 교육을 받을 권리는 교육영역에서의 기회균등을 내용으로 하는 것이지, 자신의 교육환경을 최상 혹은 최적으로 만들기 위해 타인의 교육시설 참여 기회를 제한할 것을 청구할 수 있는 기본권은 아니다.

③ 헌법 제31조 제1항으로부터 군인이 자기계발을 위하여 해외유학하는 경우에 그 교육비를 청구할 수 있는 권리가 도출된다고 할 수는 없다.
④ 재학 중인 학교의 법적 형태를 공법상 영조물인 국립대학으로 유지하여 줄 것을 요구할 권리는 교육받을 권리에 포함되지 아니하나, 대학의 관리·운영에 관한 사항은 학생의 학문의 자유와 관련되어 있다.

**05** 무상의 의무교육을 받을 권리에 관한 설명으로 가장 적절하지 않은 것은? (다툼이 있는 경우 판례에 의함)

① 국가는 학부모가 경제적 여건에 관계없이 교육의 의무를 이행할 수 있도록 의무교육은 무상으로 할 것을 원칙으로 천명하여 국가에 의무교육을 실시할 수 있는 인적·물적 여건을 마련할 의무를 부과하였다.
② 의무교육에 있어서 무상의 범위에는 의무교육이 실질적이고 균등하게 이루어지기 위한 본질적 항목으로, 수업료나 입학금의 면제, 학교와 교사 등 인적·물적 시설 및 그 시설을 유지하기 위한 인건비와 시설유지비, 신규시설투자비 등의 재원 부담으로부터의 면제가 포함된다.
③ 헌법 제31조 제2항의 취지에 비추어 무상의 중등교육을 받을 권리는 법률에서 중등교육을 의무교육으로서 시행하도록 규정하기 전에도 헌법상 권리로서 보장된다.
④ 헌법 제31조 제2항, 제3항으로부터 직접 의무교육 경비를 중앙정부로서의 국가가 부담하여야 한다는 결론은 도출되지 않으며, 그렇다고 하여 의무교육의 성질상 중앙정부로서의 국가가 모든 비용을 부담하여야 하는 것도 아니다.

**06** 교사의 수업권 및 대학의 자치에 관한 설명으로 가장 적절하지 않은 것은? (다툼이 있는 경우 판례에 의함)

① 학교교육에 있어서 교사의 가르치는 권리를 수업권이라고 한다면 그것은 자연법적으로는 학부모에게 속하는 자녀에 대한 교육권을 신탁받은 것이고, 실정법상으로는 공교육의 책임이 있는 국가의 위임에 의한 것이다.
② 교육의 자주성이나 대학의 자율성은 헌법 제22조 제1항이 보장하고 있는 학문의 자유의 확실한 보장수단으로 꼭 필요한 것으로서 이는 대학에게 부여된 헌법상의 기본권이다.
③ 대학의 자율성은 학문의 자유의 주체인 교원들이 그 중심이 되는 것이지만, 공권력 등 외부세력의 간섭을 배제하고 대학을 자주적으로 운영한다는 측면에서는 교원뿐만 아니라 역시 대학의 구성원인 직원, 학생 등도 원칙적으로 대학자치의 주체가 될 수 있다고 보아야 한다.
④ 대학의 자율에 대한 침해 여부를 심사함에 있어서는 입법자가 입법형성의 한계를 넘는 자의적인 입법을 하였는지 여부가 아니라 엄격한 비례의 원칙에 따라 판단하여야 한다.

**07** 근로의 권리에 관한 설명으로 가장 적절하지 않은 것은? (다툼이 있는 경우 판례에 의함)

① 엄격한 의미에서 근로의 권리는 사회적 기본권으로서, 국가에 대하여 직접 일자리(직장)를 청구하거나 일자리에 갈음하는 생계비의 지급청구권을 의미하는 것이 아니라, 고용증진을 위한 사회적·경제적 정책을 요구할 수 있는 권리에 그친다.
② 국가에 대하여 고용증진을 위한 사회적·경제적 정책을 요구할 수 있는 권리는 '자유권적 기본권'으로서 외국인 근로자에게도 그 기본권 주체성을 인정함이 타당하다.
③ 해고예고제도는 근로조건의 핵심적 부분인 해고와 관련된 사항일 뿐만 아니라, 근로자가 갑자기 직장을 잃어 생활이 곤란해지는 것을 막는 데 목적이 있으므로 근로자의 인간 존엄성을 보장하기 위한 최소한의 근로조건으로서 근로의 권리의 내용에 포함된다.
④ 근로자가 퇴직급여를 청구할 수 있는 권리는 헌법상 바로 도출되는 것이 아니라 퇴직급여법 등 관련 법률이 구체적으로 정하는 바에 따라 비로소 인정될 수 있다.

**08** 근로3권에 관한 설명으로 가장 적절하지 않은 것은? (다툼이 있는 경우 판례에 의함)

① 교원은 학생들에 대한 지도·교육이라는 노무에 종사하고 그 대가로 받는 임금·급료 그 밖에 이에 준하는 수입으로 생활하는 사람이므로 근로자에 해당한다.
② 근로기본권은 근로자의 근로조건을 개선함으로써 그들의 경제적·사회적 지위의 향상을 기하기 위한 것으로서 자유권적 기본권으로서의 성격보다는 생존권 내지 사회권적 기본권으로서의 측면이 보다 강하다.
③ 근로자의 단결권은 단체를 결성하는 자유, 단체에 가입하는 자유뿐만 아니라 단체를 결성하지 아니할 자유, 단체에의 참가를 강제당하지 아니할 자유, 단체를 탈퇴할 자유를 포함한다.
④ 국가는 근로계약관계에 있어서 노동조합 및 노동관계조정법 제2조 제2호에 정한 사업주로서 단체교섭의 당사자의 지위에 있는 사용자에 해당한다.

**09** 근로3권의 제한에 관한 설명으로 가장 적절하지 않은 것은? (다툼이 있는 경우 판례에 의함)

① 일반근로자에게 보장되는 근로3권 중 단체행동권의 제한에 관한 법률조항은 헌법 제37조 제2항의 과잉금지원칙에 위반되는지 여부가 문제될 뿐만 아니라, 근로3권의 보장에 관한 헌법 제33조 제1항에 위배된다.
② 공무원인 근로자 중 법률이 정하는 자 이외의 공무원에게는 그 권리행사의 제한뿐만 아니라 금지까지도 할 수 있는 법률제정의 가능성을 헌법에서 직접 규정하고 있다는 점에서 헌법 제33조 제2항은 특별한 의미가 있다.
③ 법률이 정하는 주요방위산업체에 종사하는 근로자의 단체행동권은 법률이 정하는 바에 의하여 이를 제한하거나 인정하지 아니할 수 있다.
④ 비상계엄지역에서 계엄사령관은 군사상 필요할 때에는 단체행동에 대하여 특별한 조치를 할 수 있다.

**10** 환경권에 관한 설명으로 가장 적절하지 않은 것은? (다툼이 있는 경우 판례에 의함)

① 환경권은 건강하고 쾌적한 생활을 유지하는 조건으로서 양호한 환경을 향유할 권리이고, 생명·신체의 자유를 보호하는 토대를 이루며, 궁극적으로 '삶의 질' 확보를 목표로 하는 권리이다.
② 헌법재판소가 국가의 환경권 보호의무 위반 여부를 심사할 때에는 국가가 국민의 기본권적 법익 보호를 위하여 적어도 적절하고 효율적인 최소한의 보호조치를 취했는가 하는 이른바 "과잉금지원칙"의 위반 여부를 기준으로 삼아야 한다.
③ 환경권은 명문의 법률규정이나 관계 법령의 규정 취지 및 조리에 비추어 권리의 주체, 대상, 내용, 행사 방법 등이 구체적으로 정립될 수 있어야만 인정되는 것이므로, 사법상의 권리로서의 환경권을 인정하는 명문의 규정이 없는데도 환경권에 기하여 직접 방해배제청구권을 인정할 수 없다.
④ 건강하고 쾌적한 환경에서 생활할 권리를 보장하는 환경권의 보호대상이 되는 환경에는 자연 환경뿐만 아니라 인공적 환경과 같은 생활환경도 포함된다.

MEMO

PART

# 02

# 형사법

## 문제편

# 형사법 1회 모의고사

**01** 공범에 관한 설명 중 가장 적절하지 않은 것은? (다툼이 있는 경우 판례에 의함)

① 전국노점상연합회가 주관한 도로행진시위 단순참가자 甲이 다른 시위 참가자들과 시위 중 경찰관 등에 대한 특수공무집행방해 행위로 체포된 경우 체포된 이후에 이루어진 다른 시위 참가자들의 범행에 대해서는 공모공동정범의 죄책을 인정할 수 없다.

② 甲은 어느 행위로 인하여 처벌되지 아니하는 乙의 행위를 적극적으로 유발하였으나 그 과정에서 乙의 의사를 부당하게 억압한 것은 아니었던 경우 甲이 乙의 행위를 이용하여 자신의 범죄를 실현하였다고 하더라도 형법 제34조 제1항이 정하는 간접정범의 죄책을 지는 것은 아니다.

③ 공모자가 공모에 주도적으로 참여하여 다른 공모자의 실행에 영향을 미친 때에는 범행을 저지하기 위하여 적극적으로 노력하는 등 실행에 미친 영향력을 제거하지 아니하는 한 공모관계에서 이탈하였다고 할 수 없다.

④ 공범자의 범인도피행위 도중에 그 범행을 인식하면서 그와 공동의 범의를 가지고 기왕의 범인도피상태를 이용하여 스스로 범인도피행위를 계속한 자는 범인도피죄의 공동정범이 성립한다.

**02** 공범에 관한 설명으로 가장 적절하지 않은 것은? (다툼이 있으면 판례에 의함)

① 공범독립성설은 간접정범의 정범성을 인정하나, 공범종속성설은 간접정범을 공범 속에 흡수해야 한다고 본다.

② 변호사 아닌 자가 변호사를 고용하여 법률사무소를 개설·운영하는 행위를 처벌하도록 규정하고 있는 변호사법 제109조 제2호, 제34조 제4항 위반행위에 있어서, 그 변호사의 행위가 형법 총칙상의 공모, 교사 또는 방조에 해당된다고 하더라도 변호사를 변호사 아닌 자의 공범으로서 처벌할 수는 없다.

③ 2인 이상이 공동의 과실로 인하여 과실범의 구성요건적 결과를 발생케 하는 경우를 과실범의 공동정범이라고 하는데, 판례는 과실범의 공동정범의 성립을 긍정하고 있다.

④ 후보자인 공무원이 자신을 위한 다른 공무원의 선거운동 기획 참여행위에 공동 가공한 경우에는 공직선거법 제255조 제1항 제10호 위반죄의 공동정범이 된다.

**03** 필요적 공범에 대한 설명 중 가장 적절한 것은? (다툼이 있는 경우 판례에 의함)

① 필요적 공범인 뇌물공여죄와 뇌물수수죄가 성립하기 위해서는 반드시 관여된 자 모두의 행위가 범죄로 성립되어야 하므로 일방에게 뇌물공여죄가 성립하려면 상대방 측에서 뇌물수수죄가 성립되어야 한다.

② 공무원이 직무상 비밀을 누설한 경우 「형법」 제127조의 공무상비밀누설죄로 처벌이 되며, 그 대향범인 비밀누설을 받은 자는 형법총칙의 공범규정이 적용되어 공무상비밀누설죄의 공범이 된다.

③ 변호사 甲이 변호사 아닌 자에게 고용되어 법률사무소를 개설·운영하는 행위에 관여한 행위가 형법총칙의 교사·방조에 해당할 경우 변호사 甲을 구 「변호사법」 제109조 제2호, 제34조 제4항 위반죄의 공범으로 처벌할 수 있다.

④ 甲이 세무사의 사무직원으로부터 그가 직무상 보관하고 있던 임대사업자 등의 인적사항, 사업자소재지가 기재된 서면을 교부받은 경우 구 「세무사법」상 직무상 비밀누설죄의 공동정범에 해당하지 않는다.

**04** 간접정범에 대한 설명으로 가장 적절하지 않은 것은? (다툼이 있는 경우 판례에 의함)

① 정유회사 경영자인 甲의 청탁으로, A 지역구 국회의원 乙이 甲과 A 지역구 지방자치단체장 사이에 정유공장의 지역구 유치를 위한 간담회를 주선하고, 甲은 위와 같은 사실을 알지 못하는 자신의 회사 직원들로 하여금 乙이 사실상 지배・장악하고 있던 후원회에 후원금을 기부하게 한 경우, 乙은 정치자금법 위반죄가, 甲은 정치자금법 위반죄의 간접정범이 성립한다.

② 공무원이 아닌 甲이 관공서에 허위내용의 증명원을 제출하여 그러한 사실을 모르는 공무원인 A로부터 그 증명원 내용과 같은 증명서를 발급받은 경우, 甲은 공문서위조죄의 간접정범에 해당하지 아니한다.

③ 甲이 채권의 존재에 관하여 乙과 다툼이 있는 상황에서 존재하지 않는 약정이자에 관한 내용을 부가하여 위조한 乙 명의 차용증을 바탕으로 乙에 대한 차용금채권을 丙에게 양도하고, 이러한 사정을 모르는 丙으로 하여금 乙을 상대로 양수금 청구소송을 제기하게 한 경우, 甲은 소송 당사자가 아니므로 甲의 위와 같은 행위는 사기죄에 해당하지 아니한다.

④ 경찰서 보안과장인 甲이 A의 음주운전을 눈감아주기 위하여 그에 대한 음주운전 적발보고서를 찢어버리고, 부하인 B로 하여금 일련번호가 동일한 가짜 음주운전 적발보고서에 乙에 대한 음주운전 사실을 기재케 하여 그 정을 모르는 담당경찰관으로 하여금 주취운전자 음주측정 처리부에 乙에 대한 음주운전 사실을 기재하도록 한 경우, 甲은 허위공문서작성 및 동 행사죄의 간접정범에 해당한다.

**05** 간접정범에 대한 설명으로 가장 적절하지 않은 것은? (다툼이 있는 경우 판례에 의함)

① 인신구속에 관한 직무를 행하는 자 또는 이를 보조하는 자가 피해자를 구속하기 위하여 진술조서 등을 허위로 작성한 후 이를 기록에 첨부하여 구속영장을 신청하고, 진술조서 등이 허위로 작성된 정을 모르는 검사와 영장전담판사를 기망하여 구속영장을 발부받은 후 그 영장에 의하여 피해자를 구금한 경우, 직권남용감금죄의 간접정범이 성립한다.

② 공문서의 작성권한이 있는 공무원의 직무를 보좌하는 사람이 그 직위를 이용하여 행사할 목적으로 허위의 내용이 기재된 문서 초안을 그 정을 모르는 상사에게 제출하여 결재하도록 하는 등의 방법으로 작성권한이 있는 공무원으로 하여금 허위의 공문서를 작성하게 한 경우, 허위공문서작성죄의 간접정범이 성립한다.

③ 작성권한 있는 공무원의 직무를 보조하는 공무원이 임의로 작성권자의 직인 등을 부정 사용함으로써 공문서를 완성한 경우, 허위공문서작성죄의 간접정범이 성립한다.

④ 타인을 비방할 목적으로 허위의 기사재료를 그 정을 모르는 기자에게 제공하여 신문 등에 보도하게 한 경우, 출판물에 의한 명예훼손죄의 간접정범이 성립할 수 있다.

## 06 공동정범에 관한 설명 중 가장 적절하지 않은 것은? (다툼이 있으면 판례에 의함)

① 포괄일죄의 범행 도중에 공동정범으로 범행에 가담한 자는 비록 그가 그 범행에 가담할 때에 이미 이루어진 종전의 범행을 알았다 하더라도 그 가담 이후의 범행에 대하여만 공동정범으로 책임을 진다.

② 부하들이 흉기를 들고 싸움을 하고 있는 도중에 폭력단체의 두목급 수괴 甲이 사건 현장에서 "전부 죽이라"고 고함을 치자, 그 부하들이 피해자들을 난자하여 사망케 한 경우에 甲도 살인죄의 공동정범의 죄책을 진다.

③ 다른 3명의 공모자들과 강도 모의를 주도한 甲이, 다른 공모자들이 피해자를 뒤쫓아 가자 단지 '어?'라고만 하고 더 이상 만류하지 아니하여 공모자들이 강도상해의 범행을 한 경우, 甲은 그 공모관계에서 이탈하였다고 볼 수 없다.

④ 우연히 만난 자리에서 서로 협력하여 공동의 범의를 실현하려는 의사가 암묵적으로 상통하여 범행에 공동가공한 것이라면 공동정범은 성립하지 않는다.

## 07 공동정범에 관한 설명 중 가장 적절하지 않은 것은? (다툼이 있는 경우 판례에 의함)

① 공동정범은 각자를 그 죄의 정범으로 처벌한다.

② 편면적 공동정범도 인정된다.

③ 공모에 주도적으로 참여한 공모자가 공모관계에서 이탈하여 공동정범으로서 책임을 지지 않기 위해서는 공모자는 공모에 의하여 담당한 기능적 행위지배를 해소하여야 한다.

④ 포괄일죄의 범행 도중에 공동정범으로 범행에 가담한 자는 비록 그가 그 범행에 가담할 때에 이미 이루어진 종전의 범행을 알았다 하더라도 그 가담 이후의 범행에 대하여만 공동정범으로 책임을 진다.

## 08 공동정범에 관한 다음 설명 중 가장 적절하지 않은 것은? (다툼이 있는 경우 판례에 의함)

① 공동정범은 고의범이나 과실범을 불문하고 의사의 연결이 있는 경우이면 그 성립을 인정할 수 있다.

② 공동정범이 성립하기 위하여는 반드시 공범자 전원이 범죄의 실행행위에 가담할 필요는 없고 적어도 공범자들 사이에 범죄에 대한 공동가공의 의사가 있는 경우, 즉 상호간에 범의의 연락이 있고 그 공범자 일부가 범죄의 실행에 당한 경우에는 결국 전원이 공동일체로서 범죄를 실행한 것이 되고, 스스로 직접 그 실행행위를 분담하지 아니한 자도 그 범죄 전체에 관하여 공동정범으로서 책임을 진다.

③ 甲 주식회사의 협력업체 소속 근로자인 피고인들을 비롯한 10인이 甲 주식회사 정문 앞 등에서 1인은 고용보장 등의 주장 내용이 담긴 피켓을 들고 다른 2~4인은 그 옆에 서 있는 방법으로 6일간 총 17회에 걸쳐 미신고 옥외시위를 한 경우, 공모공동정범에 의한 시위주최자로서 책임을 물을 수 있다.

④ 우연히 만난 자리에서 서로 협력하여 공동의 범의를 실현하려는 의사가 암묵적으로 상통하여 범행에 공동가공한 것이라면 공동정범은 성립하지 않는다.

**09** 공범에 대한 설명으로 가장 적절하지 않은 것은? (다툼이 있는 경우 판례에 의함)

① 금품 등을 공여한 자에게 따로 처벌규정이 없는 이상, 그 공여행위는 그와 대향적 행위의 존재를 필요로 하는 상대방의 범행에 대하여 공범관계가 성립되지 아니하고, 오로지 금품 등을 공여한 자의 행위에 대하여만 관여하여 그 공여행위를 교사하거나 방조한 행위도 상대방의 범행에 대하여 공범관계가 성립되지 아니한다.

② 정치자금을 기부하는 자의 범죄가 성립하지 않으면 정치자금을 기부받는 자가 「정치자금법」이 정하지 않은 방법으로 정치자금을 제공받는다는 의사를 가지고 받더라도 정치자금부정수수죄가 성립하지 아니한다.

③ 정범의 성립은 교사범의 구성요건의 일부를 형성하고 교사범이 성립함에는 정범의 범죄행위가 인정되는 것이 그 전제요건이 된다.

④ 의사가 직접 환자를 진찰하지 않고 처방전을 작성하여 교부한 행위와 대향범 관계에 있는 '처방전을 교부받은 행위'에 대하여 공범에 관한 형법총칙 규정을 적용할 수 없다.

**10** 공동정범에 대한 설명으로 가장 적절하지 않은 것은? (다툼이 있는 경우 판례에 의함)

① 甲이 부녀를 유인하여 성매매를 통해 수익을 얻을 것을 乙과 공모한 후, 乙로 하여금 유인된 A녀(16세)의 성매매 홍보용 나체사진을 찍도록 하고, A가 중도에 약속을 어길 경우 민・형사상 책임을 진다는 각서를 작성하도록 하였지만, 甲이 별건으로 체포되어 구치소에 수감 중인 동안 A가 乙의 관리 아래 성매수의 대가로 받은 돈을 A, 乙 및 甲의 처 등이 나누어 사용한 경우, 甲은 공모관계에서 이탈한 것으로 인정된다.

② 甲이 피해자 일행을 한 사람씩 나누어 강간하자는 乙의 제의에 아무런 대답도 하지 않고 따라다니다가 자신의 강간 상대방으로 남겨진 A에게 일체의 신체적 접촉도 시도하지 않은 채 乙이 인근 숲 속에서 강간을 마칠 때까지 A와 함께 이야기만 나눈 경우, 甲에게 乙의 강간 범행에 공동으로 가공할 의사가 있었다고 볼 수 없다.

③ 2인 이상이 범죄에 공동 가공하는 공범관계에서 공모는 법률상 어떤 정형을 요구하는 것이 아니고, 2인 이상이 공모하여 어느 범죄에 공동 가공하여 그 범죄를 실현하려는 의사의 결합만 있으면 되는 것으로서, 비록 전체의 모의과정이 없었다고 하더라도 수인 사이에 순차적으로 또는 암묵적으로 상통하여 그 의사의 결합이 이루어지면 공모관계가 성립한다.

④ 건설 관련 회사의 유일한 지배자인 甲이 회사대표의 지위에서 장기간에 걸쳐 건설공사 현장소장들의 뇌물공여행위를 보고받고 이를 확인・결재하는 등의 방법으로 위 행위에 관여하였다면, 비록 사전에 구체적인 대상 및 액수를 정하여 뇌물공여를 지시하지 않았다고 하더라도 공모공동정범의 죄책이 인정된다.

# 형사법 2회 모의고사

**01** 교사의 착오에 관한 설명으로 가장 적절하지 않은 것은? (다툼이 있으면 다수설 · 판례에 의함)

① 甲이 乙에게 丙을 살해할 것을 교사하고 乙이 이를 승낙한 후 실행의 착수에 이르지 아니한 경우, 甲은 살인의 예비 · 음모죄로 처벌된다.
② 甲이 乙에게 강도를 교사하였으나 乙이 강간을 실행한 경우, 甲은 강도죄의 예비 · 음모로 처벌된다.
③ 甲이 乙에게 丙을 상해할 것을 교사하였으나 乙에 의해 상해를 입은 丙이 사망한 경우, 乙에게 피해자의 사망에 대한 예견가능성이 인정되는 한 甲도 상해치사죄의 죄책을 진다.
④ 甲이 乙에게 강도를 교사하였으나 乙이 절도죄만 범한 경우, 甲은 강도예비 · 음모죄와 절도죄의 교사범의 상상적 경합범이 되지만 형이 중한 강도예비 · 음모의 형으로 처벌된다.

**02** 교사 · 방조에 관한 설명 중 가장 적절하지 않은 것은? (다툼이 있으면 판례에 의함)

① 입영기피를 결심한 자에게 "잘 되겠지, 몸 조심하라"고 하고 악수를 나눈 행위는 입영기피의 방조행위에 해당한다.
② 절도범들로부터 지속적으로 장물을 취득하여 온 자가 절도범들에게 드라이버 1개를 사주면서 "열심히 일을 하라"라고 말한 것은 절도의 교사가 된다.
③ 교사자가 피교사자에게 피해자를 "정신 차릴 정도로 때려 주라"고 교사하였다면 이는 상해에 대한 교사로 봄이 상당하다.
④ 종범이 처벌되기 위하여는 정범의 실행의 착수가 있는 경우에만 가능하고 정범이 예비의 단계에 그친 경우에는 이를 종범으로 처벌할 수 없다.

**03** 교사범에 관한 설명 중 가장 적절하지 않은 것은? (다툼이 있는 경우 판례에 의함)

① 교사자가 피교사자에게 피해자를 "정신 차릴 정도로 때려 주라"고 교사하였다면 이는 상해에 대한 교사로 봄이 상당하다.
② 범인 자신이 타인으로 하여금 허위의 자백을 하게 하여 자신을 도피시킨 경우 범인도피죄의 교사범이 성립한다.
③ 치과의사가 치과기공사들에게 진료행위를 하도록 지시한 것은 무면허의료행위의 교사에 해당한다.
④ 교사범이 성립하기 위해서는 교사자가 피교사자에게 범행의 일시, 장소, 방법 등의 세부적인 사항까지를 특정하여 교사하여야 한다.

**04** 교사 · 방조에 관한 설명 중 가장 적절하지 않은 것은? (다툼이 있는 경우 판례에 의함)

① 교사범이 성립하기 위해서는 교사자의 교사행위와 정범의 실행행위가 있어야 하는 것이므로 정범의 성립은 교사범의 구성요건의 일부를 형성하고 교사범이 성립함에는 정범의 범죄행위가 인정되는 것이 그 전제요건이 된다.
② 교사를 받은 자가 범죄의 실행을 승낙하지 아니한 때에는 교사한 자는 교사한 범죄의 미수범으로 처벌한다.
③ 방조범에 있어서 정범의 고의는 정범에 의하여 실현되는 범죄의 구체적인 내용을 인식할 것을 요하는 것은 아니고 미필적 인식 또는 예견으로 충분하다.
④ 방조자의 인식과 정범의 실행 간에 착오가 있고 양자의 구성요건을 달리한 경우에는 원칙적으로 방조자의 고의는 조각되는 것이나 그 구성요건이 중첩되는 부분이 있는 경우에는 그 중복되는 한도 내에서는 방조자의 죄책을 인정하여야 할 것이다.

**05** 교사범 및 방조범에 관한 설명 중 가장 적절하지 않은 것은? (다툼이 있는 경우 판례에 의함)

① 형법 제127조는 공무원 또는 공무원이었던 자가 법령에 의한 직무상 비밀을 누설하는 행위만을 처벌하고 있을 뿐 직무상 비밀을 누설받은 상대방을 처벌하는 규정이 없으므로, 직무상 비밀을 누설받은 자를 공무상 비밀누설죄의 교사범 또는 방조범으로 처벌할 수 없다.

② 자기의 지휘, 감독을 받는 자를 방조하여 범죄의 결과를 발생하게 한 자는 정범에 정한 형의 장기 또는 다액에 그 2분의 1까지 가중한 형으로 처벌한다.

③ 무면허운전으로 사고를 낸 자가 동생을 경찰서에 대신 출두시켜 허위의 자백을 하게 하여 범인도피죄를 범하게 한 경우 동생이 친족 간의 특례규정(형법 제151조 제2항)에 의하여 처벌을 받지 않더라도 범인도피죄의 교사범이 성립한다.

④ 효과 없는 교사는 교사자와 피교사자 모두 예비·음모에 준하여 처벌되지만, 효과 없는 방조는 처벌되지 않는다.

**06** 교사범에 대한 설명으로 가장 적절하지 않은 것은? (다툼이 있는 경우 판례에 의함)

① 피교사자가 교사자의 교사행위 당시에는 범행을 승낙하지 않았으나, 이후 그 교사행위에 의하여 범행을 결의한 것으로 인정되는 경우에는 교사범이 성립한다.

② 甲이 A를 모해할 목적으로 乙에게 위증을 교사한 이상, 가사 정범인 乙에게 모해의 목적이 없었다고 하더라도, 「형법」 제33조 단서의 규정에 의하여 甲을 모해위증교사죄로 처단할 수 있다.

③ 자기의 형사사건에 관한 증거를 위조하기 위하여 甲이 타인인 乙을 교사하여 죄를 범하게 한 경우 증거위조교사죄가 성립한다.

④ 교사행위에 의하여 피교사자가 범죄 실행을 결의하였다 하더라도 피교사자에게 다른 원인이 있어 범죄를 실행한 경우에는 교사범이 성립하지 아니한다.

**07** 종범에 대한 설명으로 가장 적절하지 않은 것은? (다툼이 있는 경우 판례에 의함)

① 종범은 정범이 실행행위에 착수하여 범행을 하는 과정에서 이를 방조한 경우뿐 아니라, 정범의 실행의 착수 이전에 장래의 실행행위를 미필적으로나마 예상하고 이를 용이하게 하기 위하여 방조한 경우에도 그 후 정범이 실행행위에 나아갔다면 성립할 수 있다.

② 의사인 피고인이 입원치료를 받을 필요가 없는 환자들이 보험금 수령을 위하여 입원치료를 받으려고 하는 사실을 알면서도 입원을 허가하여 형식상으로 입원치료를 받도록 한 후 입원확인서를 발급하여 준 경우, 사기방조죄가 성립한다.

③ 피고인들이, 자신들이 개설한 인터넷 사이트를 통해 회원들로 하여금 음란한 동영상을 게시하도록 하고, 다른 회원들로 하여금 이를 다운받을 수 있도록 하는 방법으로 정보통신망을 통한 음란한 영상의 배포·전시를 방조한 행위가 단일하고 계속된 범의 아래 일정기간 계속하여 이루어졌고 피해법익도 동일한 경우, 방조행위는 포괄일죄의 관계에 있다.

④ 과실범에 대한 교사범은 성립할 수 있으나 과실범에 대한 방조범은 성립할 수 없다.

**08** 교사범에 대한 설명 중 가장 적절하지 않은 것은? (다툼이 있는 경우 판례에 의함)

① 교사범이 그 공범관계로부터 이탈하기 위해서는 피교사자가 범죄의 실행행위에 나아가기 전에 교사범에 의하여 형성된 피교사자의 범죄 실행의 결의를 해소하는 것이 필요하다.

② 교사범이 성립하기 위해서는 교사자의 교사행위와 정범의 실행행위가 있어야 하는 것이므로, 정범의 성립은 교사범의 구성요건의 일부를 형성하고 교사범이 성립함에는 정범의 범죄행위가 인정되는 것이 그 전제요건이 된다.

③ 교사범의 교사가 정범이 죄를 범한 유일한 조건일 필요는 없으므로, 교사행위에 의하여 정범이 실행을 결의하게 된 이상 비록 정범에게 범죄의 습벽이 있어 그 습벽과 함께 교사행위가 원인이 되어 정범이 범죄를 실행한 경우에도 교사범의 성립에 영향이 없다.

④ 교사자의 교사행위에도 불구하고 피교사자가 범행을 승낙하지 아니하거나 피교사자의 범행결의가 교사자의 교사행위에 의하여 생긴 것으로 보기 어려운 경우에는 이른바 효과 없는 교사로서 형법 제31조 제2항에 의하여 교사자와 피교사자 모두 음모 또는 예비에 준하여 처벌할 수 있다.

**09** 공범과 신분에 관한 설명 중 가장 적절한 것은? (다툼이 있는 경우 판례에 의함)

① 공무원이 아닌 자는 형법 제228조의 경우를 제외하고는 허위공문서작성죄의 간접정범으로 처벌할 수 없으므로, 공무원이 아닌 자가 공무원과 공동하여 허위공문서작성죄를 범한 때에도 허위공문서작성죄의 공동정범으로 처벌할 수 없다.

② 공직선거법 제257조 제1항 제1호에서 규정하는 각 기부행위제한위반의 죄와 관련하여 각 기부행위의 주체로 인정되지 아니하는 자가 기부행위의 주체자 등과 공모하여 기부행위를 한 경우, 기부행위 주체자에 해당하는 법조 위반의 공동정범으로 처벌할 수 있다.

③ 신분관계로 인하여 형의 경중이 있는 경우에 신분이 있는 자가 신분이 없는 자를 교사하여 죄를 범하게 한 때에는 형법 제33조 단서가 형법 제31조 제1항에 우선하여 적용된다.

④ 업무상 타인의 사무를 처리하는 자가 그러한 신분관계가 없는 자와 공모하여 업무상 배임죄를 저질렀다면 그러한 신분관계가 없는 자에 대하여는 형법 제33조 단서에 의하여 업무상 배임죄의 정한 형으로 처벌한다.

**10** 공범과 신분에 대한 설명으로 가장 적절하지 않은 것은? (다툼이 있는 경우 판례에 의함)

① 업무상의 임무라는 신분관계가 없는 자가 그러한 신분관계 있는 자와 공모하여 업무상배임죄를 저질렀다면, 신분관계 없는 공범에게도 「형법」 제33조 본문에 따라 일단 신분범인 업무상 배임죄가 성립하고 다만 과형에서만 「형법」 제33조 단서가 적용되어 무거운 형이 아닌 단순 배임죄의 법정형이 적용된다.

② 의료인이 의료인이나 의료법인 아닌 자의 의료기관 개설행위에 공모하여 가공하였더라도, 그 의료인을 '의료인이나 의료법인 아닌 자의 의료기관 개설행위를 처벌하는 「의료법」 위반행위'의 공동정범으로 처벌할 수는 없다.

③ 변호사가 변호사 아닌 자에게 고용되어 법률사무소의 개설·운영에 관여하였더라도, 그 변호사를 '변호사 아닌 자가 변호사를 고용하여 법률사무소를 개설·운영하는 행위를 처벌하는 「변호사법」 위반행위'의 공범으로 처벌할 수는 없다.

④ 「형법」 제33조 소정의 이른바 신분관계라 함은 남녀의 성별, 내·외국인의 구별, 친족관계, 공무원인 자격과 같은 관계뿐만 아니라 널리 일정한 범죄행위에 관련된 범인의 인적관계인 특수한 지위 또는 상태를 지칭하는 것이다.

# 형사법 3회 모의고사

**01 죄수(罪數)에 관한 설명 중 가장 적절하지 않은 것은? (다툼이 있으면 판례에 의함)**

① 강간죄의 성립에 언제나 직접적으로 또 필요한 수단으로서 감금행위를 수반하는 것은 아니므로 감금행위가 강간미수죄의 수단이 되었다 하여 감금행위가 강간미수죄에 흡수되어 범죄를 구성하지 않는다고 할 수는 없지만, 이 경우 중한 죄인 강간미수죄가 친고죄로서 고소가 취소되었다 하더라도 경한 감금죄에 대하여는 아무런 영향을 미치지 않는다.

② 상상적 경합의 관계에 있는 사기죄와 변호사법위반죄에 대하여 형이 더 무거운 사기죄에 정한 형으로 처벌하기로 하면서도, 필요적 몰수·추징에 관한 변호사법의 규정을 적용하는 것은 위법하다.

③ 포괄일죄의 관계에 있는 범행 일부에 관하여 약식명령이 확정된 경우, 약식명령의 발령 시를 기준으로 하여 그 전의 범행에 대하여는 면소의 판결을 하여야 하고, 그 이후의 범행에 대하여서만 일개의 범죄로 처벌하여야 한다.

④ 공무원인 의사가 공무소의 명의로 허위진단서를 작성한 경우 허위공문서작성죄만이 성립하고 허위진단서작성죄는 별도로 성립하지 않는다.

**02 불가벌적 사후행위에 관한 설명 중 가장 적절하지 않은 것은? (다툼이 있으면 판례에 의함)**

① 절도범인으로부터 장물보관 의뢰를 받은 자가 그 점을 알면서 이를 인도받아 보관하고 있다가 임의처분하였다 하여도 장물보관죄가 성립되는 때에는 그 후의 횡령행위는 불가벌적 사후행위에 불과하여 별도로 횡령죄가 성립하지 않는다.

② 甲이 乙과 공동으로 불하받은 부동산을 丙에게 자의로 매도하여 乙에 대한 배임행위로 처벌받은 후 丙에 대한 소유권이전등기의무를 지닌 채 다시 丙에 대한 재매도행위는 이미 배임행위로서 이루어진 甲의 丙에 대한 매도행위의 불가벌적 사후행위이다.

③ 횡령을 교사한 후 그 횡령한 물건을 취득한 때에는 횡령교사죄와 장물취득죄의 경합범이 성립된다.

④ 명의신탁받아 보관중이던 토지를 피해자의 승낙없이 제3자에게 근저당권설정등기를 경료해 준 경우 횡령죄가 성립하고, 그 후 또 다시 다른 사람에게 근저당권설정등기를 경료해 준 것이라면 이는 새로운 법익을 침해하는 행위에 해당하지 아니하므로 별도의 횡령죄를 구성하지 아니한다.

**03 죄수관계에 관한 설명 중 적절한 것을 모두 고른 것은? (다툼이 있는 경우 판례에 의함)**

> ㉠ 채권자들에 의한 복수의 강제집행이 예상되는 경우 재산을 은닉 또는 허위양도함으로써 채권자들을 해하였다면 채권자별로 각각 강제집행면탈죄가 성립하고, 상호 상상적 경합범의 관계에 있다.
> ㉡ 타인의 사무를 처리하는 자가 여러 사람으로부터 각각 같은 종류의 부정한 청탁을 받고 그들로부터 각각 금품을 수수한 경우, 이는 단일하고 계속된 범의 아래 이루어진 것이고 그 피해법익도 동일하므로 포괄일죄로 보아야 한다.
> ㉢ 甲이 A주식회사로부터 렌탈(임대차)하여 컴퓨터 본체, 모니터 등을 받아 보관하였고, B주식회사로부터 리스(임대차)하여 컴퓨터 본체, 모니터, 그래픽카드, 마우스 등을 보관하다가, 같은 날 성명불상의 업체에 한꺼번에 처분하여 횡령한 경우, 피해자들에 대한 각 횡령죄는 상상적 경합관계에 있다.
> ㉣ 경찰서 생활질서계에 근무하는 피고인 甲이 피고인 乙로부터 뇌물을 수수하면서, 피고인 乙의 자녀 명의 은행 계좌에 관한 현금카드를 받은 뒤 피고인 乙이 위 계좌에 돈을 입금하면 피고인 甲이 현금카드로 돈을 인출하는 방법으로 범죄수익의 취득에 관한 사실을 가장한 경우, '범죄수익은닉의 규제 및 처벌 등에 관한 법률'위반죄와 '특정범죄 가중처벌 등에 관한 법률'위반(뇌물)죄가 성립하고 두 죄가 상상적 경합범 관계에 있다.

① ㉠, ㉡ ② ㉠, ㉢ ③ ㉠, ㉣ ④ ㉡, ㉣

**04** 죄수에 대한 설명으로 가장 적절한 것은? (다툼이 있는 경우 판례에 의함)

① 甲이 치료받은 다음 날 오전 병원 앞에서 허위사실이 기재된 현수막을 설치하고 허위사실을 기재한 유인물을 불특정 다수에게 배포한 경우, 판례는 허위사실 유포에 의한 업무방해죄와 허위사실적시에 의한 명예훼손죄를 실체적 경합관계로 본다.
② 피해자에 대한 폭행행위가 동일한 피해자에 대한 업무방해죄의 수단이 되는 경우, 업무방해죄가 성립하기 위해서는 일반적으로 사람에 대한 폭행행위를 수반하므로 폭행행위는 업무방해죄의 불가벌적 수반행위에 해당한다.
③ 피고인이 당초부터 피해자를 기망하여 약속어음을 교부받은 경우에는 그 교부받은 즉시 사기죄가 성립하고 그 후 이를 피해자에 대한 피고인의 채권의 변제에 충당하였다 하더라도 불가벌적 사후행위가 됨에 그칠 뿐, 별도로 횡령죄를 구성하지 않는다.
④ 업무상 과실로 장물을 보관하다가 임의로 처분한 행위는 별도의 횡령죄를 구성한다.

**05** 포괄일죄가 성립하는 경우로 가장 적절한 것은? (다툼이 있는 경우 판례에 의함)

① 甲이 계속적으로 무면허로 운전할 의사를 가지고 여러 날에 걸쳐 무면허운전행위를 반복한 경우(어느 날에 운전을 시작하여 다음날까지 동일한 기회에 일련의 과정에서 계속 운전을 한 경우와 같은 특별한 경우 등은 제외함)
② 작가협회 회원인 甲이 A의 명의를 도용하여 작가협회 교육원장을 비방하는 내용의 호소문을 작성한 후, 이를 작가협회 회원들에게 우편으로 송달한 경우
③ 금융기관 임직원인 甲이 그 직무에 관하여 乙로부터 정식 이사가 될 수 있도록 도와달라는 부탁을 받고 1년 동안 12회에 걸쳐 그 사례금 명목으로 합계 1억 2,000만원을 교부받은 경우
④ 甲이 히로뽕 완제품을 제조하고, 그 때 함께 만든 액체 히로뽕 반제품을 땅에 묻어 두었다가 약 1년 9개월 후, 이전에 제조를 요구했던 사람이 아닌 다른 사람들의 요구에 따라 그들과 함께 위 반제품을 완제품으로 제조한 경우

**06** 경합범에 대한 설명으로 가장 적절한 것은? (다툼이 있는 경우 판례에 의함)

① 사후적 경합범은 동일인이 범한 수죄 중에서 일부의 죄에 관하여 벌금이상의 형에 처한 확정판결이 있는 경우에, 판결이 확정된 범죄와 그 판결이 확정되기 전에 범한 죄 사이의 경합관계를 말한다.
② 「형법」 제37조 후단의 경합범에 있어서 '판결이 확정된 죄'라 함은 수개의 독립된 죄 중의 어느 죄에 대하여 확정판결이 있었던 사실 그 자체를 의미하고 일반사면으로 형의 선고의 효력이 상실되었는지 여부는 묻지 않는다.
③ 동시적 경합범은 원칙적으로 수죄 전부가 병합심리될 것을 요하지 않는다.
④ 동시적 경합범에서 각 죄에 정한 형이 징역과 금고인 때에는 금고의 형기만큼 징역형으로 처벌할 수 없다.

**07** 죄수(罪數)에 대한 설명으로 가장 적절하지 않은 것은? (다툼이 있는 경우 판례에 의함)

① 채권자들에 의한 복수의 강제집행이 예상되는 경우 재산을 은닉 또는 허위양도함으로써 채권자들을 해하였다면 채권자별로 각각 강제집행면탈죄가 성립하고, 상호 상상적 경합범의 관계에 있다.
② 경찰관이 압수물을 범죄 혐의의 입증에 사용하도록 하는 등의 적절한 조치를 취하지 않은 채 부하직원에게 지시하여 피압수자에게 돌려준 경우, 작위범인 증거인멸죄만이 성립하고 부작위범인 직무유기죄는 따로 성립하지 아니한다.
③ 범죄 피해 신고를 받고 출동한 두 명의 경찰관에게 욕설을 하면서 순차로 폭행을 하여 신고처리 및 수사업무에 관한 정당한 직무집행을 방해한 경우, 두 경찰관에 대한 공무집행방해죄는 상상적 경합관계에 있다.
④ 편취한 약속어음을 그와 같은 사실을 모르는 제3자에게 편취사실을 숨기고 할인받은 경우, 그 약속어음을 취득한 제3자가 선의이고 약속어음의 발행인이나 배서인이 어음금을 지급할 의사와 능력이 있었다면 제3자에 대한 별도의 사기죄는 성립하지 않는다.

**08** 사례와 죄수판단을 연결한 것으로 가장 적절한 것은? (다툼이 있는 경우 판례에 의함)

① 계속적으로 무면허운전을 할 의사를 가지고 여러 날에 걸쳐 무면허운전행위를 반복적으로 한 경우 – 도로교통법위반죄의 포괄일죄
② 강도가 체포면탈의 목적으로 경찰관에게 폭행을 가한 경우 – 강도죄와 공무집행방해죄의 상상적 경합
③ 동일한 공무를 집행하는 두 명의 경찰관에 대하여 동일한 장소에서 동일한 기회에 각각 폭행을 가한 경우 – 공무집행방해죄의 포괄일죄
④ 주취상태에서 운전을 하여 사람을 사상하게 함으로써 「도로교통법」상의 음주운전죄와 「특정범죄가중처벌 등에 관한 법률」상의 위험운전치사상죄를 범한 경우 – 도로교통법위반죄와 특정범죄가중처벌 등에 관한 법률위반죄의 실체적 경합

**09** 죄수에 대한 설명이다. 아래 ㉠부터 ㉣까지의 설명 중 옳고 그름의 표시(○, ×)가 바르게 된 것은? (다툼이 있는 경우 판례에 의함)

㉠ 보이스피싱 범죄의 범인 甲이 A를 기망하여 A의 돈을 사기이용계좌로 이체받아 인출한 경우 – 사기죄는 성립하나 이체받은 돈의 인출행위는 불가벌적 사후행위로 횡령죄 불성립
㉡ 절도범인으로부터 장물보관의뢰를 받은 甲이 이후에 해당 장물을 임의처분한 경우 – 장물보관죄는 성립하나 장물의 임의처분행위는 불가벌적 사후행위로 횡령죄 불성립
㉢ 컴퓨터로 음란 동영상을 제공한 제1 범죄행위로 서버컴퓨터가 압수된 이후 다시 장비를 갖추어 동종의 제2 범죄행위를 한 경우 – 제1 행위(음란 동영상 제공)에 대한 범죄는 성립하나 제2 행위(음란 동영상 제공)는 불가벌적 사후행위로 범죄 불성립
㉣ 열차승차권을 절취한 甲이 그 승차권을 자기의 것인 양 속여 창구직원으로부터 환불받은 경우 – 절도죄는 성립하나 기망하여 환불받은 행위는 불가벌적 사후행위로 사기죄 불성립

① ㉠ (○) ㉡ (○) ㉢ (×) ㉣ (○)
② ㉠ (×) ㉡ (○) ㉢ (×) ㉣ (×)
③ ㉠ (○) ㉡ (○) ㉢ (×) ㉣ (×)
④ ㉠ (×) ㉡ (×) ㉢ (○) ㉣ (○)

**10** 죄수론에 대한 설명 중 옳지 않은 것을 모두 고른 것은? (다툼이 있는 경우 판례에 의함)

㉠ 공무원 甲이 A를 기망하여 그로부터 뇌물을 수수한 경우 수뢰죄와 사기죄는 구성요건을 달리하는 별개의 범죄로서, 서로 보호법익을 달리하고 있으므로 양죄는 실체적 경합범의 관계에 있다.
㉡ 甲이 공무원이 취급하는 사건에 관하여 청탁 또는 알선을 할 의사와 능력이 없음에도 청탁 또는 알선을 한다고 A를 기망하여 금품을 교부받은 경우 사기죄와 변호사법위반죄는 상상적 경합범의 관계에 있다.
㉢ 甲이 A로부터 수수한 메스암페타민을 장소를 이동하여 투약하고서 잔량을 은닉하는 방법으로 소지한 행위는 그 소지의 경위나 태양에 비추어 볼 때 당초의 수수행위에 수반되는 필연적 결과로 볼 수 있으므로 향정신성의약품수수죄만 성립하고 별도로 그 소지죄는 성립하지 않는다.
㉣ 甲이 음주의 영향으로 정상적인 운전이 곤란한 상태에서 자동차를 운전하여 사람을 상해에 이르게 함과 동시에 다른 사람의 재물을 손괴한 경우 특정범죄가중처벌 등에 관한 법률 위반(위험운전치사상)죄 외에 업무상 과실 재물손괴로 인한 도로교통법 위반죄가 성립하고, 양죄는 실체적 경합관계에 있다.
㉤ 甲이 음주상태로 자동차를 운전하다가 제1차 사고를 내고 그대로 진행하여 제2차 사고를 낸 경우 제1차 사고 당시의 음주운전으로 인한 도로교통법 위반(음주운전)죄와 제2차 사고 당시의 음주운전으로 인한 도로교통법 위반(음주운전) 죄는 포괄일죄의 관계에 있다.

① ㉠, ㉡, ㉣
② ㉠, ㉢, ㉣
③ ㉠, ㉢, ㉤
④ ㉡, ㉢, ㉣, ㉤

# 형사법 4회 모의고사

**01** 죄수에 대한 설명 중 가장 옳지 않은 것은? (다툼이 있는 경우 판례에 의함)

① 1개의 행위에 관하여 사기죄와 업무상배임죄의 각 구성요건이 모두 구비된 경우 양죄는 상상적 경합관계에 있다.
② 강도범이 체포를 면탈할 목적으로 경찰관에게 폭행을 가한 경우 강도죄와 공무집행방해죄는 실체적 경합관계에 있다.
③ 수수한 메스암페타민을 장소를 이동하여 투약하고서 잔량을 은닉하는 방법으로 소지한 경우 구 향정신성의약품관리법의 향정신성의약품수수죄 외에 별도로 그 소지죄가 성립한다.
④ 물품을 수입하는 무역업자가 그 물품을 같은 해에 3차례에 걸쳐 수입하면서 그때마다 과세가격 또는 관세율을 허위로 신고하여 관세를 포탈하였다면 포괄하여 1개의 관세포탈죄를 구성한다.

**02** 다음 설명 중 옳지 않은 것은 모두 몇 개인가? (다툼이 있는 경우 판례에 의함)

가. 미성년자의제강간죄 또는 미성년자의제강제추행죄는 행위 시마다 1개의 범죄가 성립한다.
나. 음주 또는 약물의 영향으로 정상적인 운전이 곤란한 상태에서 자동차를 운전하여 사람을 상해에 이르게 함과 동시에 다른 사람의 재물을 손괴한 때에는 특정범죄가중처벌 등에 관한 법률 위반(위험운전치사상)죄 외에 업무상 과실 재물 손괴로 인한 도로교통법 위반죄가 성립하고, 위 두죄는 1개의 운전행위로 인한 것으로서 상상적 경합관계에 있다.
다. 금고 이상의 형에 처한 판결확정 전에 저질러진 것으로서 아직 판결을 받지 아니한 죄가 이미 판결이 확정된 죄와 동시에 판결할 수 없었던 경우, 형법 제39조 제1항에 따라 동시에 판결한 경우와 형평을 고려하여 형을 선고하거나 형을 감경 또는 면제할 수 있다.
라. 피해자에 대한 폭행행위가 동일한 피해자에 대한 업무방해죄의 수단이 되었다면, 그러한 폭행행위는 이른바 불가벌적 수반행위에 해당하여 업무방해죄에 대하여 흡수관계에 있다.

① 1개 ② 2개 ③ 3개 ④ 4개

**03** 다음 설명 중 가장 옳은 것은? (다툼이 있는 경우 판례에 의함)

① 1개의 기망행위에 의하여 다수의 피해자로부터 각각 재산상 이익을 편취한 경우에는 포괄일죄가 성립한다.
② 상습성이 있는 자가 같은 종류의 죄를 반복하여 저질렀다 하더라도 상습범을 별도의 범죄유형으로 처벌하는 규정이 없는 한 각 죄는 원칙적으로 별개의 범죄로서 경합범으로 처단한다.
③ 甲의 乙에 대한 폭행행위가 乙에 대한 업무방해죄의 수단이 된 경우에는 그러한 폭행행위가 불가벌적 수반행위에 해당하여 업무방해죄에 대하여 흡수관계에 있다.
④ 공동상속인 중 1인이 상속재산인 임야를 보관 중 다른 상속인들로부터 매도 후 분배 또는 소유권이전등기를 요구받고도 그 반환을 거부한 경우 이때 일단 횡령죄가 성립하고, 그 후 그 임야에 관하여 다시 제3자 앞으로 근저당권설정등기를 경료해 준 행위는 별도의 횡령죄를 구성한다.

**04** 죄수관계에 관한 다음 설명 중 옳지 않은 것은 몇 개인가? (다툼이 있는 경우 판례에 의함)

가. 범죄 피해 신고를 받고 출동한 두 명의 경찰관에게 욕설을 하면서 차례로 폭행을 하여 경찰관의 정당한 직무집행을 방해한 경우에는 각 공무집행방해죄는 상상적 경합의 관계에 있다.
나. 위조통화를 행사하여 재물을 불법영득한 때에는 위조통화행사죄와 사기죄의 실체적 경합이다.

다. 자동차를 절취한 후 자동차등록번호판을 떼어내는 행위는 절도범행의 불가벌적 사후행위가 되는 것은 아니다.
라. 시험을 관리하는 공무원이 타인으로부터 돈을 받고 직무상 지득한 시험 문제를 타인에게 알려준 경우 공무상비밀누설죄와 수뢰후부정처사죄는 상상적 경합의 관계에 있다.

① 0개　② 1개　③ 2개　④ 3개

**05** 「형법」 제37조 후단의 사후적 경합범에 관한 설명 중 옳지 않은 것은? (다툼이 있는 경우 판례에 의함)

① 2004.1.20. 법률 제7077호로 공포·시행된 「형법」 개정법률에서는 「형법」 제37조 후단의 '판결이 확정된 죄'를 '금고 이상의 형에 처한 판결이 확정된 죄'로 개정하면서 특별한 경과규정을 두지 않았다. 그러나 피고인에게 불리하게 되는 등의 특별한 사정이 없는 한 위 개정법률 시행 당시 법원에 계속 중인 사건 중 위 개정법률 시행 전에 벌금형에 처한 판결이 확정된 경우에도 개정 법률이 적용되는 것으로 보아야 한다.
② 경합범 중 판결을 받지 아니한 죄가 있는 때에는 그 죄와 판결이 확정된 죄를 동시에 판결할 경우와 형평을 고려하여 그 죄에 대하여 형을 선고한다. 이 경우 그 형을 감경 또는 면제할 수 있다.
③ '판결이 확정된 죄'라 함은 수개의 독립된 죄 중의 어느 죄에 대하여 확정판결이 있었던 사실 그 자체를 의미하나, 일반사면으로 형의 선고의 효력이 상실된 경우에는 '판결이 확정된 죄'에 해당하지 않는다.
④ 피고인이 경합범 관계에 있는 A, B, C, D의 죄를 순차적으로 범하였는데 B와 C 범죄의 중간 시점에 금고이상의 형에 처한 판결이 확정된 경우, 판결 주문은 "피고인을 판시 제1죄(A, B)에 대하여 징역 1년에, 판시 제2죄(C, D)에 대하여 징역 2년에 각 처한다."라는 형식으로 기재된다.

**06** 경합범에 관한 설명 중 옳은 것을 모두 고른 것은? (다툼이 있는 경우 판례에 의함)

ㄱ. 포괄일죄의 중간에 다른 종류의 범죄에 대하여 금고 이상의 형에 처한 확정판결이 끼어 있는 경우 그 포괄일죄는 확정판결 후의 범죄로 다루어야 하므로 사후적 경합범이 되지 않는다.
ㄴ. 피고인이 A, B, C죄를 순차적으로 범하고 이 중 A죄에 대하여 벌금형에 처한 판결이 확정된 후, 그 판결확정 전에 범한 B죄와 판결확정 후에 범한 C죄가 기소된 경우 법원은 B죄와 C죄를 동시적 경합범으로 처벌할 수 없다.
ㄷ. 「형법」 제37조 후단 경합범의 선고형은 그 죄에 선고될 형과 판결이 확정된 죄의 선고형의 총합이 두 죄에 대하여 「형법」 제38조를 적용하여 산출한 처단형의 범위에서 정하여야 한다.
ㄹ. 금고 이상의 형에 처한 확정판결 전에 범한 A죄와 그 확정판결 후에 범한 B죄에 대하여는 별개의 주문으로 형을 선고해야 한다.

① ㄱ, ㄴ　② ㄱ, ㄹ　③ ㄴ, ㄷ　④ ㄱ, ㄷ, ㄹ

**07** 인터넷 파일공유 사이트를 운영하는 甲은 사이트를 통해 저작재산권 대상인 디지털 콘텐츠가 불법유통되고 있음을 알면서도 저작재산권의 침해를 방지할 조치를 취하지 않고 회원들로 하여금 불법디지털 콘텐츠를 업로드하게 한 후 이를 다운로드하게 하면서 일부 이익을 취득하였다. 甲의 죄책과 관련된 죄수 설명 중 옳지 않은 것을 모두 고른 것은? (다툼이 있는 경우에는 판례에 의함)

ㄱ. 저작재산권 침해행위는 각각의 저작물에 대한 침해행위가 있더라도 저작권자가 같다면 별개의 죄를 구성하지 않는다.
ㄴ. 동일 죄명에 해당하는 수개의 행위 또는 연속된 행위는 범의가 단일하지 않아도 포괄일죄로 처단된다.
ㄷ. 상습범을 별도로 처벌하는 규정이 없다면 수회에 걸쳐 죄를 범한 것이 상습성의 발현에 따른 것이라도 원칙적으로 경합범으로 보아야 한다.

ㄹ. 상습성을 이유로 포괄일죄가 되는 범행의 중간에 동종의 상습범에 대한 확정판결이 있을 때에도 포괄일죄는 확정판결 전후의 죄로 분리되지 않는다.

① ㄱ
② ㄴ, ㄷ
③ ㄷ, ㄹ
④ ㄱ, ㄴ, ㄹ

**08** 다음 사건과 관련된 설명 중 옳은 것은? (다툼이 있는 경우에는 판례에 의함)

甲은 승용차를 운전하던 중 음주단속을 피하기 위해 승용차로 단속경찰관을 들이받아 경찰관의 공무집행을 방해하고 경찰관에게 상해를 입혔는데, 甲은 공무집행방해의 고의는 물론 상해의 고의도 가지고 있었다.

① 甲은 특수공무집행방해죄와 상해죄의 상상적 경합으로 처벌된다.
② 甲은 특수공무집행방해치상죄로 처벌된다.
③ 甲은 특수공무집행방해치상죄와 폭력행위등처벌에관한법률위반(집단·흉기등상해)죄의 상상적 경합으로 처벌된다.
④ 甲은 특수공무집행방해치상죄와 폭력행위등처벌에관한법률위반(집단·흉기등상해)죄의 실체적 경합으로 처벌된다.

**09** 죄수관계에 관한 설명 중 옳은 것을 모두 고른 것은? (다툼이 있는 경우에는 판례에 의함)

가. 위조통화를 행사하여 상대방으로부터 재물을 편취한 경우, 위조통화행사죄와 사기죄는 실체적 경합관계에 있다.
나. 차의 운전자가 음주의 영향으로 정상적인 운전이 곤란한 상태에서의 운전 중 교통사고로 사람에게 상해를 입게 하여 특정범죄가중처벌등에관한법률위반(위험운전치사상)죄와 도로교통법위반(음주운전)죄가 성립한 경우, 양 죄는 실체적 경합관계에 있다.
다. 타인의 사무를 처리하는 자가 본인을 기망하여 재물을 교부받은 경우, 사기죄만 성립한다.
라. 국립병원 의사가 허위의 진단서를 작성한 경우, 허위진단서작성죄와 허위공문서작성죄의 상상적 경합에 해당한다.
마. 공무원이 직무집행을 빙자하여 타인의 재물을 갈취한 경우, 공갈죄만 성립한다.

① 가, 나, 마
② 가, 다, 마
③ 나, 다, 라
④ 나, 라, 마

**10** 불가벌적 사후행위에 대한 설명으로 옳지 않은 것은? (다툼이 있으면 판례에 의함)

① 종친회 회장이 위조한 종친회 규약 등을 공탁관에게 제출하는 방법으로 종친회를 피공탁자로 하여 공탁된 수용보상금을 출급받아 편취한 후, 이를 보관하던 중 종친회의 요구에 대하여 정당한 이유 없이 반환을 거부한 행위는 사기범행의 불가벌적 사후행위에 해당한다.
② 채무자가 자신의 부동산에 甲 명의로 허위의 금전채권에 기한 담보가등기를 설정하여 강제집행면탈죄가 성립된 후, 그 부동산을 乙에게 양도하여 乙 명의로 이루어진 가등기양도 및 본등기를 경료한 행위는 강제집행면탈 범행의 불가벌적 사후행위에 해당한다.
③ 부정한 이익을 얻거나 기업에 손해를 가할 목적으로 그 기업에 유용한 영업비밀이 담겨 있는 타인의 재물을 절취한 후, 그 영업비밀을 부정사용한 행위는 절도 범행의 불가벌적 사후행위에 해당하지 아니한다.
④ 자동차를 절취한 후, 훔친 자동차의 번호판을 떼어 내 다른 자동차에 임의로 부착하여 운행한 행위는 자동차절도 범행의 불가벌적 사후행위에 해당하지 아니한다.

# 형사법 5회 모의고사

**01** 다음 중 임의적 몰수의 대상은?

① 공무원이 받은 뇌물
② 배임수재에 의하여 취득한 재물
③ 판매목적으로 소지한 아편
④ 배임증재에 제공하려고 한 재물

**02** 몰수와 추징에 관한 다음 설명 중 가장 옳지 않은 것은? (다툼이 있으면 판례에 의함)

① 추징의 선고는 부수처분에 불과하므로 종국판결에 대한 상고 없이 추징 부분에 한하여 독립된 상고를 할 수 없다.
② 추징은 환형처분이지 형 자체는 아니므로 납부불능시에도 벌금에서와 같이 노역장 유치처분은 인정되지 아니한다.
③ 몰수의 대상이 압수되어 있는가, 적법한 절차에 의하여 압수되었는가는 몰수의 요건이 아니다.
④ 몰수하여야 할 압수물이 멸실, 파손의 염려가 있어 이를 매각하여 그 대가를 보관하는 경우 그 대가보관금은 추징의 대상이므로 몰수할 수 없다.

**03** 몰수 · 추징에 관한 설명 중 틀린 것은? (다툼이 있으면 판례에 의함)

① 관세법상 몰수, 추징은 범칙자가 취득한 이득 범위 내에서 추징을 명하여야 한다.
② 공무원의 직무에 속한 사항의 알선에 관하여 금품을 받고 그 금품 중의 일부를 받은 취지에 따라 청탁과 관련하여 관계 공무원에게 뇌물을 공여하였다면 그 부분의 이익을 제외한 나머지 금품만을 몰수하거나 그 가액을 추징하여야 한다.
③ 마약류관리에 관한 법률을 위반한 경우는 그 범행으로 인하여 이득을 취한 바 없다 하더라도 그 가액의 추징을 명하여야 한다.
④ 수인이 공동하여 수수한 뇌물을 분배하는 경우에는 각자로부터 실제로 분배받은 금품만을 개별적으로 몰수하거나 그 가액을 추징하여야 한다.

**04** 공무원 甲이 업자인 乙로부터 납품과 관련하여 뇌물로 100만원권 자기앞수표 8장을 교부받아 그 중 6장은 자신의 기존 통장에 예금해 두었으며, 나머지 2장은 자신의 진급을 위하여 상급자인 丙에게 뇌물로 제공하였고 丙은 이를 모두 소비하였다. 그런데 후에 문제가 발생하자 丙은 현금 200만원을 甲에게 반환하였고, 甲은 이 돈에다 위 통장에서 찾은 600만원을 보태 乙에게 800만원을 반환하였다. 이 경우 甲, 乙, 丙으로부터 몰수 또는 추징해야 할 금액으로 옳은 것은? (다툼이 있으면 판례에 의함)

① 乙로부터 800만원 몰수
② 甲으로부터 600만원 추징, 乙로부터 200만원 몰수
③ 甲으로부터 600만원 몰수, 丙으로부터 200만원 추징
④ 甲으로부터 800만원 추징, 丙으로부터 200만원 추징

**05** 甲에게 필요적 감경사유만 있는 것은? (다툼이 있으면 판례에 의함)

① 甲은 A를 살해하려고 그의 목부위와 왼쪽 가슴부위를 칼로 수회 찔렀으나 A의 가슴부위에서 많은 피가 흘러나오는 것을 보자 겁을 먹고 그만두는 바람에 미수에 그쳤다.
② 甲은 A에게 자동차운전면허가 없다는 사실을 알면서도 A의 부탁에 따라 승용차를 제공하였고 A는 이를 운전하였다.
③ 甲은 A가 사실은 자신의 금시계를 훔친 사실이 없음에도 A의 서랍 안에 자신의 금시계를 몰래 집어넣은 다음 경찰서에 A를 절도죄로 고소하여 A가 절도죄로 기소되었는데, A에 대한 재판절차에서 증인으로 증언하면서 A가 자신의 금시계를 절취한 것은 아니라고 사실대로 증언하였다.
④ 甲은 친구인 A로부터 A의 아버지인 B가 C회사 창고에서 절취한 물건을 운반하는데 도와달라는 부탁을 받고 A와 함께 가서 그 물건을 B가 지정한 장소까지 운반하였다.

**06** 다음 상습범 중 처벌이 그 죄에 정한 형의 1/2까지 가중하지 않고 별도로 가중형을 규정하고 있는 것은?

① 상습폭행죄 ② 상습공갈죄
③ 상습존속살해죄 ④ 상습도박죄

**07** 다음은 형법 제52조의 자수와 관련된 설명이다. 틀린 것은? (다툼이 있으면 판례에 의함)

① 자수한 자에 대하여는 법원이 임의로 형을 감경할 수 있음에 불과한 것이므로, 자수감경을 하지 아니하였다고 하여 위법한 것은 아니다.
② 수사기관의 질문 또는 조사에 응하여 범죄사실을 진술하는 것은 자백일 뿐 자수는 아니다.
③ 수개의 범죄사실 중 일부에 관하여만 자수한 경우에는 그 부분 범죄사실에 대하여만 자백의 효력이 있다.
④ 일단 자수가 성립한 이상 자수의 효력은 발생하나 그 후에 범인이 번복하여 수사기관이나 법정에서 범행을 부인하는 경우에는 일단 발생한 자수의 효력이 소멸한다.

**08** 심신미약자인 甲은 절도죄로 징역 1년 6개월의 선고를 받아 복역을 마치고 출소하였다. 그러나 甲은 생계가 곤란하여 출감한지 6개월 만에 다시 강도질을 했으나 곧 후회하여 자수에 이르렀다. 형법상 허용되는 감경 또는 면제를 모두 하는 경우 甲에 대한 처단형의 범위는? (단, 강도죄의 법정형은 3년 이상의 유기징역임)

① 1년 6월 이상 30년 이하의 징역 또는 형의 면제
② 1년 6월 이상 50년 이하의 징역
③ 9월 이상 12년 6월 이하의 징역 또는 형의 면제
④ 4월 15일 이상 6년 3월 이하의 유기징역 또는 형의 면제

**09** 다음 설명 중 옳지 않은 것은? (다툼이 있으면 판례에 의함)

① 법정형으로 금고 이상의 형이 규정되어 있는 경우에 법정형 중에서 벌금형을 선택한 때에도 누범가중을 할 수 있다.
② 징역형의 집행유예와 추징의 선고를 받은 자에 대하여 징역형의 선고의 효력을 상실케 하는 동시에 복권하는 특별사면이 있는 경우에 추징에 대하여도 형선고의 효력이 상실되는 것은 아니다.
③ 특별사면에 의하여 형의 집행이 면제된 후 3년 이내에 다시 금고 이상에 해당하는 죄를 범한 경우에는 누범가중사유에 해당한다.
④ 상습범 중 일부 범행이 누범기간 내에 이루어진 이상 나머지 범행이 누범기간 경과 후에 행하여졌더라도 그 행위 전부가 누범관계에 있는 것이다.

**10** 누범에 관한 설명 중 옳지 않은 것은?

① 누범이 반드시 상습범이거나 상습범이 반드시 누범인 것은 아니다.
② 누범은 형을 가중하는 사유가 될 뿐 보안처분을 선고하는 근거가 되지 못한다.
③ 누범가중의 대상이 되는 금고 이상의 형에 해당하는 범죄의 경우, 금고 이상의 형은 법정형이 아니라 선고형이라는 것이 판례와 다수설의 입장이다.
④ 전범에 대한 형의 집행을 종료하거나 면제받은 후 3년 이내에 범한 죄에 대해서만 누범가중이 가능하다.

# 형사법 6회 모의고사

**01** 집행유예와 선고유예에 관한 설명 중 가장 적절하지 않은 것은?

① 집행유예 시 받은 사회봉사명령 또는 수강명령은 집행유예기간 내에 이를 집행한다.
② 형의 집행을 유예하면서 피고인에게 유죄로 인정된 범죄행위를 뉘우치거나 그 범죄행위를 공개하는 취지의 말이나 글을 발표하도록 하는 내용의 사회봉사명령은 위법하다.
③ 주형과 부가형이 있는 경우 주형을 선고유예하면서 부가형도 선고유예할 수 있지만, 주형을 선고유예하지 않으면서 부가형만을 선고유예할 수는 없다.
④ 형법 제37조 후단 경합범 중 판결을 받지 아니한 죄에 대하여 형을 선고하는 경우에, 형법 제37조 후단에 규정된 '금고 이상의 형에 처한 판결이 확정된 죄'의 형은 형법 제59조 제1항 단서에서 정한 선고유예의 예외사유인 '자격정지 이상의 형을 받은 전과'에 포함되지 않는다.

**02** 집행유예 선고유예에 대한 설명 중 가장 적절하지 않은 것은? (다툼이 있는 경우 판례에 의함)

① 집행유예의 선고를 받은 자가 유예기간 중 고의로 범한 죄로 금고 이상의 실형을 선고받아 그 판결이 확정된 때에는 집행 유예의 선고는 효력을 잃는다.
② 집행유예 기간의 시기(始期)에 관하여 명문의 규정을 두고 있지는 않으므로 법원은 그 시기를 집행유예를 선고한 판결 확정일 이후의 시점으로 임의로 선택할 수 있다.
③ 형의 선고를 유예하는 경우에 재범방지를 위하여 지도 및 원호가 필요한 때에는 1년의 보호관찰을 받을 것을 명할 수 있다.
④ 형의 선고유예를 받은 날로부터 2년을 경과한 때에는 면소된 것으로 간주한다.

**03** 형의 선고유예 · 집행유예에 대한 설명으로 가장 적절하지 않은 것은? (다툼이 있는 경우 판례에 의함)

① 형의 선고유예를 받은 날로부터 2년을 경과한 때에는 면소된 것으로 간주한다.
② 형의 선고를 유예하는 판결을 할 경우에는 유예되는 선고형에 대한 판단이 있어야 한다.
③ 하나의 자유형 중 일부에 대해서는 실형을, 나머지에 대해서는 집행유예를 선고하는 것은 허용되지 않는다.
④ 집행유예를 선고하면서 피고인에게 유죄로 인정된 범죄행위를 뉘우치거나 그 범죄행위를 공개하는 취지의 말이나 글을 발표하도록 하는 내용의 사회봉사를 명하는 것은 허용될 수 있다.

**04** 선고유예에 관한 다음 설명 중 옳지 않은 것은? (다툼이 있는 경우 판례에 의함)

① 형의 선고를 유예하는 경우에 재범방지를 위하여 지도와 원호가 필요한 때에는 1년의 보호관찰을 받을 것을 명할 수 있다.
② 성폭력범죄의 처벌 등에 관한 특례법상 등록대상 성범죄에 대하여 선고유예 판결이 확정되면 곧바로 신상정보 제출의무가 발생하고, 다만 선고유예 판결 확정 후 2년이 경과하여 면소된 것으로 간주되면 등록대상자로서 신상정보를 제출할 의무를 면한다.
③ 선고유예의 실효를 규정한 형법 제61조 제1항에서 말하는 '형의 선고유예를 받은 자가 자격정지 이상의 형에 처한 전과가 발견된 때'란 형의 선고유예의 판결이 확정된 후에 비로소 위와 같은 전과가 발견된 경우를 말하고 그 판결확정 전에 이러한 전과가 발견된 경우에는 이를 취소할 수 없으며, 이때 판결확정 전에 발견되었다고 함은 검사가 명확하게 그 결격사유를 안 경우를 말하는 것이므로, 공판과정에서 피고인이 징역형의 유죄판결이 확정되어 그 집행을 받고 있던 사정이 현출되었으나 검사가 부주의로 이를 알지 못한 경우는 '자격정지 이상의 형에 처한 전과가 발견된 때'에 해당한다.

④ 형의 선고를 유예하는 판결을 할 경우에도 선고가 유예된 형에 대한 판단을 하여야 하므로, 선고유예 판결에서도 그 판결이유에서는 선고형을 정해 놓아야 하고 그 선고를 유예하는 형이 벌금형일 경우에는 그 벌금액뿐만 아니라 환형유치처분까지 해 두어야 한다.

**05** 형의 선고유예, 집행유예에 대한 설명 중 가장 옳지 않은 것은? (다툼이 있는 경우 판례에 의함)

① 형의 집행유예를 선고받은 사람이 그 선고가 실효 또는 취소됨이 없이 정해진 유예기간을 무사히 경과하여 형선고의 효력이 없어졌다고 하더라도 선고유예 결격사유인 "자격정지 이상의 형을 받은 전과가 있는 자"에 해당한다고 보아야 한다.

② 현역 군인인 성폭력범죄 피고인에게 집행유예를 선고하는 경우 위치추적전자장치의 부착을 명령할 수 없다.

③ 피고인이 별개의 사건에서 징역형의 집행유예 등을 선고받고 상고하였으나 대법원이 결정으로 상고를 기각하였는데, 그 결정일을 전후하여 피고인이 유사석유제품을 판매 및 보관하였다고 하여 구 석유 및 석유대체연료사업법 위반으로 기소된 사안에서, 위 상고기각결정이 피고인의 유사석유제품 판매 및 보관 행위 시 이후에 피고인에게 고지되어 그때 위 판결이 확정되었다면 피고인의 범죄는 판결이 확정된 위 죄와 형법 제37조 후단 경합범에 해당한다.

④ 형법 제37조 후단 경합범 중 판결을 받지 아니한 죄에 대하여 형을 선고하는 경우에, 형법 제37조 후단에 규정된 '금고 이상의 형에 처한 판결이 확정된 죄'의 형은 형법 제59조 제1항 단서에서 정한 선고유예의 예외사유인 '자격정지 이상의 형을 받은 전과'에 포함되지 않는다.

**06** 집행유예에 대한 설명으로 옳지 않은 것만을 모두 고른 것은? (다툼이 있는 경우 판례에 의함)

㉠ 집행유예를 선고할 경우 법원이 명하는 사회봉사명령으로서 일정한 금전출연은 명할 수 있으나 준법경영을 주제로 하는 강연 또는 기고를 명하는 것은 허용되지 않는다.
㉡ 집행유예의 선고를 받은 자가 유예기간 중 고의로 범한 죄로 금고 이상의 실형을 선고받아 그 판결이 확정된 때에는 집행유예의 선고는 효력을 잃는다.
㉢ 3년 이하의 징역이나 금고의 형을 선고할 경우 집행유예를 선고할 수 있지만, 벌금형을 선고할 경우 집행유예를 선고할 수 없다.
㉣ 집행유예기간이 경과함으로써 형의 선고가 효력을 잃은 후에 집행유예 취소 사유가 발견된 때에는 집행유예를 취소할 수 없다.

① ㉠, ㉢　　② ㉠, ㉣
③ ㉡, ㉣　　④ ㉠, ㉡, ㉢

**07** 형의 집행유예에 대한 설명으로 옳지 않은 것은? (다툼이 있는 경우 판례에 의함)

① 집행유예기간 중에 범한 죄에 대하여 공소가 제기된 후 그 재판 도중에 집행유예기간이 경과한 경우에는 그 집행유예기간 중에 범한 죄에 대하여 다시 집행유예를 선고할 수 있다.

② 집행유예를 선고받은 사람이 그 선고가 실효 또는 취소됨이 없이 집행유예기간을 경과하여 형의 선고가 효력을 상실한 경우에는 선고유예 결격사유인 '자격정지 이상의 형을 받은 전과가 있는 자'에 해당한다.

③ 집행유예를 선고하면서 피고인에게 유죄로 인정된 범죄행위를 뉘우치거나 그 범죄행위를 공개하는 취지의 말이나 글을 발표하도록 하는 내용의 사회봉사를 명하는 것은 위법이다.

④ 집행유예 선고의 판결확정 전에 이미 수사단계에서 검사가 집행유예 결격사유가 되는 전과의 존재를 당연히 알 수 있는 객관적 상황이 존재하였음에도 부주의로 알지 못한 경우에는 집행유예의 선고를 취소할 수 있다.

**08** 집행유예에 관한 다음 설명 중 가장 옳지 않은 것은? (다툼이 있는 경우 판례에 의함)

① 집행유예의 선고를 받은 자가 유예기간 중 고의로 범한 죄로 금고 이상의 실형을 선고받아 그 판결이 확정된 때에는 집행유예의 선고는 효력을 잃는다.
② 집행유예를 선고할 경우에는 보호관찰을 받을 것을 명하거나 사회봉사 또는 수강을 명할 수 있으나, 보호관찰과 사회봉사 또는 수강을 동시에 명할 수는 없다.
③ 집행유예기간 중에 범한 범죄라고 할지라도 집행유예가 실효 또는 취소됨이 없이 그 유예기간이 경과한 경우에는 이에 대해 다시 집행유예의 선고가 가능하다.
④ 형의 집행유예를 선고받은 사람이 형법 제65조에 의하여 그 선고가 실효 또는 취소됨이 없이 정해진 유예기간을 무사히 경과하여 형의 선고가 효력을 잃게 되었더라도, 그는 형법 제59조 제1항 단서에서 정한 선고유예 결격사유인 '자격정지 이상의 형을 받은 전과가 있는 자'에 해당한다.

**09** 다음 설명 중 옳은 것은 모두 몇 개인가? (다툼이 있는 경우 판례에 의함)

가. 절도죄로 집행유예 판결을 선고받은 A가 그 집행유예기간이 경과한 후 저지른 업무방해죄에 대하여 법원은 선고를 유예하는 판결을 선고할 수 있다.
나. 병역법위반으로 집행유예를 선고받은 B가 그 집행유예기간 중에 다시 병역법위반죄를 저질러 공소가 제기되어 재판 중 집행유예기간이 도과되었다면 법원은 B에 대하여 다시 집행유예를 선고할 수 있다.
다. 상해죄로 집행유예를 선고받은 C가 그 집행유예기간 중에 범한 업무상과실치사죄에 대하여 법원에서 집행유예기간 중에 금고형의 실형을 선고받아 확정되었다면 C가 상해죄로 선고받은 집행유예 선고는 그 효력을 잃는다.
라. 상해죄를 범한 D에 대하여 법원은 징역 1년 6월을 선고하면서 위 1년 6월의 형 중 일부인 징역 6월만 실형을 선고하고 나머지 징역 1년에 대하여는 집행유예를 선고할 수 없다.
마. 강간죄로 징역 3년을 선고받고 교도소에서 출소한 다음날 또다시 강제추행죄를 범한 D에 대하여 법원은 집행유예를 선고할 수 없다.

① 1개 ② 2개
③ 3개 ④ 4개

**10** 선고유예제도에 대한 설명으로 옳은 것을 모두 고른 것은?

㉠ 선고유예는 집행유예와 마찬가지로 법원이 유예기간을 정하여야 한다.
㉡ 주형에 대하여 선고를 유예하는 경우에는 그 부가할 몰수·추징에 대하여도 선고를 유예할 수 있으나, 그 주형에 대하여 선고를 유예하지 아니하면서 이에 부가할 몰수·추징에 대하여서만 선고를 유예할 수는 없다.
㉢ 피고인이 범죄사실을 자백하지 않고 부인한 경우에는 선고유예의 요건 중 '개전의 정상이 현저한 때'에 해당하지 않으므로 언제나 선고유예를 할 수 없다.
㉣ 선고유예의 실효사유인 '형의 선고유예를 받은 자가 자격정지 이상의 형에 처한 전과가 발견된 때'란 형의 선고유예의 판결이 확정된 후에 전과가 발견된 경우를 말한다.

① ㉠, ㉡ ② ㉡, ㉣
③ ㉠, ㉢ ④ ㉢, ㉣

# 형사법 7회 모의고사

**01** **다음은 소극적 구성요건표지이론에 대한 설명이다. 옳지 않은 것은?**

① 행위의 불법에 대한 종국적인 판단은 불법을 근거지우는 요소와 불법을 배제하는 요소를 모두 고려하여야 가능하다고 본다.
② 불법구성요건을 적극적 구성요건요소와 소극적 구성요건요소로 구분하여, 전자를 구성요건 해당성으로 보고 후자를 위법성조각사유로 파악한다.
③ 구성요건에 적극적 요소이든, 소극적 요소이든, 법문에 기술되어 있든, 기술되어 있지 않든, 작위요소든, 부작위요소든 불법평가에 중요한 모든 요소가 포함된다는 의미에서 구성요건을 불법총체적 구성요건이라고도 한다.
④ 소극적 구성요건표지이론에 의하면 위법성조각사유의 전제된 사실의 착오는 금지착오에 해당되어 정당한 이유가 있는 경우 벌하지 않는다.

**02** **소극적 구성요건표지이론에 대한 설명이다. 옳지 않은 것은?**

① 소극적 구성요건표지이론에 의하면 위법성이 조각이 되면 처음부터 구성요건해당성도 없는 것으로 본다.
② 소극적 구성요건표지이론에 의하면 위법성조각사유의 전제된 사실의 착오를 구성요건착오에 관한 규정을 직접적용하게 되므로 고의가 부정된다.
③ 처음부터 구성요건에 해당하는 행위와 구성요건에 해당하지만 위법성이 조각되는 행위 사이의 가치를 구별하므로써 구성요건의 경고, 지시기능을 명확히 하였다.
④ 소극적 구성요건표지이론에 의하면 구성요건해당성은 위법성의 존재근거이다.

**03** **소극적 구성요건표지이론에 관한 다음 설명 중 틀린 것은?**

① 구성요건은 위법성의 존재근거이다.
② 구성요건에 해당하는 행위는 언제나 위법하다
③ 위법성조각사유는 구성요건의 소극적 표지이다
④ 위법성조각사유의 전제조건의 착오는 금지의 착오로 본다.

**04** **다음 중 소극적 구성요건표지이론에 의할 때 인정되는 내용만을 모두 고른 것은?**

> ㉠ 2단계 범죄체계
> ㉡ 총체적 불법구성요건
> ㉢ 구성요건은 위법성의 인식근거
> ㉣ 위법성조각사유의 객관적 전제사실에 대한 착오 사례의 해결시 악의의 가담자에 대한 교사범이 성립

① ㉠, ㉡  ② ㉡, ㉢
③ ㉡, ㉣  ④ ㉠, ㉡, ㉢

**05** **소극적 구성요건표지이론에 관한 설명으로 옳지 않은 것은?**

① 이 이론은 구성요건을 불법판단에 본질적인 모든 표지들을 포함하는 개념으로 보아 이를 총체적 불법구성요건이라 한다.
② 이에 따르면 구성요건과 위법성조각사유는 불법구성요건을 확정하는 동일한 기능을 가지나 전자는 불법을 적극적으로, 후자는 소극적으로 확정하는 차이만 있을 뿐이다.
③ 이 이론에 의하면 오상방위의 경우 행위상황에 대한 인식은 있으므로 고의는 인정되나 다만 착오의 회피가능성 여하에 따라 책임 인정여부만이 문제된다고 본다.
④ 이에 따르면 불법과 책임의 2단계 범죄 체계론을 취하게 되어 위법성 영역의 고유한 기능을 간과한다는 비판을 받게 된다.

**06** 다음 중 행위반가치의 내용에 포함되지 않는 것은?

① 신분범의 신분
② 법익침해
③ 과실에 있어 주의의무위반
④ 범죄행위의 수단

**07** 행위반가치와 결과반가치에 관한 설명으로 옳지 않은 것은?

① 평가규범으로서의 형법을 중시하는 견해에 의하면 불법의 실체는 법익침해 또는 침해위험성에 있다.
② 일원적 · 주관적 · 인적 불법론에 의하면 살인죄와 과실치사죄의 법정형이 다르게 되는 이유를 설명할 수 없다.
③ 법익의 침해 혹은 침해위험은 결과반가치의 내용에 해당한다.
④ 신분범에서의 신분이라는 요소는 행위반가치의 내용에 속한다.

**08** 일원적 · 주관적 · 인적 불법론에서 주장하고 있지 않는 것은?

① 형법의 보호적 기능은 사회윤리적 행위가치보호에 있다.
② 불법구성요건해당성은 행위반가치의 측면에서 평가한다.
③ 형법규범을 평가규범으로 이해한다.
④ 범죄의 본질은 의무위반에 있다.

**09** 행위반가치와 결과반가치에 관한 설명으로 옳지 않은 것은?

① 과실범에서의 주의의무위반도 행위반가치에 포함된다.
② 결과반가치일원론은 불법의 개념이 무제한 확대되는 비판이 있다.
③ 행위반가치론의 인적불법론은 결과반가치를 무시한다.
④ 행위반가치론의 일원적 · 주관적 · 인적불법론은 행위반가치만이 불법으로 보고 결과반가치는 불법과 무관한 객관적 처벌조건으로 파악하는 견해이다.

**10** 甲은 평소에 원한이 있던 A를 총으로 쏴 살해하였다. 그러나 甲이 총을 발사하기 직전 A 역시 甲을 상해하기 위해 총을 쏘려고 하였다는 것이 판명되었다. 범죄성립에 결과반가치만을 강조하는 입장에서 甲의 죄책으로 가장 타당한 것은?

① 살인죄의 불능미수
② 살인죄
③ 무죄
④ 살인죄의 장애미수

# 형사법 8회 모의고사

**01** 법률문언의 의미에 관한 판례의 해석으로 가장 적절하지 않은 것은?

① 피해자의 나체가 나오는 컴퓨터 모니터 채팅화면을 촬영한 것은 성폭력범죄의 처벌 등에 관한 특례법상 '다른 사람의 신체'를 촬영한 행위에 해당하지 않는다.
② 도로교통법 제43조 '운전면허를 받지 아니하고'라는 법률문언의 의미에 '운전면허를 받았으나 그 후 운전면허의 효력이 정지된 경우'가 포함된다고 해석할 수 없다.
③ '기업구매전용카드'를 이용하여 물품의 판매 등 방법으로 자금을 융통한 경우 여신전문금융업법상 '신용카드'의 이용에 해당한다.
④ 공직선거법 제250조 제1항(허위사실공표죄)의 '경력'에 후보자 등의 '체납실적'이 경력에 포함된다고 해석할 수 있다.

**02** 형법의 적용범위에 관한 설명으로 가장 적절하지 않은 것은? (다툼이 있는 경우 판례에 의함)

① 포괄일죄로 되는 개개의 범죄행위가 법률 개정 전·후에 걸쳐서 행하여진 경우에는 신·구법의 법정형에 대한 경중을 비교하여 볼 필요도 없이 범죄실행 종료 시의 법이라고 할 수 있는 신법을 적용하여 포괄일죄로 처단하여야 한다.
② 외국인이 외국에서 형법상 약취·유인죄나 인신매매죄 또는 그 미수범과 예비·음모죄를 범한 경우에는 우리나라 형법이 적용된다.
③ 형법총칙은 다른 법령에 정한 죄에 적용되지만, 그 법령에 특별한 규정이 있는 때에는 예외로 한다.
④ 법원이 인정하는 범죄사실이 공소사실과 차이가 없이 동일한 경우에는 비록 검사가 재판 시 법인 신법의 적용을 구하였더라도 그 범행에 대한 형의 경중의 차이가 없으면 공소장변경절차를 거치지 않아도 구법을 적용할 수 있다.

**03** 범죄형태에 관한 설명으로 가장 적절하지 않은 것은? (다툼이 있으면 판례에 의함)

① 「형법」의 중손괴죄는 구성요건의 충족을 위해 구체적 위험의 발생을 요구하는 범죄이다.
② 「형법」의 중감금죄는 구성요건의 충족을 위해 구체적 위험의 발생을 요구하는 범죄이다.
③ 「형법」의 체포죄는 계속범으로서 체포행위에 시간적 계속이 있어야 한다.
④ 「형법」의 일반교통방해죄는 계속범의 성질을 갖는다.

**04** 부작위범에 관한 설명으로 옳은 것을 모두 고른 것은?

> ㉠ 형법 제18조에 의한 부작위범의 작위의무는 법령, 법률행위, 선행행위로 인한 경우는 물론 기타 신의성실의 원칙이나 사회상규 혹은 조리상 작위의무가 기대되는 경우에도 인정된다.
> ㉡ 부작위에 의한 과실범도 성립한다.
> ㉢ 부작위범에 대한 교사범은 보증인적 지위에 있는 자로 한정된다.
> ㉣ 부작위에 의한 방조범은 보증인적 지위에 있는 자로 한정된다.

① ㉠, ㉢　　② ㉡, ㉣
③ ㉠, ㉡, ㉢　　④ ㉠, ㉡, ㉣

**05** 인과관계에 관한 판례의 입장으로 가장 적절하지 않은 것은?

① 치사량의 청산가리를 음독한 친구 乙이 화장실에 쓰러져 있는 것을 甲이 발견하였을 때 乙은 이미 안색이 변하고 의식을 잃었다. 이에 甲이 乙을 내버려 둔 채 자기 집으로 돌아가 버렸다고 하더라도 甲의 유기행위와 乙의 사망 사이에는 인과관계가 있다.
② 甲이 트럭을 도로의 중앙선 위에 왼쪽 바깥바퀴가 걸친 상태로 운행하던 중 乙의 승용차가 트럭을 진행하던 차선으로 달려오다가 급히 자

기차선으로 돌아가면서 트럭과 교행할 무렵 다시 트럭이 진행하는 차선으로 들어와 승용차의 왼쪽 앞 부분으로 트럭의 왼쪽 뒷바퀴 부분을 스치듯이 충돌하고 이어서 트럭을 바짝 뒤따라가던 차량을 들이받는 사고가 발생하였다면, 甲이 트럭의 왼쪽 바퀴를 중앙선 위에 올려놓은 상태에서 운전한 것과 사고발생 사이에는 인과관계가 없다.

③ 甲의 강타로 인하여 임신 7개월의 乙이 넘어졌고 낙태로 유발된 심근경색증으로 죽음에 이르게 되었다면 甲의 구타행위와 乙의 사망 간에는 인과관계가 있다.

④ 乙은 甲으로부터 상해(심장마비, 호흡부전, 중간선행사인 패혈증, 급성심부전증, 선행사인 자상, 장골정맥파열)를 입고 치료를 받던 중 상해를 당한 때로부터 1개월이 지나 위 자창으로 인한 과다 출혈과 상처의 감염 등에 연유하여 패혈증으로 사망한 경우에 甲의 상해와 乙의 사망 사이에 상당인과관계가 있다.

## 06 결과적 가중범에 관한 설명으로 옳은 것을 모두 고른 것은? (다툼이 있는 경우 판례에 의함)

㉠ 결과적 가중범은 기본범죄에 내포된 위험이 중한 결과로 실현된 범죄를 말하며 과실치사상죄가 이에 해당한다.
㉡ 결과적 가중범은 행위자가 행위시에 중한 결과의 발생을 예견할 수 없을 때에도 그 행위와 중한 결과 사이에 상당인과관계가 있다고 하면 중한 죄로 벌하여야 한다.
㉢ 절도치상죄나 사기치사죄를 신설한다면 이른바 직접성의 원칙에 반할 수 있다.
㉣ 기본범죄를 공동으로 할 의사만 있고 결과를 공동으로 할 의사는 없더라도 중한 결과에 대한 예견가능성만 있으면 결과적 가중범의 공동정범이 인정된다.

① ㉠, ㉡ ② ㉡, ㉢
③ ㉡, ㉣ ④ ㉢, ㉣

## 07 위법성조각사유에 관한 판례의 입장으로 가장 적절하지 않은 것은?

① 자신의 아버지를 향해 돌진하는 자동차를 저지하기 위해 운전자를 주먹으로 때려 상해를 입힌 행위 – 정당방위 인정
② 자기 소유의 밤나무 단지에서 밤 18개를 포대에 주워 담는 것을 보고 그 포대를 빼앗으려다 반항하는 피해자의 뺨과 팔목을 때려 상처를 입힌 행위 – 정당방위 부정
③ 자신의 어머니가 갑자기 기절을 하여 이를 치료하기 위해 군무를 이탈한 행위 – 긴급피난 인정
④ 강간피해자가 가해자의 손가락을 깨물며 반항하자 가해자가 물린 손가락을 비틀며 잡아 뽑다가 피해자에게 치아결손의 상해를 입힌 경우 – 가해자의 긴급피난 부정

## 08 위법성조각사유의 전제사실에 관한 착오에 관한 설명으로 가장 적절하지 않은 것은?

① 위법성의 인식을 고의(구성요건요소)와는 별개의 독자적인 책임요소로 파악하고 오상방위의 경우 고의와는 아무런 상관없이 형법 제16조(법률의 착오)의 문제로 해결하는 견해에 의하면 위법성조각사유의 전제사실에 관한 착오가 있는 경우 그 착오에 정당한 이유가 있는 때에 한하여 행위자의 책임을 조각시킨다.
② 구성요건해당성과 위법성은 전체(총체적 불법) 구성요건으로 결합하여 하나의 판단과정으로 흡수되고, 범죄론은 불법과 책임이라는 2단계 구조를 가진다는 견해에 의하면 위법성조각사유의 전제사실에 관한 착오에 오인이 있는 경우 금지착오가 된다.
③ 고의의 이중적 지위를 기초로 하여 행위자의 구성요건적 고의가 조각되지 않지만, 책임고의가 조각되어 행위자에게 고의책임을 물을 수 없고, 과실책임을 물을 수 있다는 견해에 의하면 위법성조각사유의 전제사실의 착오에 빠진 행위자를 교사·방조한 자도 공범종속성설의 제한적 종속형식에 따르면 교사범·방조범으로 처벌할 수 있다.

④ 법질서에 의하여 인정된 위법성조각사유의 전제사실을 오인한 것을 '죄의 성립요소인 사실을 인식하지 못한 경우'에 필적할 수 있는 것으로 보고 구성요건 착오에 관한 규정을 유추적용하는 견해에 의하면 자기에게 현재의 부당한 침해가 없음에도 있다고 오인한 경우에는 '행위자에게 고의범에 상응하는 행위불법이 없다'고 본다. 소극적 구성요건표지이론과 동일한 결론을 취한다.

## 09 미수범에 관한 설명으로 가장 적절하지 않은 것은? (다툼이 있는 경우 판례에 의함)

① 금융기관의 직원이 전산단말기를 이용하여 다른 공범들이 지정한 특정계좌에 돈이 입금된 것처럼 허위의 정보를 입력하는 방법으로 위 계좌로 입금되도록 하였지만, 아직은 인출하지 못한 경우에는 컴퓨터 등 사용사기죄의 기수에 이르지 못한 것이다.

② 소송비용을 편취할 의사로 소송비용의 지급을 구하는 손해배상청구의 소를 제기하였다고 하더라도 이는 소의 이익이 없는 부적법한 소로서 허용될 수 없으므로 위법성이 인정되지 않아 불능미수에 해당하지 않는다.

③ 강도죄와 준강도죄는 구성요건인 재물탈취와 폭행·협박 사이에 시간적 순서상 전후의 차이가 있을 뿐 실질적으로 위법성이 같다. 따라서 준강도죄의 입법취지, 강도죄와의 균형 등을 종합적으로 고려해 보면, 준강도죄의 기수 여부는 절도행위의 기수 여부를 기준으로 하여 판단하여야 한다.

④ 본안소송을 제기하지 아니한 채 허위채권에 기하여 가압류를 한 것만으로는 소송사기죄의 실행의 착수하였다고 볼 수 없다.

## 10 간접정범에 관한 설명으로 가장 적절하지 않은 것은? (다툼이 있는 경우 판례에 의함)

① 범죄사실의 인식 없는 타인을 이용하여 범죄를 실행하게 한 자는 법률상 원인으로 직접정범이 될 수 없는 경우를 제외하고 간접정범으로서 단독으로 그 죄책을 부담함이 당연하다.

② 튀김용 기름의 제조허가도 없이 튀김용 기름을 제조할 범의하에 식용유 제조의 범의 없는 자를 이용하여 튀김용 기름을 제조하게 한 자는 보건범죄단속에 관한 특별조치법의 간접정범에 해당한다.

③ 범죄는 '어느 행위로 인하여 처벌되지 아니하는 자'를 이용하여 실행할 수 있으므로 내란죄의 경우에도 '국헌문란의 목적'을 가진 자가 그러한 목적이 없는 자를 이용하여 이를 실행할 수 있다.

④ 수표의 발행인 아닌 자는 부정수표단속법상 허위신고죄의 주체가 될 수 없지만, 허위신고의 고의 없는 발행인을 이용하여 간접정범의 형태로는 허위신고죄를 범할 수 있다.

## 형사법 9회 모의고사

**01** 다음 중 실체적 경합범을 부정하는 판례는 모두 몇 개인가?

> ㉠ 건물관리인이 건물주로부터 월세임대차계약 체결업무를 위임받고도 임차인들을 속여 전세임대차계약을 체결하고 그 보증금을 편취한 경우
> ㉡ 甲은 乙을 살해하려고 乙의 집에 침입하였으나 마침 乙은 없고 乙의 처 丙과 세 딸이 甲을 알아보자 절구방망이로 丙과 큰 딸 A의 머리를 강타하여 실신시킨 후 이불로 뒤집어 씌우고 석유를 뿌리고 방화하여 乙의 집을 전소하게 하여 丙과 큰 딸 A를 사망하게 한 경우
> ㉢ 甲은 乙의 집에 불을 놓은 후 거기에서 빠져나오려는 둘째 딸 B와 셋째 딸 C가 탈출하지 못하도록 방문 앞에 버티어 서서 지킨 결과 B와 C를 사망하게 한 경우
> ㉣ 부동산을 그 소유자로부터 매수한 자가 그의 명의로 소유권이전등기를 하지 아니하고 제3자와 맺은 명의신탁약정에 따라 매도인으로부터 바로 그 제3자에게 중간생략의 소유권이전등기를 경료한 경우, 그 제3자가 신탁받은 부동산의 일부에 대한 토지수용보상금 중 일부를 소비하고 이어 수용되지 않은 나머지 부동산 전체에 대한 반환을 거부한 경우

① 1개 ② 2개
③ 3개 ④ 4개

**02** 다음 중 경합범에 관한 판례의 태도가 아닌 것은?

① 사기죄 피해자들이 부부인 경우 이들에 대한 각 사기행위는 경합범을 구성하며 이는 부부가 동업관계이더라도 마찬가지이다.
② '자신의 집에 메스암페타민을 숨겨두어 소지한 행위'와 그 후 '투약하고 남은 것을 일반 투숙객들의 사용에 제공되는 모텔 화장실 천장에 숨겨두어 소지한 행위'는 마약류관리에 관한 법률 위반의 실체적 경합범의 관계에 있다.
③ 무기징역의 판결이 확정된 죄와 형법 제37조 후단 경합범의 관계에 있는 죄에 대하여 공소제기된 경우, 형을 필요적으로 면제하여야 하는 것은 아니다.
④ 1인 회사의 주주가 자신의 개인채무를 담보하기 위하여 회사 소유의 부동산에 대하여 근저당권설정등기를 마쳐 주어 배임죄가 성립한 이후에 그 부동산에 대하여 새로운 담보권을 설정해 주는 행위는 별도의 배임죄가 성립한다.

**03** 다음 중 괄호 안의 범죄에 대하여 실체적 경합범의 성립을 부정하는 것은?

① 상품의 포장지를 교체하면서 가공일자가 재포장일자로 기재된 바코드라벨을 부착하여 마치 당일 가공된 신선한 상품인 것처럼 소비자들을 기망하여 3여 년에 걸쳐 고객들에게 상품을 판매한 경우(사기죄)
② 상관으로부터 집총교육명령을 받고서도 그때마다 이를 거부한 경우(집총거부죄)
③ 강도가 여관에 들어가 안내실의 관리인을 칼로 찌르고 금품(객실 열쇠뭉치)을 강취한 다음, 다시 객실로 들어가 각 투숙객들로부터 금품을 강취한 경우(강도죄)
④ 선거운동을 위하여 다수의 조합원을 호별로 방문한 경우(호별방문죄)

**04** 경합범에 관한 다음 설명 중 가장 옳은 것은? (다툼이 있는 경우 판례에 의함)

① 판결이 확정되지 아니한 수개의 죄 또는 벌금 이상의 형에 처한 판결이 확정된 죄와 그 판결 확정 전에 범한 죄를 경합범으로 한다.
② 경합범 중 판결을 받지 아니한 죄가 있는 때에는 그 죄와 판결이 확정된 죄를 동시에 판결할 경우와 형평을 고려하여 그 죄에 대하여 형을 선고한다. 이 경우 그 형을 감경 또는 면제한다.
③ 1개의 행위가 수개의 죄에 해당하는 경우, 각 죄에 정한 형이 사형 또는 무기징역이나 무기금고 이외의 동종의 형인 때에는 가장 중한 죄에 정한 장기 또는 다액에 그 2분의 1까지 가중하되, 각 죄에 정한 형의 장기 또는 다액을 합산한 형기 또는 액수를 초과할 수 없다. 단, 과료와 과료, 몰수와 몰수는 병과할 수 있다.
④ 아직 판결을 받지 아니한 죄가 이미 판결이 확정된 죄와 동시에 판결할 수 없었던 경우에는 형법 제37조 후단의 경합범관계가 성립할 수 없다.

**05** 다음 중 상상적 경합관계가 아닌 것은? (다툼이 있으면 판례에 의함)

① 절도범인이 체포를 면탈할 목적으로 경찰관에게 폭행·협박을 가한 경우, 준강도죄와 공무집행방해죄의 상상적 경합이 성립한다.
② 공무원인 의사가 공무소의 명의로 허위진단서를 작성한 경우, 허위공문서작성죄와 허위진단서작성죄의 상상적 경합이 성립한다.
③ 피고인 등이 피해자를 유인하여 사기도박을 하여 도금을 편취한 행위는 사회통념상 1개의 행위로 평가함이 상당하므로, 피해자들에 대한 각 사기죄는 상상적 경합의 관계에 있다.
④ 신용협동조합의 전무인 피고인이 조합의 담당직원을 기망하여 예금인출금 또는 대출금 명목으로 금원을 교부받은 경우, 사기죄와 업무상배임죄를 구성하며 양 죄는 상상적 경합이 성립한다.

**06** 판례에 의할 때 상상적 경합이 아닌 것은?

① 당좌수표를 조합 이사장 명의로 발행하여 지급기일에 지급되지 아니하게 한 사실로 인한 부정수표 단속법 위반죄와 동일한 수표를 발행하여 조합에 대하여 재산상 손해를 가한 사실로 인한 업무상배임죄
② 강도범이 체포면탈의 목적으로 경찰관을 폭행한 경우
③ 1개의 행위에 관하여 사기죄와 배임죄의 각 구성요건이 모두 구비된 경우
④ 수뢰 후 부정처사죄에 있어서 공무원이 수뢰 후에 행한 부정행위가 공도화변조 및 동행사죄의 구성요건을 충족하는 경우에 수뢰 후 부정처사죄와 공도화변조 및 동행사죄

**07** 포괄일죄에 관한 설명으로 옳지 않은 것은? (다툼이 있으면 판례에 의함)

① 저작재산권 침해로 인한 저작권법 제136조 제1항의 죄를 상습으로 수회에 걸쳐 범한 경우 포괄일죄의 관계에 있다.
② 상습성 있는 자가 같은 종류의 죄를 반복하여 저지르고 상습범을 별도의 범죄유형으로 처벌하는 규정이 없는 한 각 죄는 원칙적으로 별개의 범죄로서 경합범으로 처단할 것이다.
③ 변호사가 아닌 사람이 당사자와 내용을 달리하는 각기 다른 법률사건에 관한 법률사무를 취급하여 저지르는 변호사법 제109조 제1호 위반의 각 범행은 특별한 사정이 없는 한 실체적 경합범이 되는 것이지 포괄일죄가 되는 것이 아니다.
④ 컴퓨터로 음란물을 제공한 행위로 서버컴퓨터가 압수된 이후 동종의 제2범죄행위를 한 경우 포괄일죄가 아니라 실체적 경합관계에 있다.

**08** 죄수에 관한 다음 설명 중 옳지 않은 것은? (다툼이 있으면 판례에 의함)

① 수개의 선거비용 항목을 허위기재한 하나의 선거비용 보전청구서를 제출하여 선거비용을 과다 보전받아 편취한 경우, 항목에 따라 별개의 사기죄가 성립한다.
② 포괄일죄로 되는 개개의 범죄행위가 다른 종류의 죄의 확정판결 전후에 걸쳐서 행하여진 경우에는 그 죄는 2죄로 분리되지 않고 확정판결 후인 최종의 범죄행위 시에 완성되는 것이다.
③ 범죄단체를 구성하거나 이에 가입한 자가 더 나아가 구성원으로 활동하는 경우, 이는 포괄일죄의 관계에 있다.
④ 농업협동조합법상의 호별방문죄는 연속적으로 두 집 이상을 방문함으로써 성립하는 범죄로서 선거운동을 위하여 다수의 조합원을 호별로 방문한 때에는 포괄일죄로 보아야 한다.

**09** 불가벌적 사후행위에 관한 설명으로 옳지 않은 것은? (다툼이 있으면 판례에 의함)

① 피해자에게 근저당권을 설정해 주겠다고 기망하여 금원을 편취한 다음, 목적 부동산에 대하여 제3자에게 근저당권을 설정하여 준 배임행위는 사기죄의 불가벌적 사후행위에 해당한다.
② 甲이 乙과 공동하여 불하받은 부동산을 丙에게 자의로 매도하여 乙에 대한 배임행위로 처벌받은 후, 丙에 대한 소유권이전등기의무를 지닌 채 한 丙에 대한 재매도행위는 이미 배임행위로서 이루어진 甲의 丙에 대한 매도행위의 불가벌적 사후행위이다.
③ 횡령을 교사한 후 그 횡령한 물건을 취득한 때에는 횡령교사죄와 장물취득죄의 경합범이 성립된다.
④ 공동상속인 중 1인이 상속재산인 임야를 보관하는 중 다른 상속인들로부터 매도 후 분배 또는 소유권이전등기를 요구받고도 그 반환을 거부한 경우, 이때 이미 횡령죄가 성립하고 그 후 그 임야에 관하여 다시 제3자 앞으로 근저당권설정등기를 경료하여 준 행위는 별도의 횡령죄를 구성하지 않는다.

**10** 다음 중 불가벌적 사후행위에 해당하는 것은? (다툼이 있으면 판례에 의함)

① 미등기 건물의 관리를 위임받아 보관하고 있는 자가 임의로 건물을 자신의 명의로 보존등기를 한 후 다시 근저당권설정등기를 한 경우
② 회사의 사무를 처리하는 자가 회사로 하여금 자신의 채무에 관하여 연대보증채무를 부담하게 한 다음, 회사의 자금을 보관하는 자의 지위에서 이를 임의로 인출한 경우
③ 채무자가 자신의 부동산에 甲 명의로 허위의 금전채권에 기한 담보가등기를 설정하고 이를 乙에게 양도하여 乙 명의의 본등기를 하게 한 경우
④ 회사 대표자가 회사자금을 횡령한 후 경비지출을 과다계상하여 장부에 기장하고 나아가 이를 토대로 조세를 납부하여 조세를 포탈한 경우

# 형사법 10회 모의고사

**01** 부작위범에 대한 다음 설명 중 옳지 않은 것은? (판례에 의함)

㉠ 부작위범 사이의 공동정범은 다수의 부작위범에게 공통된 의무가 부여되어 있고 그 의무를 공통으로 이행할 수 있을 때에만 성립한다.
㉡ 출판사 경영자 甲이 출고현황표를 조작하는 방법으로 실제출판부수를 속여 작가에게 인세의 일부만을 지급한 경우 사기죄에 있어서 작위에 의한 처분행위에 해당한다.
㉢ 특정 질병을 앓고 있는 사람 甲이 자신의 질병에 대해 고지하지 아니한 채 그 사실을 모르는 보험회사와 그 질병을 담보하는 보험계약을 체결한 다음 바로 그 질병의 발병을 사유로 보험금을 청구하여 수령한 경우 부작위에 의한 사기죄에 해당한다.
㉣ 변제의 의사나 능력이 없는 甲이 이를 숨긴 채 타인에게 금원 대여를 요청하여 동인의 배서가 된 약속어음으로 금융기관에서 할인받은 경우 작위에 의한 사기죄에 해당한다.

① ㉠, ㉡ ② ㉡, ㉢
③ ㉢, ㉣ ④ ㉡, ㉣

**02** 구체적 부합설과 법정적 부합설 중 어느 학설에 의하더라도 동일한 결과에 이르는 사례를 모두 고른 것은?

㉠ 甲은 乙을 향하여 돌을 던졌는데 옆에 지나가던 행인 丙이 맞아 머리에 상처를 입었다.
㉡ 甲은 乙을 향하여 돌을 던졌는데 丙의 자동차에 맞아 유리창이 깨졌다.
㉢ 乙을 살해하고자 하는 甲은 어둠 속에서 丙을 乙로 알고 총을 쏘아 살해하였다.
㉣ 甲은 乙을 살해할 고의로 총을 발사하였는데 乙에게 상해를 입히고 옆에 있던 丙이 맞아 사망하였다.
㉤ 사냥을 나온 甲은 어둠 속에서 움직이는 물체를 동료 乙로 알고 乙을 살해하기 위해 총을 쏘았으나 사실은 乙의 사냥개였다.

① ㉡ ② ㉠, ㉣
③ ㉢, ㉤ ④ ㉡, ㉢, ㉤

**03** 결과적 가중범과 관련된 다음 기술 중 옳은 것은? (판례에 의함)

① 강도를 준비하기 위해 총포상에서 엽총을 구입하다가 오발로 사람을 사망케 한 경우에는 강도치사죄가 성립한다.
② 甲이 강도의사로 영업용 자동차를 타고 과도로 운전자를 협박하자 이에 놀란 운전자가 급히 좌회전하다가 그 충격으로 甲이 들이대던 과도에 찔려 상해를 입은 경우 甲에게는 상해결과에 대한 예견가능성이 없으므로 甲은 강도치상죄로 처벌되지 않는다.
③ 중체포·감금죄는 사람을 체포·감금하여 생명에 위험을 야기한 경우 성립하는 결과적 가중범이다.
④ 집회 및 시위에 참가한 노동조합원 중 일부가 시위진압 경찰관들과의 몸싸움 과정에서 다중의 위력으로 경찰관들의 공무집행을 방해하여 상해에 이르게 한 경우 위 노동조합지역본부방의 직책을 가지고 그 집회 및 시위에 적극적으로 참가한 자에게는 특수공무집행방해치상죄의 공동정범으로서의 죄책이 인정된다.

**04** 위법성조각사유와 관련된 다음 기술 중 옳지 않은 것을 모두 고른 것은? (다툼이 있으면 판례에 의함)

> ㉠ 방위행위, 피난행위 그리고 자구행위가 그 정도를 초과한 때에는 공통적으로 정황에 의하여 형을 감경 또는 면제할 수 있다.
> ㉡ 현재의 위법한 침해에 대해서는 정당방위 이외에 긴급피난도 가능하다.
> ㉢ 결과반가치일원론에 의하면 객관적 정당화 상황이 존재함에도 불구하고 주관적 정당화 요소가 없는 경우 위법성이 조각된다.
> ㉣ 장래에 예상되는 절도범의 침입을 막기 위하여 자기 집 담장에 유리조각을 박아 놓았는데 절도범이 절도의사로 그 담장을 넘다가 유리조각에 찔려 상해를 입은 경우 예방적 방위로서 정당방위로 평가될 수 없다.
> ㉤ 형법 제24조에 따르면 처분할 수 있는 자의 승낙에 의하여 그 법익을 훼손한 행위는 법률에 특별한 규정이 있는 경우에 한하여 벌하지 아니한다.

① ㉠　　② ㉠, ㉡, ㉣
③ ㉣, ㉤　　④ ㉢, ㉣, ㉤

**05** 다음 중 판례의 태도로 틀린 것은?

① 행정청의 허가를 담당하는 공무원이 허가를 요하지 않는 것으로 잘못 알려주어 이를 믿었기 때문에 허가를 받지 아니하고 행위한 것은 죄가 되지 않는 것으로 착오를 일으킨 데 대하여 정당한 이유가 있는 경우에 해당한다.
② 쌀과자를 만들면서 구청에 질의한 결과 양곡관리법이나 식품위생법 위반은 아니라고 회신을 받고 쌀과자를 만들어 판매한 경우 정당한 이유가 인정된다.
③ 한약업자 면허나 의약품판매업 허가 없이 의약품을 판매한 것에 대하여 지방검찰청으로부터 혐의 없음 결정을 받은 사실이 있었다는 것만으로는 죄가 되지 않은 것으로 오인함에 정당한 이유가 인정되지 않는다.
④ 활법의 사회체육지도자 자격증을 취득한 자가 척추교정시술행위를 하는 것은 괜찮다고 생각하고 척추교정시술을 한 경우 정당한 이유가 인정되지 않는다.

**06** 판례에 의할 때 미수범에 관한 설명으로 옳지 않은 것은?

① 금융기관의 직원이 전산단말기를 이용하여 다른 공범들이 지정한 특정계좌에 돈이 입금된 것처럼 허위의 정보를 입력하는 방법으로 위 계좌로 입금되도록 하였지만, 아직은 인출하지 못한 경우에는 컴퓨터 등 사용사기죄의 기수에 이르지 못한 것이다.
② 소송비용을 편취할 의사로 소송비용의 지급을 구하는 손해배상청구의 소를 제기하였다고 하더라도 이는 소의 이익이 없는 부적법한 소로서 허용될 수 없으므로 위법성이 인정되지 않아 불능미수에 해당하지 않는다.
③ 강도죄와 준강도죄는 구성요건인 재물탈취와 폭행・협박 사이에 시간적 순서상 전후의 차이가 있을 뿐 실질적으로 위법성이 같다. 따라서 준강도죄의 입법취지, 강도죄와의 균형 등을 종합적으로 고려해 보면, 준강도죄의 기수 여부는 절도행위의 기수 여부를 기준으로 하여 판단하여야 한다.
④ 본안소송을 제기하지 아니한 채 허위채권에 기하여 가압류를 한 것만으로는 소송사기죄의 실행의 착수하였다고 볼 수 없다.

**07** 다음 중 가벌적 불능미수 또는 불가벌적 불능범에 대하여 옳지 않게 설명하고 있는 것은? (다툼이 있으면 판례에 의함)

① 가벌적 불능미수란 존재하지 않는 사실을 존재한다고 적극적으로 오인하는 반전된 구성요건 착오의 형태라고 볼 수 있다.
② 가벌적 불능미수의 판단 기준에 관한 추상적 위험설에 의하면 위험성의 판단은 행위자가 행위 당시 인식한 사정을 기초로 이것이 객관적으로 일반인의 판단으로 보아 결과 발생의 가능성이 있느냐를 따져야 한다.
③ 결과발생이 처음부터 불가능한 것을 알면서 행위자가 이를 실행한 경우, 위험성이 있다고 인정되면 가벌적 불능미수가 성립한다.
④ 일정량 이상을 먹으면 사람이 죽을 수 있는 약초인 '부자'를 달인 물을 마시게 하여 피해자를 살해하려다 미수에 그친 행위는 불가벌적 불능범이 아닌 살인미수죄에 해당한다.

**08** 다음의 〈입장〉을 전제로 할 때, 〈보기〉의 ㉠~㉣ 중에서 옳지 않은 것을 모두 고른 것은?

〈입 장〉

형법 제33조는 "신분관계로 인하여 성립될 범죄에 가공한 행위는 신분관계가 없는 자에게도 전 3조의 규정을 적용한다. 단 신분관계로 인하여 형의 경중이 있는 경우에는 중한 형으로 벌하지 아니한다"고 규정하고 있다. 여기서 본문은 진정신분범의 성립과 과형 및 부진정신분범의 성립을 대상으로 한 것이고, 단서는 부진정신분범의 과형을 대상으로 한 것이다.

〈보 기〉

㉠ 어머니가 자식을 교사하여 남편(자식의 실부)을 살해하도록 한 경우 어머니의 죄책이 무엇이 되는지 문제되는데, 보통살인죄와 존속살해죄는 신분관계로 형의 경중이 있는 경우이므로 어머니에게는 보통살인죄의 교사범이 성립한다.
㉡ 선서하지 않은 증인이 선서한 증인을 교사하여 위증하게 한 경우에 선서하지 않은 증인도 위증죄의 교사범이 성립한다.
㉢ 비점유자가 업무상점유자와 공모하여 횡령한 경우에 비점유자도 형법 제33조 본문에 의해 공범관계가 성립되며, 다만 그 처단에 있어서 동조 단서의 적용을 받는다.
㉣ 은행원이 아닌 자가 은행원들과 공모하여 업무상배임죄를 저지른 경우 은행원 아닌 자의 행위가 배임죄에 해당하는지 문제되는데, 업무상 타인의 사무를 처리하는 신분관계로 인하여 형의 경중이 있는 경우이므로 신분관계 없는 자에게는 배임죄가 성립한다.

① ㉠, ㉡ ② ㉠, ㉣
③ ㉡, ㉢ ④ ㉡, ㉣

**09** 죄수결정에 관한 설명 중 옳지 않은 것은? (판례에 의함)

① 대마취급자가 아닌 자가 절취한 대마를 흡입할 목적으로 소지하는 행위는 절도죄의 불가벌적 사후행위로서 절도죄에 포괄 흡수된다.
② 강도가 시간적으로 접착된 상황에서 가족을 이루는 수인에게 폭행·협박을 가하여 집안에 있는 재물을 탈취한 경우 이를 탈취하는 행위는 그 소유자가 누구인지 불구하고 단일한 강도죄의 죄책을 진다.
③ 무면허운전으로 인한 도로교통법위반죄에 있어서는 어느 날에 운전을 시작하여 다음날까지 동일한 기회에 일련의 과정에서 계속 운전을 한 경우 등 특별한 경우를 제외하고는 운전한 날마다 무면허운전으로 인한 도로교통법위반의 1죄가 성립한다.
④ 피고인이 당초부터 피해자를 기망하여 약속어음을 교부받은 경우에는 그 교부받은 즉시 사기죄가 성립하고 그 후 이를 피해자에 대한 피고인의 채권의 변제에 충당하였다 하더라도 불가벌적 사후행위가 됨에 그칠 뿐, 별도로 횡령죄를 구성하지 아니한다.

**10** 경합범에 관한 설명 중 옳지 않은 것은? (판례에 의함)

① 경합범을 동시에 판결할 때 각 죄에 정한 형이 사형 또는 무기형 이외의 동종의 형인 경우에는 가장 중한 죄에 정한 장기 또는 다액에 그 2분의 1까지 가중하되, 각 죄에 정한 형의 장기 또는 다액을 합산한 형기 또는 액수를 초과하여 처벌할 수 없다. 단 과료와 과료, 몰수와 몰수는 병과할 수 있다.
② A·B·C죄를 순차로 범한 자에 대하여 법원에서 C죄에 대하여 집행유예가 선고된 후 그 유예기간이 경과되어 형선고가 효력을 잃은 경우에는 A·B죄와 C죄는 형법 제37조 후단의 경합범관계에 있지 않다.
③ 확정판결 이전에 A·B죄를 범하고 확정판결 이후 C·D죄를 순차로 범한 경우에는 판결이 확정된 죄와 그 이전의 A·B죄는 형법 제37조 후단의 경합범이고, A·B죄 상호 간 및 C·D죄 상호 간은 각각 형법 제37조 전단의 경합범에 해당한다.
④ 형법 제37조 후단의 '판결이 확정된 죄와 그 판결확정 전에 범한 죄'에서의 '판결'에는 집행유예나 선고유예의 판결뿐만 아니라 약식명령은 포함되지 않는다.

PART

# 03

# 경찰학

## 문제편

# 경찰학 1회 모의고사

**01** 「국가경찰과 자치경찰의 조직 및 운영에 관한 법률」 상 ㉠부터 ㉣까지의 설명 중 옳고 그름의 표시(○, ×)가 바르게 된 것은?

㉠ 경찰청장과 국가수사본부장은 경찰청 외부를 대상으로 모집하여 임용할 수 있다.
㉡ 경찰청장과 국가수사본부장은 국가경찰위원회의 동의를 받아 행정안전부장관의 제청으로 국무총리를 거쳐 대통령이 임명한다.
㉢ 경찰청장과 국가수사본부장의 임기는 2년이고, 연임할 수 없다.
㉣ 경찰청장과 국가수사본부장에 대하여는 국회의 탄핵심판권이 명문으로 규정되어 있다.

① ㉠ (×) ㉡ (×) ㉢ (×) ㉣ (×)
② ㉠ (×) ㉡ (×) ㉢ (○) ㉣ (○)
③ ㉠ (×) ㉡ (×) ㉢ (×) ㉣ (○)
④ ㉠ (○) ㉡ (○) ㉢ (○) ㉣ (○)

**02** 「국가경찰과 자치경찰의 조직 및 운영에 관한 법률」 상 국가수사본부장을 경찰청 외부를 대상으로 모집하여 임용할 경우 국가수사본부장의 자격 및 결격요건에 대한 내용으로 옳지 않은 것은?

① 대학이나 공인된 연구기관에서 법률학·경찰학 분야에서 조교수 이상의 직이나 이에 상당하는 직에 10년 이상 있었던 사람은 자격이 있다.
② 10년 이상 수사업무에 종사한 사람 중에서 총경 이상 경찰공무원으로 재직한 경력이 있는 사람은 자격이 있다.
③ 정당의 당원이거나 당적을 이탈한 날부터 5년이 지나지 아니한 사람은 국가수사본부장이 될 수 없다.
④ 경찰공무원이었던 사람은 퇴직한 날로부터 1년이 지나지 아니한 경우에는 국가수사본부장이 될 수 없다.

**03** 「국가경찰과 자치경찰의 조직 및 운영에 관한 법률」 상 경찰청장 및 시·도경찰청장의 지휘에 대한 설명으로 가장 옳지 않은 것은?

① 경찰청장은 긴급하고 중요한 사건의 수사에 있어서 국가수사본부장을 통하여 개별 사건의 수사에 대하여 구체적 지휘·감독을 개시한 때에는 이를 행정안전부장관에 보고하여야 한다.
② 국가수사본부장이 경찰청장의 긴급하고 중요한 사건의 수사에 있어서 개별 사건의 수사에 대한 구체적 지휘·감독의 중단을 건의하는 경우 경찰청장은 특별한 이유가 없으면 이를 승인하여야 한다.
③ 시·도경찰청장은 경찰청장이 시·도자치경찰위원회와 협의하여 추천한 사람 중에서 행정안전부장관의 제청으로 국무총리를 거쳐 대통령이 임용한다.
④ 시·도경찰청장은 국가경찰사무에 대해서는 경찰청장의 지휘·감독을, 자치경찰사무에 대해서는 시·도자치경찰위원회의 지휘·감독을 받아 관할구역의 소관 사무를 관장하고 소속 공무원 및 소속 경찰기관의 장을 지휘·감독한다.

**04** 「국가경찰 및 자치경찰의 조직 및 운영에 관한 법률」상 경찰청장이 자치경찰사무를 수행하는 경찰공무원을 직접 지휘·명령하는 절차에 대한 설명으로 옳지 않은 것은?

① 경찰청장은 비상사태 등 전국적 치안유지를 위한 지휘·명령이 필요한 경우에는 시·도자치경찰위원회에 자치경찰사무를 담당하는 경찰공무원을 직접 지휘·명령하려는 사유 및 내용 등을 구체적으로 제시하여 통보하여야 한다.
② 경찰청장이 비상사태 등 전국적 치안유지를 위한 지휘·명령이 필요한 경우에는 국가경찰위원회에 즉시 보고하여야 한다.
③ 국민안전에 중대한 영향을 미치는 사안에 대하여 다수의 시·도에 동일하게 적용되는 치안정책을 시행할 필요가 있다고 인정할 만한 충분한 사유가 있는 경우에는 경찰청장이 미리 국가경찰위원회의 의결을 거쳐야 하는 것이 원칙이다.

④ 시·도자치경찰위원회는 자치경찰사무와 관련하여 해당 시·도의 경찰력으로는 국민의 생명·신체·재산의 보호 및 공공의 안녕과 질서유지가 어려워 경찰청장의 지원·조정이 필요하다고 인정할 만한 충분한 사유가 있는 경우에는 의결로 지원·조정의 범위·기간 등을 정하여 경찰청장에게 지원·조정을 요청할 수 있다.

**05** 「행정권한의 위임 및 위탁에 관한 규정」에 대한 설명으로 가장 옳지 않은 것은?

① 수임 및 수탁사무의 처리에 관하여 위임 및 위탁기관은 수임 및 수탁기관에 대하여 사전승인을 받도록 할 수 없으며, 사전 협의도 거치도록 요구할 수 없다.
② 위임 및 위탁기관은 위임 및 위탁사무에 대하여 수임 및 수탁기관의 수임 및 수탁사무 처리 상황을 수시로 감사할 수 있다.
③ 수임 및 수탁사무에 관한 권한을 행사할 때에는 위임 및 위탁기관의 명의로 하여야 한다.
④ 위임 및 위탁기관은 수임 및 수탁기관의 수임 및 수탁사무 처리에 대하여 지휘·감독하고, 그 처리가 위법하거나 부당하다고 인정될 때에는 이를 취소하거나 정지시킬 수 있다.

**06** 「경찰청 직무대리 운영규칙(훈령)」에 대한 설명으로 옳지 않은 것은?

① 직무대리자는 본래 담당한 직위의 업무를 수행하면서 직무대리 업무를 수행하는 것을 원칙으로 한다.
② 직무대리자는 부득이한 사정이 있더라도 직무대리하여야 할 업무를 다른 공무원에게 다시 직무대리하게 할 수 없다.
③ 직무대리를 지정할 때 사고 기간이 10일인 경우, 직무대리 명령서의 발급을 생략할 수 있다.
④ 직무대리자는 사고가 발생한 공무원의 업무를 일시적으로 대리하는 것이므로 사고자의 모든 권한을 가지는 것은 아니다.

**07** 「경찰공무원 임용령」 및 동 시행규칙상 수사경과에 대한 설명으로 가장 옳지 않은 것은?

① 경과는 총경 이하에 부여하며, 수사경과와 보안경과는 경정 이하 경찰공무원에게만 부여한다.
② 신규채용된 경찰공무원에게는 일반경과를 부여한다. 다만, 수사, 보안, 항공, 정보통신분야로 채용된 경찰공무원에게는 임용예정 직위의 업무와 관련된 경과를 부여한다.
③ 전과는 일반경과에서 수사경과·보안경과 또는 특수경과로의 전과만 인정한다. 다만, 정원감축 등 경찰청장이 정하는 사유가 있는 경우 보안경과·수사경과 또는 정보통신경과에서 일반경과로의 전과를 인정할 수 있다.
④ 현재 경과를 부여받고 3년이 지나지 아니한 사람 또는 특정한 직무분야에 근무할 것을 조건으로 채용된 경찰공무원으로서 채용 후 5년이 지나지 아니한 사람은 전과를 할 수 없다.

**08** 「경찰공무원임용령」상 임용권의 위임에 대한 설명 중 가장 옳지 않은 것은?

① 경찰청장은 시·도지사에게 자치경찰사무를 담당하는 경찰공무원(지구대 및 파출소에서 근무하는 경찰공무원을 포함한다) 중 경정의 전보·파견·휴직·직위해제 및 복직에 관한 권한과 경감 이하의 임용권(신규채용 및 면직에 관한 권한은 제외한다)을 위임한다.
② 시·도지사로부터 임용권을 위임받은 시·도자치경찰위원회는 시·도지사와 시·도경찰청장의 의견을 들어 그 권한의 일부를 시·도경찰청장에게 다시 위임할 수 있다.
③ 시·도경찰청장은 소속 경감 이하 경찰공무원에 대한 해당 경찰서 안에서의 전보권을 경찰서장에게 다시 위임할 수 있다.
④ 임용권의 위임에도 불구하고 경찰청장은 경찰공무원의 정원 조정, 인사교류 또는 파견을 위하여 필요한 경우에는 임용권을 행사할 수 있다.

**09** 「경찰공무원 임용령」에 대한 설명으로 옳지 않은 것은?

① 경찰청장은 국가수사본부장에게 국가수사본부 안에서의 경정 이하에 대한 전보권을 위임한다.
② 시·도경찰청장 및 경찰서장은 지구대장 및 파출소장을 보직하는 경우에는 시·도자치경찰위원회의 의견을 사전에 들어야 한다.
③ 경찰청장은 수사부서에서 총경을 보직하는 경우에는 국가수사본부장의 의견을 들어야 한다.
④ 시·도자치경찰위원회는 임용권을 행사하는 경우에는 시·도경찰청장의 추천을 받아야 한다.

**10** 「경찰공무원법」상 경찰공무원의 임용권자가 바르게 연결된 것은 모두 몇 개인가?

㉠ 총경의 휴직 – 경찰청장
㉡ 총경의 강등 – 대통령
㉢ 총경의 복직 – 경찰청장
㉣ 경정의 면직 – 대통령
㉤ 경정으로의 승진 – 경찰청장
㉥ 총경의 정직 – 대통령

① 1개　② 2개
③ 3개　④ 4개

## 경찰학 2회 모의고사

**01** 「경찰공무원법」과 「국가공무원법」상 임용결격사유에 대한 설명으로 옳지 않은 것은?

① 복수국적자는 「경찰공무원법」상 결격사유에 해당하지만, 「국가공무원법」상 결격사유에 해당하지 않는다.
② 피성년후견인 또는 피한정후견인은 「경찰공무원법」상 결격사유에 해당하지만, 피한정후견인은 「국가공무원법」상 결격사유에 해당하지 않는다.
③ 자격정지 이상의 형을 선고받은 사람은 「경찰공무원법」상 결격사유에 해당하지만, 「국가공무원법」상 결격사유에는 해당하지 않는다.
④ 징계에 의하여 파면 또는 해임처분을 받은 사람은 「경찰공무원법」과 「국가공무원법」상 모두 결격사유에 해당한다.

**02** 「경찰공무원임용령」의 규정에 대한 내용으로 옳지 않은 것은?

① 임용권자 또는 임용제청권자는 채용후보자 명부에 등재된 채용후보자가 6개월 이상 학업을 계속하는 경우에 한하여 채용후보자 명부의 유효기간의 범위에서 기간을 정하여 임용 또는 임용제청을 유예할 수 있다.
② 시보임용예정자에게 교육훈련을 받는 기간 동안 예산의 범위에서 임용예정계급의 1호봉에 해당하는 봉급의 80퍼센트에 해당하는 금액 등을 지급할 수 있다.
③ 교육훈련성적이 만점의 60퍼센트 미만이거나 생활기록이 극히 불량한 경우 또는 제2 평정 요소의 평정점이 만점의 50퍼센트 미만인 경우에는 시보임용경찰공무원을 면직시키거나 면직을 제청할 수 있다.
④ 채용후보자 명부의 유효기간은 2년으로 하되, 경찰청장은 필요에 따라 1년의 범위에서 그 기간을 연장할 수 있다.

**03** 「경찰공무원 승진임용 규정」상 경찰공무원의 근무성적평정에 대한 내용 중 옳지 않은 것은?

① 총경의 근무성적은 제2 평정 요소로만 평정한다.
② 근무성적 평정 시 제2 평정 요소들에 대한 평정은 수(20%), 우(40%), 양(30%), 가(10%)의 분포비율에 맞도록 하여야 한다. 다만 '가'에 해당하는 사람이 없는 경우에는 '가'의 비율을 '양'의 비율에 가산하여 적용한다.
③ 경찰서 수사과에서 고소·고발 등에 대한 조사업무를 직접 처리하는 경위 계급의 경찰공무원을 평정할 때에는 제2 평정 요소의 계급별 평정비율을 적용하지 아니할 수 있다
④ 정기평정 이후에 신규채용되거나 승진임용된 경찰공무원에 대해서는 6개월이 지난 후부터 근무성적을 평정하여야 한다.

**04** 국가공무원법상 휴직에 대한 설명으로 가장 옳지 않은 것은?

① 공무원의 공무상 질병 또는 부상으로 인한 휴직기간은 3년 이내로 하되, 의학적 소견 등을 고려하여 대통령령등으로 정하는 바에 따라 2년의 범위에서 연장할 수 있다.
② 공무원이 신체·정신상의 장애로 장기 요양이 필요할 때 휴직을 원하면 휴직을 명할 수 있다.
③ 만 8세 이하 또는 초등학교 2학년 이하의 자녀를 양육하기 위하여 필요하거나 여성공무원이 임신 또는 출산하게 된 때에 공무원이 휴직을 원하면 대통령령으로 정하는 특별한 사정이 없으면 휴직을 명하여야 한다.
④ 조부모, 부모(배우자의 부모를 포함한다), 배우자, 자녀 또는 손자녀를 부양하거나 돌보기 위하여 필요한 경우 휴직 기간은 1년 이내로 하되, 재직 기간 중 총 3년을 넘을 수 없다.

**05** 「국가공무원법」상 직위해제 사유에 해당하는 것은 모두 몇 개인가?

> ㉠ 직무수행 능력이 부족하거나 근무성적이 극히 나쁜 자
> ㉡ 파면·해임·강등 또는 정직에 해당하는 징계 의결이 요구 중인 자
> ㉢ 형사사건으로 기소된 자(약식명령이 청구된 자 포함)
> ㉣ 「병역법」에 따른 병역 복무를 마치기 위하여 징집 또는 소집된 때
> ㉤ 휴직 기간이 끝나거나 휴직 사유가 소멸된 후에도 직무에 복귀하지 아니하거나 직무를 감당할 수 없을 때
> ㉥ 신체·정신상의 장애로 장기 요양이 필요할 때

① 1개　　② 2개
③ 3개　　④ 4개

**06** 직권으로 면직시킬 경우 징계위원회의 동의를 받아야 하는 사유에 해당하는 것은?

① 직제와 정원의 개폐 또는 예산의 감소 등에 따라 폐직 또는 과원이 되었을 때
② 휴직 기간이 끝나거나 휴직 사유가 소멸된 후에도 직무에 복귀하지 아니하거나 직무를 감당할 수 없을 때
③ 해당 경과에서 직무를 수행하는 데 필요한 자격증의 효력이 상실되거나 면허가 취소되어 담당 직무를 수행할 수 없게 되었을 때
④ 직무수행 능력이 부족하거나 근무성적이 극히 나쁜 사유로 직위해제된 자에게 3개월의 범위에서 대기명령을 받은 자가 그 기간에 능력 또는 근무성적의 향상을 기대하기 어렵다고 인정된 때

**07** 「경찰공무원법」에 대한 설명으로 옳지 않은 것은?

① 총경 이상 경찰공무원은 경찰청장의 추천을 받아 행정안전부장관의 제청으로 국무총리를 거쳐 대통령이 임용한다. 다만, 총경의 전보, 휴직, 직위해제, 강등, 정직 및 복직은 경찰청장이 한다.
② 경정 이하의 경찰공무원은 경찰청장이 임용한다. 다만, 경정으로의 신규채용, 승진임용 및 면직은 경찰청장의 제청으로 국무총리를 거쳐 대통령이 한다.
③ 수사, 정보, 경비, 보안, 자치경찰사무 등 특수부문에 근무하는 경찰공무원으로서 대통령령으로 정하는 바에 따라 지정을 받은 사람은 총경 및 경정의 경우에는 4년의 범위에서 계급정년을 연장할 수 있다.
④ 경찰청장은 전시·사변이나 그 밖에 이에 준하는 비상사태에서는 2년의 범위에서 계급정년을 연장할 수 있다.

**08** 「국가공무원법」상 의무에 대한 설명으로 가장 적절한 것은?

① 공무원의 직무상 의무로서 직무전념의 의무, 친절·공정의 의무, 법령준수의 의무, 종교중립의 의무, 비밀엄수의 의무, 복종의 의무를 규정하고 있다.
② 복종의 의무와 관련하여 국가경찰공무원은 구체적 사건수사와 관련하여 상관의 지휘·감독의 적법성 또는 정당성에 대하여 이견이 있을 때에는 이의를 제기할 수 있다.
③ 공무원은 직무상의 관계가 있든 없든 사례·증여 또는 향응을 주거나 받을 수 없다.
④ 공무원은 직무상의 관계가 있든 없든 그 소속 상관에게 증여하거나 소속 공무원으로부터 증여를 받아서는 아니 된다.

**09** 「국가공무원법」상 경찰공무원의 의무에 대한 설명으로 가장 옳은 것은?

① '비밀엄수의 의무', '청렴의 의무', '친절공정의 의무'는 신분상의 의무에 해당한다.
② 공무원은 공무 외에 영리를 목적으로 하는 업무에 종사하지 못하며 소속 기관장의 허가 없이 다른 직무를 겸할 수 없다.
③ 공무원은 소속 기관장의 허가 또는 정당한 사유가 없으면 직장을 이탈하지 못한다.
④ 수사기관이 현행범으로 체포한 공무원을 구속하려면 그 소속기관의 장에게 미리 통보하여야 한다.

**10** 「경찰공무원 복무규정」에 대한 설명으로 옳은 것은?

① 경찰기관의 장은 근무성적이 탁월하거나 다른 경찰공무원의 모범이 될 공적이 있는 경찰공무원에 대하여 1회 7일 이내의 포상휴가를 허가할 수 있다.
② 경찰기관의 장은 특별한 사정이 없는 한, 연일근무자 및 공휴일 근무자에 대하여는 그 다음날 1일의 휴무, 당직 또는 철야근무자에 대하여는 다음날 오후 2시를 기준으로 하여 오전 또는 오후의 휴무를 허가할 수 있다.
③ 경찰공무원은 휴무일 또는 근무시간 외에 2시간 이내에 직무에 복귀하기 어려운 지역으로 여행을 하고자 할 때에는 소속 경찰기관의 장에게 신고를 하여야 한다.
④ 경찰공무원은 소속 경찰기관의 장의 허가를 받거나 그 명령에 의한 경우를 제외하고는 직무와 관계없는 장소에서 직무수행을 하여서는 아니된다.

# 경찰학 3회 모의고사

**01** 「경찰공무원 승진임용 규정」 및 「공무원연금법시행령」상 경찰공무원의 징계 및 퇴직급여 등의 감액에 대한 설명으로 가장 옳지 않은 것은?

① 성폭력, 성희롱 및 성매매에 따른 감봉 징계처분을 받은 자는 그 처분의 집행이 끝난 날부터 18개월이 지나지 않은 경우에는 승진임용될 수 없다.
② 정직은 1개월 이상 3개월 이하의 기간으로 하고, 정직 처분을 받은 자는 그 기간 중 공무원의 신분은 보유하나 직무에 종사하지 못하며 보수는 전액을 감한다.
③ 파면 징계처분을 받은 자(재직기간 5년 미만)의 퇴직급여는 1/2을 감액한 후 지급한다.
④ 금품 및 향응 수수로 해임 징계처분을 받은 자(재직기간 5년 이상)는 퇴직급여의 1/4을 감액한 후 지급한다.

**02** 경찰공무원의 징계처분에 대한 설명으로 옳지 않은 것은?

① 경찰서 소속 경위 A에 대한 감봉처분은 경찰서장이 한다.
② 경찰서 소속 경감 B에 대한 파면처분은 경찰청장이 한다.
③ 경찰서 소속 경정 C에 대한 해임처분은 경찰청장의 제청으로 행정안전부장관과 국무총리를 거쳐 대통령이 한다.
④ 경찰서장 경무관 D에 대한 감봉처분은 경찰청장이 한다.

**03** 「경찰공무원법」 및 「경찰공무원 징계령」상 경찰공무원의 징계에 대한 설명으로 가장 옳지 않은 것은?

① 파면·해임·강등 및 정직은 징계위원회의 의결을 거쳐 해당 경찰공무원의 임용권자가 하되, 총경 이상의 강등 및 정직과 경정 이상의 파면 및 해임은 경찰청장의 제청으로 행정안전부장관과 국무총리를 거쳐 대통령이 한다.
② 징계처분, 휴직처분, 면직처분, 그 밖에 의사에 반하는 불리한 처분에 대한 행정소송은 경찰청장을 피고로 한다. 다만, 임용권을 위임한 경우에는 그 위임을 받은 자를 피고로 한다.
③ 경찰공무원 중앙징계위원회는 총경 및 경정에 대한 징계 사건을 심의·의결한다.
④ 경정 이상의 경찰공무원을 장으로 하는 경찰서에 설치된 보통징계위원회는 소속 경위 이하의 경찰공무원에 대한 징계등 사건을 심의·의결한다.

**04** 경찰공무원 관련 법령에 따를 때, 다음 설명 중 가장 적절한 것은?

① A 경찰서 소속 지구대 소속 경위 甲과 동일한 지구대 소속 순경 乙이 관련된 징계등 사건(甲의 감독상 과실책임만으로 관련된 경우, 관련자에 대한 징계등 사건을 분리하여 심의 의결하는 것이 타당하다고 인정되는 경우는 제외)은 B 시·도경찰청에 설치된 징계위원회에서 심의·의결한다.
② 국가경찰사무를 담당하는 A 경찰서 소속 경사 丙에 대한 정직처분은 A 경찰서를 관할하는 B 시·도경찰청장이 하며, 그 처분에 대한 행정소송의 피고는 B 시·도경찰청장이다.
③ A 경찰서 소속 경정 丁에 대한 징계위원회는 경찰청에 설치되며, 丁에 대한 강등처분은 경찰청장의 제청으로 행정안전부장관과 국무총리를 거쳐 대통령이 한다.
④ 경찰대학 소속 경정 戊에 대한 정직처분은 경찰대학장이 한다.

**05** 「경찰공무원 징계령 세부시행규칙(경찰청예규)」상 징계위원회가 징계를 감경할 수 있는 경우로 옳지 않은 것은? (다툼이 있을 경우 판례에 의함)

① 경정 이하의 경찰공무원 등은 경찰청장 또는 중앙행정기관 차관급의 표창을 받은 공적이 있는 경우에도 징계를 감경할 수 있다.
② 기관이나 단체에 수여된 단체표창은 징계대상자에 대한 징계양정의 감경사유에 해당하지 않는다.
③ 경찰공무원 등이 징계처분 또는 징계위원회의 권고에 의한 경고를 받은 사실이 있는 경우에는 그 징계처분 또는 경고처분 전의 공적은 감경대상 공적에서 제외한다.
④ 공적이 있는 경우에도 의무위반행위가 금품수수, 성범죄, 소극행정, 음주운전 등에 해당할 경우에는 감경할 수 없다.

**06** 「경찰공무원법」 및 「경찰공무원 징계령」상 경찰공무원의 징계에 대한 설명으로 가장 옳은 것은?

① 징계위원회가 징계등 심의 대상자의 출석을 요구할 때에는 출석 통지서로 하되, 징계위원회 개최일 7일 전까지 그 징계등 심의 대상자에게 도달되도록 하여야 한다.
② 징계등 심의 대상자의 소재가 분명하지 아니할 때에는 출석통지를 관보에 게재하고, 그 게재일부터 14일이 지나면 출석통지가 송달된 것으로 보며, 징계등 의결을 할 때에는 관보 게재의 사유와 그 사실을 기록에 분명히 적어야 한다.
③ 징계등 의결 요구를 받은 징계위원회는 그 요구서를 받은 날부터 60일 이내에 징계등에 관한 의결을 하여야 한다. 다만, 부득이한 사유가 있을 때에는 해당 징계등 의결을 요구한 경찰기관의 장의 승인을 받아 30일 이내의 범위에서 그 기간을 연장할 수 있다.
④ 징계등 의결을 요구한 자는 경징계의 징계등 의결을 통지받았을 때에는 통지받은 날부터 15일 이내에 징계등을 집행하여야 한다.

**07** 「경찰공무원징계령」상 징계위원회의 구성에 대한 설명으로 가장 옳은 것은?

① 각 징계위원회는 위원장 1명을 포함하여 17명 이상 33명 이하의 공무원위원과 민간위원으로 구성한다.
② 대학에서 경찰 관련 학문을 담당하는 부교수 이상으로 5년 이상 재직 중인 사람은 중앙징계위원회의 위원으로 위촉될 수 있다.
③ 공무원으로 20년 이상 근속하고 퇴직한 사람은 중앙징계위원회의 위원으로 위촉될 수 있다.
④ 「성폭력범죄의 처벌 등에 관한 특례법」에 따른 성폭력범죄 사건에 대한 징계사건은 피해자와 같은 성별의 위원이 위원장을 제외한 위원 수의 3분의 1 이상 포함되어야 한다.

**08** 공무원의 권익보장제도에 대한 설명으로 옳지 않은 것은?

① 고충처리는 고충상담, 고충심사, 성폭력범죄 · 성희롱 신고 처리로 구분한다.
② 「공무원고충처리규정」에 따라 고충심사위원회가 청구서를 접수한 때에는 30일 이내에 고충심사에 대한 결정을 하여야 한다. 다만, 부득이하다고 인정되는 경우에는 고충심사위원회의 의결로 30일을 연장할 수 있다.
③ 경찰청 소속 기관의 보통고충심사위원회의 심사를 거친 재심청구와 경정 이상의 경찰공무원의 인사상담 및 고충심사는 경찰청에 설치된 중앙고충심사위원회에서 한다.
④ 공무원에 대하여 징계처분등을 할 때 처분권자는 피해자가 요청하는 경우 「성폭력범죄의 처벌 등에 관한 특례법」 제2조에 따른 성폭력범죄 및 「양성평등기본법」 제3조 제2호에 따른 성희롱에 해당하는 사유로 처분사유 설명서를 교부할 때에는 그 징계처분결과를 피해자에게 함께 통보하여야 한다.

**09** 국가공무원법 및 관련 법령에 따를 때, 소청심사와 관련 하여 아래 사례에 관한 설명 중 가장 적절하지 않은 것은?

> ○○경찰서 소속 지구대에서 근무하는 순경 甲이 법령준수 의무 위반 등 각종 비위행위로 인하여 관련 절차를 거쳐 징계권자로부터 해임의 징계처분을 받았다. 이에 순경 甲은 소청심사를 제기하고자 한다.

① 소청심사위원회는 소청심사 결과 甲의 비위행위의 정도에 비해 해임의 징계처분이 경미하다는 판단에 이르더라도 파면의 징계처분으로 변경하는 결정을 할 수 없다.
② 소청심사위원회에서 해임처분 취소명령결정을 내릴 경우, 그 해임의 징계처분은 곧바로 효력을 상실한다.
③ 소청심사위원회에서 해임처분을 취소 또는 변경하고자 할 경우에는 재적 위원 3분의 2 이상의 출석과 출석 위원 3분의 2 이상의 합의가 있어야 한다.
④ 甲이 징계처분사유 설명서를 받은 날부터 30일 이내(甲에게 책임이 없는 사유로 소청심사를 청구할 수 없는 기간은 없다고 전제한다) 소청심사를 제기하지 않은 경우에는 행정소송을 제기할 수 없다.

**10** 인사혁신처에 설치된 소청심사위원회에 대한 설명으로 가장 옳은 것은?

① 소청 사건의 결정은 재적 과반수의 출석과 출석위원 과반수의 합의에 따르는 것이 원칙이다.
② 의견이 나뉘어 출석 위원 과반수의 합의에 이르지 못하였을 때에는 과반수에 이를 때까지 소청인에게 가장 유리한 의견에 차례로 불리한 의견을 더하여 그중 가장 유리한 의견을 합의된 의견으로 본다.
③ 파면 · 해임 · 강등 또는 정직에 해당하는 징계처분을 취소 또는 변경하려는 경우와 효력 유무 또는 존재 여부에 대한 확인을 하려는 경우에는 재적 위원 3분의 2 이상의 출석과 출석위원 3분의 2 이상의 합의가 있어야 한다.
④ 소청심사위원회는 위원장 1명을 포함한 5명 이상 7명 이하의 상임위원과 상임위원 수의 2분의 1 이상인 비상임위원으로 구성하되, 상임위원은 정무직으로 보한다.

# 경찰학 4회 모의고사

**01** 행정청이 행하는 구체적 사실에 관한 법 집행으로서 공권력의 행사 또는 그 거부와 그 밖에 이에 준하는 행정작용에 해당하는 것은 모두 몇 개인가? (다툼이 있는 경우 판례에 의함)

> ㉠ 국유재산 무단점유자에 대한 변상금 부과처분
> ㉡ 주민등록번호 변경신청 거부
> ㉢ 교통안전공단의 교통안전분담금 납부통지
> ㉣ 교통경찰관의 교통 수신호
> ㉤ 경찰청장의 횡단보도 설치 기본계획 수립

① 1개　　② 2개
③ 3개　　④ 4개

**02** 「행정기본법」상 "처분"에 대한 설명으로 가장 옳은 것은?

① 처분은 권한이 있는 기관이 취소 또는 철회하거나 기간의 경과 등으로 소멸되기 전까지는 적법한 것으로 통용된다.
② 무효인 처분은 소급하여 그 효력이 발생하지 아니한다.
③ 당사자의 신청에 따른 처분은 법령등에 특별한 규정이 있거나 처분 당시의 법령등을 적용하기 곤란한 특별한 사정이 있는 경우를 제외하고는 처분 당시의 법령등에 따른다.
④ 법령등을 위반한 행위의 성립과 이에 대한 제재처분은 법령등에 특별한 규정이 있는 경우를 제외하고는 변경된 법령등을 적용하는 것이 원칙이다.

**03** 「행정기본법」상 처분에 대한 설명으로 옳은 것은?

① "처분"이란 행정청이 일반적 사실에 관하여 행하는 법 집행으로서 공권력의 행사 또는 그 거부와 그 밖에 이에 준하는 행정작용을 말한다.
② 행정청은 적법한 처분의 경우 당사자의 신청이 있는 경우에만 철회가 가능하다.
③ 행정청은 처분에 재량이 있는 경우 법령이나 행정규칙이 정하는 바에 따라 완전히 자동화된 시스템으로 처분할 수 있다.
④ 행정청은 위법 또는 부당한 처분의 전부나 일부를 소급하여 취소할 수 있다. 다만, 당사자의 신뢰를 보호할 가치가 있는 등 정당한 사유가 있는 경우에는 장래를 향하여 취소할 수 있다.

**04** 「행정기본법」상 기간의 계산에 대한 설명으로 가장 옳지 않은 것은?

① 행정에 관한 기간의 계산에 관하여는 「행정기본법」 또는 다른 법령등에 특별한 규정이 있는 경우를 제외하고는 「민법」을 준용한다.
② 법령등 또는 처분에서 국민의 권익을 제한하거나 의무를 부과하는 경우 권익이 제한되거나 의무가 지속되는 기간을 일, 주, 월 또는 연으로 정한 경우에는 기간의 첫날을 산입하지 않는 것이 원칙이다.
③ 행정에 관한 나이는 다른 법령등에 특별한 규정이 있는 경우를 제외하고는 출생일을 산입하여 만(滿) 나이로 계산하고, 연수로 표시한다. 다만, 1세에 이르지 아니한 경우에는 월수로 표시할 수 있다.
④ 법령등을 공포한 날부터 일정 기간이 경과한 날부터 시행하는 경우 법령등을 공포한 날을 첫날에 산입하지 아니한다.

**05** 「행정기본법」상 행정의 법 원칙에 대한 설명으로 옳지 않은 것은? (다툼이 있을 경우 판례에 의함)

① '국민의 권리를 제한하거나 의무를 부과하는 경우와 그 밖에 국민생활에 중요한 영향을 미치는 경우에는 법률에 근거하여야 한다.'는 원칙에서 법률의 범위에 법규명령은 포함되지만 관습법은 포함되지 않는다.
② 반복적으로 행해진 행정처분이 위법하더라도 행정의 자기구속의 원칙에 따라 행정청은 선행처분에 구속된다.
③ 행정청은 권한 행사의 기회가 있음에도 불구하고 장기간 권한을 행사하지 아니하여 국민이 그 권한이 행사되지 아니할 것으로 믿을 만한 정당한 사유가 있는 경우에는 그 권한을 행사해서는 아니 된다.
④ 위 ③의 경우에 공익 또는 제3자의 이익을 현저히 해칠 우려가 있는 경우는 예외로 한다.

**06** 부당결부금지의 원칙에 관한 설명으로 가장 적절한 것은? (다툼이 있는 경우 판례에 의함)

① 폐기물처리업에 대하여 사전에 관할 관청으로부터 적정통보를 받고 막대한 비용을 들여 허가요건을 갖춘 다음 허가신청을 하였음에도 관할 관청으로부터 '다수 청소업자의 난립으로 안정적이고 효율적인 청소업무의 수행에 지장이 있다'는 이유로 불허가처분을 받은 경우, 그 처분은 부당결부금지 원칙에 위반되어 위법하다.
② 지방자치단체장이 사업자에게 주택사업계획승인을 하면서 그 주택사업과는 아무런 관련이 없는 토지를 기부채납하도록 하는 부관을 주택사업계획승인에 붙인 경우, 그 부관은 부당결부금지 원칙에 위반되어 위법하다.
③ 지방자치단체장이 사업자에게 주택사업계획승인을 하면서 그 주택사업과는 아무런 관련이 없는 토지를 기부채납하도록 하는 부관을 붙인 경우, 기부채납한 토지 가액이 그 주택사업계획의 100분의 1 상당의 금액에 불과하고 사업자가 이의를 제기하지 아니하다가 지방자치단체장이 업무착오로 기부채납한 토지에 대하여 보상협조요청서를 보내자 그때서야 비로소 부관의 하자를 들고 나왔다고 하더라도 그 부관은 당연무효이다.
④ 甲이 혈중알코올농도 0.140%의 주취상태로 배기량 125cc 이륜자동차를 운전하였다는 이유로 甲의 자동차운전면허[제1종 대형, 제1종 보통, 제1종 특수(대형견인·구난), 제2종 소형]를 취소한 것은 甲이 음주상태에서 운전을 하지 않으면 안 되는 부득이한 사정이 없었더라도 재량권을 일탈·남용한 것이다.

**07** 「행정기본법」상 행정행위의 부관에 관한 설명으로 옳지 않은 것은?

① 재량행위에는 법률에 근거가 없는 경우에도 부관을 붙일 수 있다.
② 법률에 근거가 있는 경우에 한하여 그 처분을 한 후에도 부관을 새로 붙이거나 종전의 부관을 변경할 수 있다.
③ 부관은 해당 처분의 목적에 위배되지 아니하고, 해당 처분과 실질적인 관련이 있고, 해당 처분의 목적을 달성하기 위하여 필요한 최소한의 범위이어야 한다.
④ 부관의 종류에는 조건, 기한, 부담, 철회권의 유보 등이 있다.

**08** 행정행위의 부관에 관한 설명으로 옳은 것은?

① 부담은 처분의 효과 발생 및 소멸과 직결되므로 부담의 불이행이 있는 경우 처분의 효력은 당연히 소멸한다.
② 기부채납인 부담이 위법하면 부담의 이행으로 행해진 사법상 매매 등도 당연히 위법하게 된다.
③ 부관은 주된 행정행위와 형식적 관련성이 있으면 족하고 주된 행정행위의 목적으로부터는 자유롭다.
④ 부담은 행정청이 행정처분을 하면서 일방적으로 부가할 수도 있지만 부담을 부가하기 이전에 상대방과 협의하여 부담을 협약의 형식으로 정할 수도 있다.

**09** 행정행위의 철회 및 철회권 행사의 제한에 관한 설명으로 가장 옳지 않은 것은? (다툼이 있는 경우 판례에 의함)

① 운전면허정지기간 중에 운전을 하여 운전면허 취소사유에 해당되더라도 3년이 지나서 면허를 취소한 것은 위법하다.

② 운전면허취소처분을 받은 후 자동차를 운전하였으나 그 취소처분이 행정쟁송절차에 의하여 취소된 경우, 행정행위에 인정되는 공정력에 의하여 무면허운전이 성립된다.

③ 처분 후에 원래의 처분을 존속시킬 필요가 없게 된 사정변경이 생겼거나 중대한 공익상 필요가 발생한 경우 별도의 법적 근거가 없어도 철회할 수 있다.

④ 부담부 행정처분에 있어서 처분의 상대방이 부담을 이행하지 아니한 경우 처분 행정청은 부담불이행을 이유로 당해 처분을 철회할 수 있다.

**10** 「행정조사기본법」에 대한 설명으로 가장 옳지 않은 것은?

① 조사대상자가 행정조사의 실시를 거부하거나 방해하는 경우 행정조사기본법에 근거하여 조사대상자의 신체와 재산에 대해 실력을 행사할 수 있다.

② 조세·형사·행형 및 보안처분에 관한 사항에 대하여는 행정조사기본법을 적용하지 아니한다.

③ 행정기관은 법령등에서 행정조사를 규정하고 있는 경우에 한하여 행정조사를 실시할 수 있다. 다만, 조사대상자의 자발적인 협조를 얻어 실시하는 행정조사의 경우에는 그러하지 아니하다.

④ 조사대상자의 자발적인 협조를 얻어 실시하는 행정조사의 경우에는 행정조사의 개시와 동시에 출석요구서 등을 조사대상자에게 제시하거나 행정조사의 목적 등을 조사대상자에게 구두로 통지할 수 있다.

# 경찰학 5회 모의고사

**01** 경찰책임에 대한 설명으로 가장 적절하지 않은 것은?

① 경찰책임의 원칙이란 경찰권은 사회공공의 안녕과 질서에 위험이 있는 상태(경찰위반상태)에 책임이 있는 자에게만 발동되어야 한다는 원칙이다.
② 경찰책임자의 고의, 과실, 위법성, 위험인식, 책임능력, 국적, 정당한 권원을 불문한다.
③ 행위자의 작위나 부작위에 상관없이 위험을 야기시키면 행위책임을 진다.
④ 경찰책임자에 대한 경찰의 적법한 경찰권발동으로 경찰책임자에게 재산적 손해가 발생한 경우, 원칙적으로 그 경찰책임자에게 손실보상청구권이 인정된다.

**02** 경찰상 긴급상태(경찰비책임자에 대한 경찰권발동)에 대한 설명으로 가장 옳지 않은 것은?

① 경찰상 긴급상태에 대한 일반적 근거는 없다.
② 경범죄처벌법 제3조 제1항 제29호(공무원 원조불응)는 근거가 될 수 있다.
③ 경찰 스스로 또는 경찰의 위임을 받은 제3자가 적시에 위험을 방지할 수 있는 상태에 있어야 한다.
④ 경찰권발동으로 인하여 손실을 입은 경찰비책임자에게는 정당한 보상이 행해져야 하며, 결과제거청구와 같은 구제수단이 마련되어야 한다.

**03** 경찰처분에 대한 설명 중 옳지 않은 것은 모두 몇 개인가?

> ㉠ 경찰상 강제는 과거의 의무위반에 대하여 가해지는 제재이나, 경찰벌은 의무를 현실적으로 실현시키는 것을 목적으로 한다.
> ㉡ 경찰하명이 있는 경우 상대방은 행정주체에 대하여만 의무를 이행할 책임이 있고, 제3자에 대하여 법상 의무를 부담하는 것은 아니다.
> ㉢ 하명이나 허가에 위반하더라도 행위 자체의 법적 효력에는 아무런 영향이 없다.
> ㉣ 경찰상의 작위·부작위·수인·급부의무를 해제하여 주는 것이 경찰면제이다.
> ㉤ 허가는 특정인에 대하여 새로운 권리나 능력 또는 포괄적 법률관계를 설정하는 행위이다.

① 1개 ② 2개
③ 3개 ④ 4개

**04** 행정행위로서의 하명에 관한 설명으로 옳지 않은 것은?

① 하명의 대상은 법률행위뿐만 아니라 사실행위일 수도 있다.
② 하명에 위반한 법률행위의 효과는 무효이다.
③ 하명은 대부분 개별적·구체적 규율로서 행하여지나 일반처분으로도 행하여진다.
④ 하명은 법령의 근거를 요하므로 법령이 정한 요건이 갖추어졌을 때에 행할 수 있다.

**05** 다음 행정행위 중 강학상 특허에 해당하는 것은? (다툼이 있는 경우 판례에 의함)

① 자동차운전면허
② 재단법인의 정관변경 허가
③ 한의사 면허
④ 공무원 임용

**06** 행정상 강제집행에 해당하는 것은 모두 몇 개인가?

> ㉠ 「경찰관직무집행법」 제5조 위험발생 방지 등 조치
> ㉡ 「경찰관직무집행법」 제4조 제1항 제1호의 보호조치
> ㉢ 「행정대집행법」 제2조 대집행
> ㉣ 「집회 및 시위에 관한 법률」에 따른 직접해산
> ㉤ 「질서위반행위규제법」에 의한 과태료 부과

① 1개 ② 2개
③ 3개 ④ 4개

07 「행정기본법」상 행정상 강제에 대한 설명으로 옳지 않은 것은?

① "행정대집행"은 의무자가 행정상 의무로서 타인이 대신하여 행할 수 있는 의무를 이행하지 아니하는 경우 법률로 정하는 다른 수단으로는 그 이행을 확보하기 곤란하고 그 불이행을 방치하면 공익을 크게 해칠 것으로 인정될 때에 행정청이 의무자가 하여야 할 행위를 스스로 하거나 제3자에게 하게 하고 그 비용을 의무자로부터 징수하는 것이다.
② "즉시강제"는 의무자가 행정상 의무를 이행하지 아니하는 경우 행정청이 의무자의 신체나 재산에 실력을 행사하여 그 행정상 의무의 이행이 있었던 것과 같은 상태를 실현하는 것
③ 행정청은 의무자가 행정상 의무를 이행할 때까지 이행강제금을 반복하여 부과할 수 있다. 다만, 의무자가 의무를 이행하면 새로운 이행강제금의 부과를 즉시 중지하되, 이미 부과한 이행강제금은 징수하여야 한다.
④ 형사(刑事), 행형(行刑) 및 보안처분 관계 법령에 따라 행하는 사항이나 외국인의 출입국・난민인정・귀화・국적회복에 관한 사항에 관하여는 행정상 강제를 적용하지 아니한다.

08 다음 중 통고처분에 대한 설명으로 옳지 않은 것은?

① 통고처분은 형식적 의미의 행정이며 실질적 의미의 사법이다.
② 통고처분은 모든 경찰법상의 의무위반에 적용되는 것은 아니다.
③ 통고처분은 행정심판이나 행정소송(취소소송)의 대상이 되는 행정처분이다.
④ 통고처분은 그 자체만으로는 통고이행을 강제하거나 상대방에게 아무런 권리의무를 형성하지 않는다.

09 「질서위반행위규제법」상 행정청의 과태료 부과 및 징수에 관한 설명으로 가장 적절하지 않은 것은?

① 행정청이 질서위반행위에 대하여 과태료를 부과하고자 하는 때에는 미리 당사자에게 대통령령으로 정하는 사항을 통지하고, 10일 이상의 기간을 정하여 의견을 제출할 기회를 주어야 한다.
② 행정청의 과태료 부과에 불복하는 당사자는 제17조 제1항에 따른 과태료 부과 통지를 받은 날부터 60일 이내에 해당 행정청에 서면으로 이의제기를 할 수 있다.
③ 행정청의 과태료 부과에 이의제기가 있더라도 이미 부과된 과태료 처분의 효력에는 영향을 미치지 아니한다.
④ 행정청은 당사자가 납부기한까지 과태료를 납부하지 아니한 때에는 납부기한을 경과한 날부터 체납된 과태료에 대하여 100분의 3에 상당하는 가산금을 징수한다.

10 「질서위반행위규제법」과 동법 시행령의 내용 중 가장 옳은 것은?

① 질서위반행위의 성립과 과태료 처분은 처분 시의 법률에 따른다.
② 하나의 행위가 2 이상의 질서위반행위에 해당하는 경우에는 각 질서위반행위에 대하여 정한 과태료 중 가장 중한 과태료를 부과한다.
③ 자신의 행위가 위법하지 아니한 것으로 오인하고 행한 질서위반행위는 그 오인에 정당한 이유가 있는 때에 한하여 과태료를 감경한다.
④ 18세 미만자에게는 부과하지 않는다.

# 경찰학 6회 모의고사

**01** 「경찰관 직무집행법」상 불심검문에 대한 설명으로 옳은 것은? (다툼이 있는 경우 판례에 따름)

① 경찰관은 임의 동행한 사람의 가족이나 친지 등에게 동행한 경찰관의 신분, 동행 장소, 동행 목적과 이유를 알리거나 본인으로 하여금 즉시 연락할 수 있는 기회를 주어야 하며, 본인에게 불리한 진술을 거부할 수 있음을 알려야 한다.

② 검문 중이던 경찰관들이, 자전거를 이용한 날치기 사건 범인과 흡사한 인상착의의 피고인이 자전거를 타고 다가오는 것을 발견하고 정지를 요구하였으나 멈추지 않아, 앞을 가로막고 검문에 협조해 달라고 요구한 것은 위법한 불심검문에 해당한다.

③ 경찰관은 사람을 정지시킨 장소에서 질문을 하는 것이 그 사람에게 불리하거나 교통에 방해가 된다고 인정될 때에는 질문을 하기 위하여 가까운 경찰서・지구대・파출소 또는 출장소(지방해양경찰관서를 포함한다)로 동행할 것을 요구할 수 있다.

④ 경찰관은 질문을 하거나 동행을 요구할 경우 자신의 신분을 표시하는 증표를 제시하면서 소속과 성명을 밝히고 질문이나 동행의 목적과 이유를 설명할 수 있으며, 동행을 요구하는 경우에는 동행 장소를 밝힐 수 있다.

**02** 「경찰관 직무집행법」의 규정에 대한 설명으로 가장 옳은 것은?

① 경찰관은 위험발생방지 조치를 하였을 때에는 지체 없이 그 사실을 반드시 소속 경찰서장에게 보고하여야 하고, 그 보고를 받은 경찰서장은 관계 기관의 협조를 구하는 등 적절한 조치를 하여야 한다.

② 경찰관은 직무 수행에 필요하다고 인정되는 상당한 이유가 있을 때에는 국가기관이나 공사(公私) 단체 등에 직무 수행에 관련된 사실을 조회할 수 있다.

③ 경찰서장은 대간첩 작전지역이나 경찰관서・무기고 등 국가중요시설에 대한 접근 또는 통행을 제한하거나 금지할 수 있으나, 「지역경찰의 조직 및 운영에 관한 규칙」상 지역경찰관서의 장은 이를 할 수 없다.

④ 경찰관은 연고자가 발견되지 아니한 구호대상자를 공공보건의료기관이나 공공구호기관에 인계하였을 때에는 즉시 그 사실을 소속 경찰서장에게 보고하여야 한다.

**03** 「경찰관 직무집행법」상 보호조치에 대한 설명으로 옳지 않은 것은?

① 경찰관은 보호조치를 하는 경우에 구호대상자가 휴대하고 있는 무기・흉기 등 위험을 일으킬 수 있는 것으로 인정되는 물건을 경찰관서에 임시로 영치(領置)하여 놓을 수 있다.

② 경찰관은 보호조치를 하였을 때에는 지체 없이 구호대상자의 가족, 친지 또는 그 밖의 연고자에게 그 사실을 알려야 하며, 연고자가 발견되지 아니할 때에는 구호대상자를 적당한 공공보건의료기관이나 공공구호기관에 즉시 인계하여야 한다.

③ 경찰관이 구호대상자를 공공보건의료기관이나 공공구호기관에 인계하였을 때에는 해당 경찰관이 즉시 그 사실을 해당 공공보건의료기관 또는 공공구호기관의 장 및 그 감독행정청에 통보하여야 한다.

④ 구호대상자를 경찰관서에서 보호하는 기간은 24시간을 초과할 수 없고, 물건을 경찰관서에 임시로 영치하는 기간은 10일을 초과할 수 없다.

**04** 「경찰관직무집행법」상 옳은 것은 모두 몇 개인가?

> ㉠ 경찰관은 수상한 행동이나 그 밖의 주위 사정을 합리적으로 판단해 볼 때 자살을 시도하는 사람에 해당하는 것이 명백하고 응급구호가 필요하다고 믿을 만한 상당한 이유가 있는 사람을 발견하였을 때에는 보건의료기관이나 공공구호기관에 긴급구호를 요청하거나 경찰관서에 보호하는 등 적절한 조치를 하여야 한다.
> ㉡ 경찰관은 범죄행위가 목전(目前)에 행하여지려고 하고 있다고 인정될 때에는 이를 예방하기 위하여 관계인에게 필요한 경고를 하고, 그 행위로 인하여 사람의 생명·신체에 위해를 끼치거나 재산에 중대한 손해를 끼칠 우려가 있는 긴급한 경우에는 그 행위를 제지하여야 한다.
> ㉢ 경찰관은 위험방지를 위하여 필요한 장소에 출입할 때에는 그 신분을 표시하는 증표를 제시하여야 하며, 함부로 관계인이 하는 정당한 업무를 방해해서는 아니 된다.
> ㉣ 파출소의 장은 직무 수행에 필요하다고 인정되는 상당한 이유가 있을 때에는 국가기관이나 공사(公私) 단체 등에 직무 수행에 관련된 사실을 조회할 수 있다.
> ㉤ 경찰관은 형사처벌을 위한 교통사고 조사에 필요한 사실 확인을 위하여 필요하면 관계인에게 출석하여야 하는 사유·일시 및 장소를 명확히 적은 출석 요구서를 보내 경찰관서에 출석할 것을 요구할 수 있다.

① 1개 ② 2개
③ 3개 ④ 4개

**05** 「경찰관 직무집행법」상 경찰장비의 사용에 대한 내용으로 가장 옳지 않은 것은?

① 경찰관은 범인의 체포 또는 범인의 도주 방지, 불법집회·시위로 인한 자신이나 다른 사람의 생명·신체와 재산 및 공공시설 안전에 대한 현저한 위해의 발생 억제를 위하여 부득이한 경우에는 현장책임자가 판단하여 필요한 최소한의 범위에서 분사기(「총포·도검·화약류 등의 안전관리에 관한 법률」에 따른 분사기를 말한다) 또는 최루탄을 사용할 수 있다.
② 경찰관은 범인의 체포, 범인의 도주 방지, 자신이나 다른 사람의 생명·신체의 방어 및 보호, 공무집행에 대한 항거의 제지를 위하여 필요하다고 인정되는 상당한 이유가 있을 때에는 그 사태를 합리적으로 판단하여 필요한 한도에서 무기를 사용할 수 있다.
③ "무기"란 사람의 생명이나 신체에 위해를 끼칠 수 있도록 제작된 권총·소총·도검 등을 말한다.
④ 경찰관은 범인의 체포 또는 도주의 방지, 자신이나 다른 사람의 생명·신체의 방어 및 보호, 공무집행에 대한 항거의 제지를 위하여 필요한 상당한 이유가 있는 경우 경찰장구를 사용할 수 있다.

**06** 「위해성 경찰장비의 사용기준 등에 관한 규정」에 대한 설명으로 가장 옳지 않은 것은?

① 경찰관은 14세 미만의 자 또는 임산부에 대하여 가스발사총을 발사하여서는 아니 된다.
② 경찰관은 전극침(電極針) 발사장치가 있는 전자충격기를 사용하는 경우 상대방의 얼굴을 향하여 전극침을 발사하여서는 아니 된다.
③ 경찰관은 총기 또는 폭발물을 가지고 대항하는 경우를 제외하고는 14세 미만의 자 또는 임산부에 대하여 권총 또는 소총을 발사하여서는 아니 된다.
④ 경찰관은 불법집회·시위로 인하여 발생할 수 있는 타인 또는 경찰관의 생명·신체의 위해와 재산·공공시설의 위험을 방지하기 위하여 필요한 때에는 최소한의 범위안에서 경찰봉 또는 호신용경봉을 사용할 수 있다.

**07** 「경찰 물리력 행사의 기준과 방법에 관한 규칙」에 의할 때 대상자가 '적극적 저항'을 하는 상태일 때 경찰관이 대응할 수 있는 수단이 아닌 것은?

① 목을 압박하여 제압하거나 관절을 꺾는 방법
② 팔·다리를 이용해 움직이지 못하도록 조르는 방법
③ 전자충격기 사용
④ 분사기 사용

**08** 「경찰 물리력 행사의 기준과 방법에 관한 규칙」에 대한 설명으로 가장 옳지 않은 것은?

① 접촉통제는 '소극적 저항' 이상의 상태인 대상자에 대해 사용할 수 있는 물리력 수준으로서, 대상자가 통증을 느낄 수 있으나 신체적 부상을 당할 가능성은 낮은 물리력을 말한다.
② 저위험 물리력의 종류는 목을 압박하여 제압하거나 관절을 꺾는 방법, 팔·다리를 이용해 움직이지 못하도록 조르는 방법, 다리를 걸거나 들쳐 메는 등 균형을 무너뜨려 넘어뜨리는 방법 등이 있다.
③ 중위험 물리력은 '폭력적 공격' 이상의 상태의 대상자에 대해 사용할 수 있는 물리력 수준으로서, 대상자에게 신체적 부상을 입힐 수 있으나 생명·신체에 대한 중대한 위해 발생 가능성은 낮은 물리력을 말한다.
④ 중위험 물리력의 종류는 손바닥, 주먹, 발 등 신체부위를 이용한 가격, 경찰봉으로 중요부위가 아닌 신체 부위를 찌르거나 가격, 방패로 강하게 압박하거나 세게 미는 행위, 전자충격기 사용 등이 있다.

**09** 「경찰관직무집행법 시행령」상 손실보상에 대한 설명으로 가장 옳지 않은 것은?

① 손실을 보상받으려는 사람은 보상금 지급 청구서에 손실내용과 손실금액을 증명할 수 있는 서류를 첨부하여 손실보상심의위원회가 설치된 경찰청, 시·도경찰청의 장에게 제출하여야 한다.
② 손실보상심의위원회가 설치된 기관의 장은 손실보상심의위원회의 심의·의결에 따라 보상금을 지급하기로 결정한 경우, 해당 결정일로부터 10일 이내에 보상금 지급 청구 승인 통지서에 결정내용을 적어서 청구인에게 통지하여야 한다.
③ 보상금은 일시불로 지급하되, 예산 부족 등의 사유로 일시금으로 지급할 수 없는 특별한 사정이 있는 경우에는 청구인의 동의를 받아 분할하여 지급할 수 있다.
④ 보상금을 지급받은 사람은 보상금을 지급받은 원인과 동일한 원인으로 인한 부상이 악화되거나 새로 발견되어 부상등급이 변경되거나 보상금의 추가 지급이 필요한 경우에는 추가 지급을 청구할 수 있다.

**10** 「경찰관 직무집행법」상 범인검거 등 공로자 보상에 대한 ㉠부터 ㉣까지의 내용 중 옳은 것은?

> 제11조의3(범인검거 등 공로자 보상)
> ① 경찰청장, 시·도경찰청장 또는 경찰서장은 다음 각 호의 어느 하나에 해당하는 사람에게 ㉠ <u>보상금을 지급하여야 한다.</u>
> 1. 범인 또는 범인의 소재를 신고하여 검거하게 한 사람
> 2. 범인을 검거하여 경찰공무원에게 인도한 사람
> 3. ㉡ <u>테러범죄의 예방활동에 현저한 공로가 있는 사람</u>
>
> ② 경찰청장, 시·도경찰청장 및 경찰서장은 제1항에 따른 보상금 지급의 심사를 위하여 대통령령으로 정하는 바에 따라 각각 보상금심사위원회를 설치·운영하여야 한다.
> ③ 제2항에 따른 보상금심사위원회는 ㉢ <u>위원장 1명을 포함한 5명 이상 7명 이하의 위원으로 구성한다.</u>
> ④ 제2항에 따른 보상금심사위원회의 위원은 소속 경찰공무원 중에서 경찰청장, 시·도경찰청장 또는 경찰서장이 임명한다. ㉣ <u>이 경우 위원의 과반수 이상은 경찰공무원이 아닌 사람으로 하여야 한다.</u>

① ㉠
② ㉡
③ ㉢
④ ㉣

# 경찰학 7회 모의고사

**01** 「범죄피해자 보호법」에 관한 설명 중 가장 옳지 않은 것은?

① "범죄피해자"란 타인의 범죄행위로 피해를 당한 사람과 그 배우자(사실상의 혼인관계를 포함한다), 직계친족 및 형제자매를 말하며, 범죄피해 방지 및 범죄피해자 구조 활동으로 피해를 당한 사람도 범죄피해자로 본다.
② 형법 제20조(정당행위), 제21조 제1항(정당방위), 제22조 제1항(긴급피난)에 따라 처벌되지 아니하는 행위 및 과실에 의한 행위로 인한 피해는 범죄피해 구조대상에서 제외된다.
③ "구조대상 범죄피해"란 사람의 생명 또는 신체를 해치는 죄에 해당하는 행위로 인하여 피해를 입은 것을 말하며 정신적 피해 또는 재산적 피해는 제외된다.
④ 단순폭행을 당한 자가 가해자로부터 배상을 받지 못하였더라도 구조금 지급대상이 되지 않는다.

**02** 「행정절차법」에 대한 설명으로 옳지 않은 것은?

① 입법예고기간은 예고할 때 정하되, 특별한 사정이 없으면 40일(자치법규는 20일) 이상으로 한다.
② 행정청은 청문을 하려면 청문이 시작되는 날부터 10일 전까지 처분의 제목 등 일정한 사항을 당사자 등에게 통지하여야 한다.
③ 청문은 당사자가 공개를 신청하거나 청문 주재자가 필요하다고 인정하는 경우 공개할 수 있다. 다만, 공익 또는 제3자의 정당한 이익을 현저히 해칠 우려가 있는 경우에는 공개하여서는 아니 된다.
④ 행정청이 당사자에게 의무를 부과하거나 권익을 제한하는 처분을 할 때 법령등에 특별한 규정이 있는 경우를 제외하고는 당사자 등에게 의견제출의 기회를 주어야 한다.

**03** 다음 「행정절차법」이 규정하고 있는 내용으로 옳은 것은? (다툼이 있는 경우 판례에 의함)

① "청문"이란 행정청이 공개적인 토론을 통하여 어떠한 행정작용에 대하여 당사자등, 전문지식과 경험을 가진 사람, 그 밖의 일반인으로부터 의견을 널리 수렴하는 절차를 말한다.
② 인허가 등의 취소, 신분・자격의 박탈, 법인이나 조합 등의 설립허가의 취소를 할 때에는 공청회를 개최한다.
③ 행정청은 처분을 할 때에 당사자 등이 제출한 의견이 상당한 이유가 있다고 인정하는 경우에는 이를 반영하여야 한다.
④ 행정청이 침해적 행정처분을 할 때 그 처분의 근거 법령 등에서 청문을 실시하도록 규정하고 있음에도 이를 결여한 처분은 무효이다.

**04** 「행정심판법」상 행정심판의 재결에 관한 설명으로 옳지 않은 것은?

① 위원회는 심판청구가 적법하지 아니하면 그 심판청구를 각하(却下)하고, 심판청구가 이유가 없다고 인정하면 그 심판청구를 기각(棄却)한다.
② 위원회는 심판청구가 이유가 있다고 인정하는 경우에도 이를 인용(認容)하는 것이 공공복리에 크게 위배된다고 인정하면 그 심판청구를 기각하는 재결을 할 수 있다.
③ 사정재결을 하는 경우 반드시 재결주문에 그 처분 또는 부작위가 위법하다는 것을 명시할 필요는 없다.
④ 무효등확인심판에서는 사정재결을 할 수 없다.

**05** 행정심판에 대한 설명으로 옳은 것은? (판례에 의함)

① 취소심판의 경우와 달리 무효등확인심판과 의무이행심판의 경우에는 심판청구의 기간에 제한이 없다.
② 심판청구를 인용하는 재결은 피청구인과 그 밖의 관계 행정청을 기속하며, 당사자들이나 법원이 이에 기속되어 모순되는 주장이나 판단을 할 수 없게 되는 것은 아니다.
③ 위원회는 심판청구가 이유가 있다고 인정하는 경우에도 이를 인용하는 것이 공공복리에 크게 위배된다고 인정하면 그 심판청구를 기각하는 재결을 할 수 있다. 이러한 재결은 의무이행확인심판에는 적용하지 아니한다.
④ 종전 처분이 재결에 의하여 취소된 경우 종전 처분시와는 다른 사유를 들어서 처분을 하는 것은 기속력에 저촉되어 위법하다.

**06** 「행정심판법」상 중앙행정심판위원회에 관한 내용 중 가장 적절하지 않은 것은?

① 위원장 1명을 포함하여 70명 이내의 위원으로 구성하되, 위원 중 상임위원은 4명 이내로 한다.
② 위원장은 국민권익위원회의 부위원장 중 1명이 된다.
③ 비상임위원은 중앙행정심판위원회 위원장의 제청으로 대통령이 성별을 고려하여 위촉한다.
④ 비상임위원의 임기는 2년으로 하되, 2차에 한하여 연임할 수 있다.

**07** 「행정소송법」 및 「행정심판법」에 대한 설명으로 옳지 않은 것은?

① 행정심판의 종류는 취소심판, 무효등확인심판, 부작위위법확인심판이 있다.
② 취소소송의 제기는 처분등의 효력이나 그 집행 또는 절차의 속행에 영향을 주지 아니한다.
③ 집행정지는 공공복리에 중대한 영향을 미칠 우려가 있을 때에는 허용되지 아니한다.
④ 경찰서장에 대한 행정심판은 국민권익위원회에 두는 중앙행정심판위원회에서 심리·재결한다.

**08** 공무원의 직무행위로 인한 손해배상에 대한 설명으로 가장 적절한 것은? (다툼이 있는 경우 판례에 의함)

① 국가나 지방자치단체에 근무하는 청원경찰은 직무상의 불법행위에 대하여 국가배상법이 아닌 민법이 적용된다.
② 「국가배상법」이 정한 배상청구의 요건인 공무원의 직무에는 권력적 작용만 포함되며, 행정지도와 같은 비권력적 작용은 포함되지 않는다.
③ 형사상 범죄행위를 구성하지 않는 침해행위라 하더라도 그것이 민사상 불법행위를 구성하는지 여부는 형사책임과 별개의 관점에서 검토하여야 한다.
④ 공무원이 재량준칙에 따라 행정처분을 하였는데 결과적으로 그 처분이 재량을 일탈·남용하여 위법하게 된 때에는 그에게 직무집행상의 과실이 인정된다.

**09** 국가배상에 대한 설명으로 옳지 않은 것은? (다툼이 있는 경우 판례에 의함)

① 공무원이 직무수행 중 불법행위로 타인에게 손해를 입힌 경우에 국가 등이 국가배상책임을 부담하는 외에 공무원 개인도 고의 또는 중과실이 있는 경우에는 불법행위로 인한 손해배상책임을 진다.
② 공무원에게 부과된 직무상 의무의 내용이 순전히 행정기관 내부의 질서를 유지하기 위한 것이거나 전체적으로 공공 일반의 이익을 도모하기 위한 것이라도 그 의무에 위반하여 국민에게 손해를 가하였다면 국가 또는 지방자치단체는 배상책임을 부담한다.
③ 경찰서 숙직실에서 순직한 경찰공무원의 유족들은 「국가배상법」에 의한 손해배상을 청구할 권리가 있다.
④ 경찰공무원이 전투·훈련 등 직무집행과 관련하여 순직을 한 경우에는 전투 훈련 또는 이에 준하는 직무집행뿐만 아니라 일반 직무집행에 관하여도 국가나 지방자치단체의 배상책임이 제한된다.

10 국가배상에 대한 설명으로 옳지 않은 것은? (다툼이 있는 경우 판례에 의함)

① 국가나 지방자치단체는 공무원이 직무를 집행하면서 고의 또는 과실로 위법하게 타인에게 손해를 가한 때에 「국가배상법」상 배상책임이 있지만, 공무원의 선임 및 감독에 상당한 주의를 한 경우에는 그 배상책임을 면한다.

② 광역시인 A시의 구역 내에 A시장이 교통신호기를 설치였는데 그 관리권한은 「도로교통법」 관련규정에 의하여 A 관할 시 · 도경찰청장에게 기관위임되어 있다. A시 관할 시 · 도경찰청 소속 공무원이 교통종합관제센터에서 그 관리업무를 담당하던 중 위 신호기가 고장난 채 방치되어 교통사고가 발생한 경우 배상책임은 사무 귀속주체로서 A시에게, 비용부담자로서 국가에게 귀속된다.

③ 「국가배상법」이 정한 손해배상청구의 요건인 '공무원의 직무'에는 국가나 지방자치단체의 권력적 작용뿐만 아니라 비권력적 작용도 포함되지만 단순한 사경제의 주체로서 하는 작용은 포함되지 않는다.

④ 공무원이 재량준칙에 따라 행정처분을 하였는데 결과적으로 그 처분이 재량을 일탈 남용하여 위법하게 된 때에는 그에게 직무집행상의 과실이 인정되지 않는다.

# 경찰학 8회 모의고사

**01** 「112치안종합상황실 운영 및 신고처리 규칙」에 관한 설명 중 가장 적절하지 않은 것은?

① "112요원"이란 112순찰차 근무자 및 112치안종합상황실 근무자를 말한다.
② 시・도경찰청장 및 경찰서장이 112요원을 배치할 때에는 관할구역 내 지리감각, 언어 능력 및 상황 대처능력이 뛰어난 경찰 공무원을 선발 배치하여야 하며, 근무기간은 2년 이상으로 한다.
③ 112신고 이외 경찰관서별 일반전화 또는 직접 방문 등으로 경찰관의 현장출동을 필요로 하는 사건의 신고를 한 경우 해당 신고를 받은 자가 접수한다. 이때 접수한 자는 112시스템에 신고내용을 입력하여야 한다.
④ 112치안종합상황실 자료 중 접수처리 입력자료는 1년간 보존하고, 무선지령내용 녹음자료는 24시간 녹음하고 3개월간 보존한다.

**02** 「지역경찰의 조직 및 운영에 관한 규칙」에 대한 내용으로 옳은 것은?

① "지역경찰관서"란 지구대, 파출소 및 출장소를 말한다.
② 지역경찰 동원은 근무자 동원을 원칙으로 하되, 불가피한 경우에 한하여 휴무자, 비번자 순으로 동원할 수 있다.
③ 112 순찰근무, 야간 순찰근무, 경계근무는 반드시 2인 이상 합동으로 지정하여야 한다.
④ 휴게 및 식사 시간을 기타 근무로 지정할 수 있다.

**03** 「지역경찰의 조직 및 운영에 관한 규칙」에 관한 설명 중 옳은 것은 모두 몇 개인가?

> ㉠ 경찰서장은 인구, 면적, 행정구역, 교통・지리적 여건, 각종 사건사고 발생 등을 고려하여 경찰서의 관할구역을 나누어 지역경찰관서를 설치한다.
> ㉡ 관리팀원에 대한 일일근무 지정 및 지휘・감독은 지역경찰관서장의 직무이다.
> ㉢ 지역경찰관서의 시설・예산・장비의 관리는 관리팀의 직무이다.
> ㉣ 순찰근무를 지정받은 지역경찰은 지정된 장소에서 범법자 등을 단속・검거하기 위한 통행인 및 차량 등에 대한 검문검색을 한다.
> ㉤ 상황근무를 지정받은 지역경찰은 지역경찰관서 및 치안센터 내에서 방문민원 및 각종 신고사건의 접수 및 처리를 수행한다.

① 1개 ② 2개
③ 3개 ④ 4개

**04** 다음 중 「경비업법」에 규정된 '집단민원현장' 대한 설명으로 옳은 것은?

① 집단민원현장에 경비원을 배치할 경우에는 배치되는 경비원 인원에 관계없이 반드시 경비지도사를 선임하여 행정안전부령으로 정하는 바에 따라 경비원을 지도・감독하게 하여야 한다.
② 누구든지 집단민원현장에 경비인력을 10명 이상 배치하려고 할 때에는 그 경비인력을 직접 고용하여서는 아니 되고, 경비업자에게 경비업무를 도급하여야 한다.
③ 시설주 등이 집단민원현장 발생 1개월 전까지 직접 고용한 경우에는 집단민원현장에 경비인력을 20명 이상 배치할 수 있다.
④ 국제・문화・예술・체육 행사장은 집단민원현장에 해당하지 아니한다.

**05** 「성매매알선 등 행위의 처벌에 관한 법률」에 대한 설명 중 옳지 않은 것은?

① "성매매"란 불특정인을 상대로 금품이나 그 밖의 재산상의 이익을 수수(收受)하거나 수수하기로 약속하고 성교행위 또는 유사성교행위를 하거나 그 상대방이 되는 것을 말한다.
② "성매매알선 등 행위"에는 성매매의 장소를 제공하는 행위 또는 성매매에 제공되는 사실을 알면서 자금, 토지 또는 건물을 제공하는 행위도 포함된다.
③ 수사기관은 신고자 등을 조사할 때에는 직권으로 또는 본인·법정대리인의 신청에 의하여 신뢰관계에 있는 사람을 동석하게 할 수 있다.
④ 「청소년 보호법」 제2조 제1호에 따른 청소년이 성매매를 한 경우 형을 감경하거나 면제할 수 있다.

**06** 「경범죄 처벌법」에 대한 설명으로 가장 옳지 않은 것은?

① 제3조(경범죄의 종류)의 죄를 짓도록 시키거나 도와준 사람은 죄를 지은 사람에 준하여 벌하며, 미수범에 대한 처벌규정은 없다.
② 14세 이상인 사람에 대하여 통고처분할 수 있다.
③ 출판물의 부당게재, 거짓 광고, 업무방해, 암표매매는 20만원 이하의 벌금, 구류 또는 과료의 형으로 처벌한다.
④ 즉결심판 청구권자는 경찰서장, 해양경찰서장, 제주특별자치도지사이며 철도특별사법경찰대장은 즉결심판 청구 대상자가 있는 경우에는 즉시 관할 경찰서장 또는 해양경찰서장에게 그 사실을 통보하고 관련 서류를 넘겨야 한다.

**07** 「실종아동 등의 보호 및 지원에 관한 법률」과 「실종아동등 및 가출인 업무처리 규칙」에 관한 설명 중 옳은 것은?

① "장기실종아동 등"이라 함은 보호자로부터 이탈한 지 48시간이 경과한 후에도 발견되지 않은 '찾는 실종아동 등'을 말한다.
② "아동"이란 실종 당시 18세 미만인 아동, 「장애인복지법」 제2조의 장애인 중 지적장애인, 자폐성장애인 또는 정신장애인, 「치매관리법」 제2조 제2호의 치매환자를 말한다.
③ "가출인"이란 가출 당시 18세 이상의 사람을 말한다.
④ "발견지"란 실종아동 등 또는 가출인을 발견하여 보호 중인 장소를 말하며, 발견한 장소와 보호 중인 장소가 서로 다른 경우에는 발견한 장소를 말한다.

**08** 다음 중 「청소년 보호법」상 청소년 출입과 고용이 모두 금지되는 업소가 아닌 것은?

① 「사행행위 등 규제 및 처벌 특례법」에 따른 사행행위영업
② 「영화 및 비디오물의 진흥에 관한 법률」에 따른 비디오감상실업
③ 「식품위생법」에 따른 식품접객업 중 일명 티켓다방(종업원에게 영업장을 벗어나 차 종류 등을 배달·판매하게 하면서 소요 시간에 따라 대가를 받게 하거나 이를 조장 또는 묵인하는 형태로 운영되는 영업)
④ 「게임산업진흥에 관한 법률」에 따른 일반게임제공업

**09** 「아동 · 청소년의 성보호에 관한 법률」에 의한 신분비공개수사 및 신분위장수사에 대한 설명으로 옳지 않은 것은?

① 사법경찰관리가 신분비공개수사를 진행하고자 할 때에는 사전에 상급 경찰관서 수사부서의 장의 승인을 받아야 한다. 이 경우 그 수사기간은 3개월을 초과할 수 없다.

② 신분위장수사의 기간은 3개월을 초과할 수 없다. 그 수사기간을 연장할 필요가 있는 경우에는 사법경찰관리는 소명자료를 첨부하여 3개월의 범위에서 수사기간의 연장을 검사에게 신청하고, 검사는 법원에 그 연장을 청구한다. 이 경우 신분위장수사의 총 기간은 1년을 초과할 수 없다.

③ 사법경찰관리는 긴급신분위장수사 개시 후 지체 없이 검사에게 허가를 신청하여야 하고, 48시간 이내에 법원의 허가를 받지 못한 때에는 즉시 신분위장수사를 중지하여야 한다.

④ 국가수사본부장은 대통령령으로 정하는 바에 따라 국회 소관 상임위원회에 신분위장수사 관련 자료를 반기별로 보고하여야 한다.

**10** 다음 사례에서 「가정폭력범죄의 처벌 등에 관한 특례법」상 "가정구성원"에 해당하지 않는 자는?

① 사실상 혼인관계에 있는 사람

② 동거하지 않는 배우자의 직계존속

③ 동거하지 않는 이혼한 배우자

④ 동거하지 않는 형제자매

# 경찰학 9회 모의고사

**01** 「아동학대범죄의 처벌 등에 관한 특례법」에 대한 설명으로 가장 적절하지 아니한 것은?

① 피해아동에게 고소할 법정대리인이나 친족이 없는 경우에 이해관계인이 신청하면 검사는 10일 이내에 고소할 수 있는 사람을 지정하여야 한다.
② 아동학대범죄 신고를 접수한 사법경찰관리는 아동학대범죄가 행하여지고 있는 것으로 신고된 현장 또는 피해아동을 보호하기 위하여 필요한 장소에 출입하여 아동 또는 아동학대행위자 등 관계인에 대하여 조사를 하거나 질문을 할 수 있다. 이 경우 아동학대전담공무원은 피해아동의 보호 및 「아동복지법」 제22조의4의 사례관리계획에 따른 사례관리를 위한 범위에서만 아동학대행위자 등 관계인에 대하여 조사해야 한다.
③ 법원은 아동학대행위자에 대하여 유죄판결(선고유예를 제외한다)을 선고하면서 200시간의 범위에서 재범예방에 필요한 수강명령 또는 아동학대 치료프로그램의 이수명령을 병과할 수 있다.
④ 사법경찰관의 긴급임시조치는 72시간을 넘을 수 없다. 다만, 그 기간에 공휴일이나 토요일이 포함되는 경우로서 피해아동등의 보호를 위하여 필요하다고 인정되는 경우에는 48시간의 범위에서 그 기간을 연장할 수 있으며, 검사가 임시조치를 법원에 청구한 경우에는 법원의 임시조치 결정 시까지 긴급임시조치 기간이 연장된다.

**02** 「스토킹범죄의 처벌 등에 관한 법률」에 대한 설명으로 옳지 않은 것은 모두 몇 개인가?

> ㉠ 정보통신망을 이용하여 물건이나 글・말・부호・음향・그림・영상・화상을 상대방등에게 도달하게 하는 행위는 스토킹행위에 해당하지만, 상대방등의 개인정보를 정보통신망을 이용하여 게시하는 행위는 스토킹행위에 해당하지 아니한다.
> ㉡ 사법경찰관리는 진행 중인 스토킹행위에 대하여 신고를 받은 경우 즉시 현장에 나가 스토킹행위의 제지, 향후 스토킹행위의 중단 통보 및 스토킹행위를 지속적 또는 반복적으로 할 경우 처벌받을 수 있음을 서면으로 경고할 수 있다.
> ㉢ 사법경찰관은 긴급응급조치를 하였을 때에는 지체 없이 검사에게 해당 긴급응급조치에 대한 잠정조치를 지방법원 판사에게 청구하여 줄 것을 신청하여야 한다.
> ㉣ 법원은 스토킹범죄를 저지른 사람에 대하여 유죄판결(선고유예는 제외한다)을 선고하거나 약식명령을 고지하는 경우에는 200시간의 범위에서 수강명령 또는 스토킹 치료프로그램의 이수명령을 병과할 수 있다.
> ㉤ 경찰관서의 장(국가수사본부장, 시・도경찰청장 및 경찰서장을 의미한다)은 스토킹범죄 전담 사법경찰관을 지정하여 특별한 사정이 없으면 스토킹범죄 전담 사법경찰관이 피해자를 조사하게 하여야 한다.

① 1개　② 2개
③ 3개　④ 4개

**03** 「가정폭력범죄의 처벌 등에 관한 특례법」, 「아동학대범죄의 처벌 등에 관한 특례법」, 「스토킹범죄의 처벌 등에 관한 법률」에 대한 설명으로 옳지 않은 것은?

① 판사의 결정으로 가정폭력행위자를 국가경찰관서의 유치장 또는 구치소에 유치하는 임시조치를 하는 경우 그 기간은 1개월을 초과할 수 없다. 다만, 피해자의 보호를 위하여 그 기간을 연장할 필요가 있다고 인정하는 경우에는 한 차례만 1개월 범위에서 연장할 수 있다.
② 판사의 결정으로 아동학대행위자에게 피해아동등 또는 가정구성원의 주거, 학교 또는 보호시설 등에서 100미터 이내의 접근을 금지하는 임시조치를 하는 경우 그 기간은 2개월을 초과할 수 없다. 다만, 피해아동등의 보호를 위하여 그 기간을 연장할 필요가 있다고 인정하는 경우에는 결정으로 두 차례만 2개월의 범위에서 연장할 수 있다.

③ 법원의 결정으로 스토킹행위자에게 위치추적 전자장치를 부착하도록 하는 잠정조치를 하는 경우 그 기간은 3개월을 초과할 수 없다. 다만, 법원은 피해자의 보호를 위하여 그 기간을 연장할 필요가 있다고 인정하는 경우에는 결정으로 두 차례에 한정하여 각 3개월의 범위에서 연장할 수 있다.

④ 법원의 결정으로 스토킹행위자에게 국가경찰관서의 유치장 또는 구치소에의 유치하는 잠정조치를 하는 경우 그 기간은 1개월을 초과할 수 없다. 다만, 법원은 피해자의 보호를 위하여 그 기간을 연장할 필요가 있다고 인정하는 경우에는 결정으로 한 차례에 한정하여 1개월의 범위에서 연장할 수 있다.

## 04 변사사건 처리 방법으로 옳지 않은 것은?

① 사법경찰관은 변사자 또는 변사한 것으로 의심되는 사체가 있으면 검시를 하여야 하며, 검시 결과를 검사에게 통보해야 한다.

② 검사와 사법경찰관은 변사자의 검시를 한 사건에 대해 사건 종결 전에 수사할 사항 등에 관하여 상호 의견을 제시・교환해야 한다.

③ 사법경찰관은 형사소송법에 따라 검시를 하는 경우에는 의사를 참여시켜야 하며, 그 의사로 하여금 검안서를 작성하게 해야 한다. 이 경우 사법경찰관은 검시 조사관을 참여시킬 수 있다.

④ 사법경찰관리는 검시에 특별한 지장이 없다고 인정하면 변사자의 가족・친족, 이웃사람・친구, 시・군・구・읍・면・동의 공무원이나 그 밖에 필요하다고 인정하는 사람을 검시에 참여시켜야 한다.

## 05 통신수사에 대한 설명으로 가장 적절하지 않은 것은? (다툼이 있는 경우에는 판례에 의함)

① 「전기통신사업법」 상 전기통신사업자는 법원, 검사 또는 수사관서의 장, 정보수사기관의 장이 재판, 수사, 형의 집행 또는 국가안전보장에 대한 위해를 방지하기 위한 정보수집을 위하여 통신자료제공을 요청하면 그 요청에 따를 수 있다.

② 「통신비밀보호법」상 검사 또는 사법경찰관은 수사 또는 형의 집행을 위하여 필요한 경우 「전기통신사업법」에 의한 전기통신사업자에게 통신사실확인자료의 열람이나 제출을 요청할 수 있다.

③ 통신비밀보호법상 '감청'이란 대상이 되는 전기통신의 송・수신과 동시에 이루어지는 경우와 이미 수신이 완료된 전기통신의 내용을 지득하는 등의 행위를 말한다.

④ 「통신비밀보호법」상 발・착신 통신번호 등 상대방의 가입자번호는 통신사실확인자료에 해당한다.

## 06 「특정중대범죄 피의자 등 신상정보 공개에 관한 법률」에 대한 설명으로 옳지 않은 것은?

① 공개하는 피의자의 얼굴은 특별한 사정이 없으면 공개 결정일 전후 3개월 이내의 모습으로 하며, 사법경찰관은 다른 법령에 따라 적법하게 수집・보관하고 있는 사진, 영상물 등이 있는 때에는 이를 활용하여 공개할 수 있다.

② 사법경찰관은 피의자의 얼굴을 공개하기 위하여 필요한 경우 피의자를 식별할 수 있도록 피의자의 얼굴을 촬영할 수 있다. 이 경우 피의자는 이에 따라야 한다.

③ 사법경찰관은 피의자에게 신상정보 공개를 통지한 날부터 5일 이상의 유예기간을 두고 신상정보를 공개하여야 한다. 다만, 피의자가 신상정보 공개 결정에 대하여 서면으로 이의 없음을 표시한 때에는 유예기간을 두지 아니할 수 있다.

④ 사법경찰관은 정보통신망을 이용하여 그 신상정보를 30일간 공개한다.

**07** 「피의자 유치 및 호송규칙」에 대한 설명으로 옳지 않은 것은?

① 형사범과 구류 처분을 받은 자, 19세 이상의 사람과 19세 미만의 사람, 신체장애인 및 사건관련의 공범자 등은 유치실이 허용하는 범위 내에서 분리하여 유치하여야 하며, 신체장애인에 대하여는 신체장애를 고려한 처우를 하여야 한다.
② 호송관은 호송주무관의 허가를 받아 필요한 한도에서 호송대상자에 대하여 수갑 또는 수갑·포승을 사용해야 한다.
③ 호송관은 구류선고 및 감치명령을 받은 자와 미성년자, 고령자, 장애인, 임산부 및 환자 중 주거와 신분이 확실하고 도주의 우려가 없는 자에 대하여는 수갑 또는 수갑·포승을 채우지 아니한다.
④ 호송관은 반드시 호송주무관의 지휘에 따라 포박하기 전에 피호송자에 대하여 안전호송에 필요한 신체검색을 실시하여야 한다. 여자인 피호송자의 신체검색은 여자경찰관이 행하거나 성년의 여자를 참여시켜야 한다.

**08** 「마약류 관리에 관한 법률」 상 마약류에 대한 설명으로 가장 적절한 것은?

① 한외마약이란 오용하거나 남용할 우려가 심하고 매우 제한된 의료용으로만 쓰이는 것으로서 이를 오용하거나 남용할 경우 심한 신체적 또는 정신적 의존성을 일으키는 약물 또는 이를 함유하는 물질로서 총리령으로 정하는 것을 말한다.
② 프로포폴은 흔히 수면마취제라고 불리는 정맥마취제로서 수면내시경 등에 사용되나, 환각제 대용으로 오·남용되는 사례가 있어 마약으로 지정되어 관리되고 있다.
③ 마약의 분류 중 반합성 마약으로는 헤로인, 옥시코돈, 하이드로폰 등이 있다.
④ GHB는 무색무취의 짠맛이 나는 액체로 소다수 등의 음료에 타서 복용하며, 특히 미국, 유럽 등지에서 성범죄용으로 악용되어 '정글 주스'라고도 불린다.

**09** 마약류에 대한 설명으로 가장 옳은 것은?

① 메스카린은 곡물의 곰팡이, 보리 맥각에서 추출한 물질을 인공합성시켜 만든 것으로 무색, 무취, 무미하며 환각제 중에서 가장 강력한 효과를 나타낸다.
② 「마약류 관리에 관한 법률」상 대마의 종류에는 대마초, 대마초의 종자·뿌리, 대마수지 또는 해시시 등이 있다.
③ 덱스트로메트로판은 진해거담제로서 의사의 처방전이 있으면 약국에서 구입이 가능하며, 강한 중추신경 억제성 진해작용이 있으나 의존성과 독성이 없다.
④ 메스암페타민은 강한 각성작용으로 의식이 뚜렷해지고 잠이 오지 않는 증상을 보이며, 「마약류 관리에 관한 법률」상 마약에 해당한다.

**10** 선거경비에 대한 설명 중 옳은 것은?

① 대통령선거 후보자와 국회의원 선거 후보자는 경호를 원하지 않더라도 선발된 직원을 항상 대기시켜 근접 배치한다.
② 경찰의 선거후보자에 대한 신변보호는 「공직선거법」이 아닌 「경찰관직무집행법」 제5조(위험발생방지)에 근거한다.
③ 경찰은 제1선(개표소 내부)에서 선거관리위원회와 합동으로 출입자를 통제하며, 출입문은 되도록 정문만을 사용한다.
④ 「공직선거법」상 누구든지 개표소 안에서 무기 등을 지닐 수 없으므로 구·시·군선거관리위원회 위원장의 원조요구가 있더라도 개표소 안으로 투입되는 경찰관은 무기를 휴대할 수 없다.

# 경찰학 10회 모의고사

**01** 「재난 및 안전관리 기본법」에 대한 설명으로 가장 옳은 것은?

① "재난관리"란 재난이나 그 밖의 각종 사고로부터 사람의 생명·신체 및 재산의 안전을 확보하기 위하여 하는 모든 활동이다.
② 재난의 대응 단계에서 중앙대책본부장은 중앙위원회의 심의를 거쳐 특정 지역을 특별재난지역으로 선포할 것을 대통령에게 건의할 수 있고 건의받은 대통령은 해당 지역을 특별재난지역으로 선포할 수 있다.
③ 행정안전부장관은 대통령령으로 정하는 재난이 발생하거나 발생할 우려가 있는 경우 사람의 생명·신체 및 재산에 미치는 중대한 영향이나 피해를 줄이기 위하여 긴급한 조치가 필요하다고 인정하면 중앙위원회의 심의를 거쳐 재난사태를 선포할 수 있다.
④ 위기경보는 재난 피해의 전개 속도, 확대 가능성 등 재난상황의 심각성을 종합적으로 고려하여 관심·주의·경계·심각으로 구분할 수 있으며, 복구 단계에서 재난관리주관기관의 장이 발령할 수 있다.

**02** 「통합방위법」상 아래 빈칸에 들어갈 말로 바르게 연결된 것은?

> 중앙 통합방위협의회 의장 : ( ㉠ )
> 지역 통합방위협의회 의장 : 시·도지사 또는 시·군·구청장
> 통합방위본부 본부장 : ( ㉡ )

① ㉠ 합동참모의장 ㉡ 합동작전본부장
② ㉠ 대통령 ㉡ 합동작전본부장
③ ㉠ 대통령 ㉡ 합동참모의장
④ ㉠ 국무총리 ㉡ 합동참모의장

**03** 「경찰 비상업무 규칙」에 대한 내용으로 옳지 않은 것은?

① "정위치 근무"라 함은 사무실 또는 상황과 관련된 현장에 위치하는 것을 말한다.
② "필수요원"이라 함은 전 경찰공무원 및 일반직공무원 중 경찰기관의 장이 지정한 자로 비상소집 시 1시간 이내에 응소하여야 할 자를 말한다.
③ "가용경력"이라 함은 총원에서 휴가·출장·교육·파견 등을 제외하고 실제 동원될 수 있는 모든 인원을 말한다.
④ "작전준비태세"라 함은 '경계강화'단계를 발령하기 이전에 별도의 경력동원 없이 경찰작전부대의 출동태세 점검, 지휘관 및 참모의 비상연락망 구축 및 신속한 응소체제를 유지하며, 작전상황반을 운영하는 등 필요한 작전 사항을 미리 조치하는 것을 말한다.

**04** 「국민보호와 공공안전을 위한 테러방지법」에 관한 설명 중 가장 옳은 것은?

① "테러위험인물"이란 테러를 실행·계획·준비하거나 테러에 참가할 목적으로 국적국이 아닌 국가의 테러단체에 가입하거나 가입하기 위하여 이동 또는 이동을 시도하는 내국인·외국인을 말한다.
② 국가테러대책위원회는 테러경보를 발령한다.
③ 국가정보원장은 대테러활동에 필요한 정보나 자료를 수집하기 위하여 대테러조사 및 테러위험인물에 대한 추적을 할 수 있다. 이 경우 사전 또는 사후에 국가테러대책위원회 위원장에게 보고하여야 한다.
④ 관계기관의 장은 외국인테러전투원으로 출국하려 한다고 의심할 만한 상당한 이유가 있는 내국인·외국인에 대하여 일시 출국금지를 법무부장관에게 요청할 수 있으며, 이에 따른 일시 출국금지 기간은 30일로 한다.

**05** 「청원경찰법」 및 동법 시행령상 청원경찰에 대한 설명으로 가장 적절하지 않은 것은?

① 청원경찰에 대한 징계의 종류는 파면, 해임, 정직, 감봉 및 견책으로 구분한다.
② 시 · 도경찰청장은 청원경찰 배치가 필요하다고 인정하는 기관의 장 또는 시설 · 사업장의 경영자에게 청원경찰을 배치할 것을 요청할 수 있다.
③ 청원경찰의 직무상 불법행위에 대한 배상책임에 관하여는 「국가배상법」의 규정을 따른다.
④ 청원경찰이 그 배치지의 특수성 등으로 특수복장을 착용할 필요가 있을 때에는 청원주는 시 · 도경찰청장의 승인을 받아 특수복장을 착용하게 할 수 있다.

**06** 「도로교통법」 및 동법 시행령상 긴급자동차에 대한 설명으로 가장 옳은 것은?

① 모든 긴급자동차에 대하여 도로교통법 제32조에 따른 정차 및 주차의 금지 위반 규정을 적용하지 아니한다.
② 앞지르기 방법 위반에 대한 특례는 소방차, 구급차, 혈액공급차, 대통령령으로 정하는 경찰용 자동차에 한하여 인정된다.
③ 국내외 요인(要人)에 대한 경호업무 수행에 공무로 사용되는 자동차의 운전자가 그 차를 본래의 긴급한 용도로 운행하는 중에 교통사고를 일으킨 경우에는 형을 감경 또는 면제할 수 있다.
④ 교차로나 그 부근에서 긴급자동차가 접근하는 경우에는 차마와 노면전차의 운전자는 교차로를 피하여 진로를 양보하여야 한다.

**07** 「도로교통법」상 통행방법에 대한 설명으로 가장 적절하지 않은 것은?

① 모든 차의 운전자는 회전교차로에서는 반시계방향으로 통행하여야 한다.
② 회전교차로를 진행하고 있는 차는 회전교차로에 진입하려는 다른 차가 있는 때에는 그 차에 진로를 양보하여야 한다.
③ 교통정리를 하고 있지 아니하는 교차로에 동시에 들어가려고 하는 차의 운전자는 우측도로의 차에 진로를 양보하여야 한다.
④ 교통정리를 하고 있지 아니하는 교차로에서 좌회전하려고 하는 차의 운전자는 그 교차로에서 직진하거나 우회전하려는 다른 차가 있을 때에는 그 차에 진로를 양보하여야 한다.

**08** 음주운전으로 운전면허 취소 또는 정지처분을 받았을 때 면허행정처분 감경 제외 사유로 규정된 것으로 옳은 것은?

① 혈중알코올농도가 0.08퍼센트를 초과하여 운전한 경우
② 과거 5년 이내에 3회 이상의 교통사고의 전력이 있는 경우
③ 과거 10년 이내에 음주운전의 전력이 있는 경우
④ 경찰관의 음주측정요구에 도주한 경우

**09** 「도로교통법」, 「도로교통법 시행령」, 「특정범죄가중처벌 등에 관한 법률」상 음주운전 처벌에 대한 설명으로 옳지 않은 것은?

① 자동차를 음주운전(측정불응 포함)하여 벌금 이상의 형을 선고받고 그 형이 확정된 날부터 10년 이내에 다시 음주운전(측정불응 포함)을 한 사람은 최초 위반한 사람에 비하여 가중하여 처벌한다.

② 개인형 이동장치를 음주운전한 행위로 처음 단속된 사람에 대한 범칙금액은 10만원이다.

③ 개인형 이동장치를 음주운전한 행위로 통고처분을 받은 후 10년 내에 다시 개인형 이동장치로 음주운전을 한 사람은 최초 위반한 사람에 비하여 가중하여 처벌한다.

④ 음주 또는 약물의 영향으로 정상적인 운전이 곤란한 상태에서 자동차등을 운전하여 사람을 상해에 이르게 한 사람은 1년 이상 15년 이하의 징역 또는 1천만원 이상 3천만원 이하의 벌금에 처한다.

**10** 음주운전 관련 판례에 대한 설명으로 가장 옳지 않은 것은?

① 음주로 인한 특정범죄가중처벌 등에 관한 법률(위험운전치사상)죄와 도로교통법위반(음주운전)죄는 실체적 경합 관계에 있다.

② 신체 이상 등의 사유로 인하여 호흡조사에 의한 측정에 응할 수 없는 경우, 운전자가 혈액채취에 의한 측정을 거부하거나 이를 불가능하게 하였다면 음주측정에 불응한 것으로 볼 수 있다.

③ 호흡측정을 한 운전자에게 혈중알코올농도가 음주운전 처벌기준 수치에 미달하였더라도 위드마크 공식에 의한 역추산 방식에 의하여 음주운전 처벌기준 수치 이상이 될 가능성이 있다는 취지를 운전자에게 미리 고지하여야 할 의무는 없다.

④ 처를 태우고 음주운전하다가 적발이 되자, 운전자가 만취하지 않았고 경찰관이 보호조치를 하고자 하였다면 그의 처에 인계하여야 함에도 지구대로 데려간 것은 위법한 보호조치이므로 음주측정거부 행위를 처벌할 수 없다.

PART

# 01

# 경찰헌법

## 정답 및 해설편

# 경찰헌법 1회 모의고사 정답 및 해설

제1회 모의고사 정답

| | | | | | | | | | |
|---|---|---|---|---|---|---|---|---|---|
| 01 | ① | 02 | ② | 03 | ④ | 04 | ③ | 05 | ① |
| 06 | ③ | 07 | ② | 08 | ③ | 09 | ② | 10 | ④ |

## 01 정답 ①

① (○) 객관적 가치질서로서의 기본권은 입법·사법·행정의 모든 국가기능의 방향을 제시하는 지침으로서 작용하므로, 국가기관에게 기본권의 객관적 내용을 실현할 의무를 부여한다(헌재 1995.6.29, 93헌바45).

② (×) 기본권 규정은 그 성질상 사법관계에 직접 적용될 수 있는 예외적인 것을 제외하고는 사법상의 일반원칙을 규정한 민법 제2조, 제103조, 제750조, 제751조 등의 내용을 형성하고 그 해석기준이 되어 '간접적으로' 사법관계에 효력을 미치게 된다. 종교의 자유라는 기본권의 침해와 관련한 불법행위의 성립 여부도 위와 같은 일반규정을 통하여 사법상으로 보호되는 종교에 관한 인격적 법익침해 등의 형태로 구체화되어 논하여져야 한다(대판 2010.4.22, 2008다38288).

③ (×) 기본권의 경합이란 하나의 규제로 인해 동일한 기본권 주체의 여러 기본권이 동시에 제약을 받는 경우를 말한다(헌재 1998.4.30, 95헌가16).

④ (×) 기본권의 충돌이란 상이한 복수의 기본권 주체가 서로의 권익을 실현하기 위해 하나의 동일한 사건에서 국가에 대하여 서로 대립되는 기본권의 적용을 주장하는 경우를 말하는데, 한 기본권 주체의 기본권 행사가 다른 기본권 주체의 기본권 행사를 제한 또는 희생시킨다는 데 그 특징이 있다(헌재 2005.11.24, 2002헌바95).

## 02 정답 ②

② (×) 국민이 선택하고 수행하고자 하는 직업이 공직인 경우에는 공무담임권과 결부되고 그것을 통하여 실현되므로 공직의 경우 공무담임권은 직업선택의 자유에 대한 '특별기본권'이어서 후자의 적용을 배제한다. 따라서 청구인들이 직업의 자유 침해를 주장하더라도 헌법재판소는 그 주장에 구애됨이 없이 공무담임권 침해 여부를 판단할 수 있다(헌재 2004.11.25, 2002헌바8).

① (○) 기본권 경합의 경우 기본권 침해를 주장하는 제청신청인과 제청법원의 의도 및 기본권을 제한하는 입법자의 객관적 동기 등을 참작하여 '사안과 가장 밀접한 관계에 있고 침해의 정도가 큰 주된 기본권'을 중심으로 해서 제한의 한계를 따져 보아야 한다(헌재 1998.4.30, 95헌가16).

③ (○) 상하의 위계질서가 있는 기본권끼리 충돌하는 경우에는 '상위기본권 우선의 원칙'에 따라 하위기본권이 제한될 수 있으므로, 결국 흡연권은 혐연권을 침해하지 않는 한에서 인정되어야 한다(헌재 2004.8.26, 2003헌마457).

④ (○) 두 기본권이 서로 충돌하는 경우에는 헌법의 통일성을 유지하기 위하여 상충하는 기본권 모두가 최대한으로 그 기능과 효력을 나타낼 수 있도록 하는 조화로운 방법이 모색되어야 할 것이다(헌재 1991.9.16, 89헌마165).

## 03 정답 ④

④ (×) 법률유보의 원칙은 '법률에 의한' 규율만을 뜻하는 것이 아니라 '법률에 근거한' 규율을 요청하는 것이므로 기본권 제한의 형식이 반드시 법률의 형식일 필요는 없고 법률에 근거를 두면서 헌법 제75조가 요구하는 위임의 구체성과 명확성을 구비하기만 하면 위임입법에 의하여도 기본권 제한은 가능하다(헌재 2005.2.24, 2003헌마289).

① (○) 국민의 모든 자유와 권리는 국가안전보장·질서유지 또는 공공복리를 위하여 필요한 경우에 한하여 법률로써 제한할 수 있으며, 제한하는 경우에도 자유와 권리의 본질적인 내용을 침해할 수 없다(헌법 제37조 제2항).

② (○) 헌법 제37조 제2항의 규정은 기본권 제한입법의 수권규정이지만, 그것은 동시에 기본권 제한입법의 한계규정이기도 하기 때문에, 입법부도 수권의 범위를 넘어 자의적인 입법을 할 수 있는 것은 아니며, 기본권을 제한하는 입법을 함에 있어서도 그 본질적인 내용의 침해가 있거나 과잉금지의 원칙에 위배되는 입법을 할 수 없다(헌재 1990.9.3, 89헌가95).

③ (○) 헌법 제37조 제2항의 국가의 안전보장의 개념은 국가의 존립·헌법의 기본질서의 유지 등을 포함하는 개념으로서 결국 국가의 독립, 영토의 보전, 헌법과 법률의 기능, 헌법에 의하여 설치된 국가기관의 유지 등의 의미로 이해될 수 있다(헌재 1992.2.25, 89헌가104).

## 04 정답 ③

③ (×) 국민의 기본권을 직접적으로 제한하거나 침해할 소지가 있는 법규에서는 구체성·명확성의 요구가 강화되어 그 위임의 요건과 범위가 더 엄격하게 제한적으로 규정되어야 하고, 규율대상이 지극히 다양하거나 수시로 변화하는 성질의 것일 때에는 위임의 구체성·명확성의 요건이 완화되어야 할 것이다(헌재 2002.6.27, 2000헌가10).

① (○) 국민의 기본권은 헌법 제37조 제2항에 의하여 국가안전보장, 질서유지 또는 공공복리를 위하여 필요한 경우에 한하여 이를 제한할 수 있으나, 그 제한은 원칙적으로 법률로써만 가능하다(헌재 2005.2.24, 2003헌마289).

② (○) 헌법은 법치주의를 그 기본원리의 하나로 하고 있고, 법치주의는 법률유보원칙, 즉 행정작용에는 국회가 제정한 형식적 법률의 근거가 요청된다는 원칙을 그 핵심적 내용으로 하고 있다(헌재 2009.10.29, 2007헌바63).

④ (O) 모법의 위임범위를 벗어난 하위법령은 법률의 근거가 없는 것으로 법률유보원칙에 위반된다(헌재 2010.4.29. 2007헌마910).

05 정답 ①

① (×) 명확성 원칙을 산술적으로 엄격히 관철하도록 요구하는 것은 입법기술상 불가능하거나 현저히 곤란하므로 어느 정도의 보편적 내지 일반적 개념의 용어 사용은 불가피하다(헌재 2013.12.26. 2012헌바375).

② (O) 당해 법률이 제정된 목적과 타 규범과의 연관성을 고려하여 합리적인 해석이 가능한지의 여부에 따라 명확성의 구비 여부가 가려져야 한다(헌재 2013.12.26. 2012헌바375).

③ (O) 명확성의 원칙은 기본적으로 '최대한이 아닌 최소한의 명확성을 요구'하는 것이다. 그러므로 법문언이 해석을 통해서, 즉 법관의 보충적인 가치판단을 통해서 그 의미내용을 확인해낼 수 있고, 그러한 보충적 해석이 해석자의 개인적인 취향에 따라 좌우될 가능성이 없다면 명확성의 원칙에 반한다고 할 수 없다(헌재 1998.4.30. 95헌가16).

④ (O) 표현의 자유를 규제하는 법률은 그 규제로 인해 보호되는 다른 표현에 대하여 위축적 효과가 미치지 않도록 규제되는 표현의 개념을 세밀하고 명확하게 규정할 것이 헌법적으로 요구된다(헌재 1998.4.30. 95헌가16).

06 정답 ③

③ (×) 헌법 제37조 제2항의 비례원칙은, 단순히 기본권 제한의 일반원칙에 그치지 않고, 모든 국가작용은 정당한 목적을 달성하기 위하여 필요한 범위 내에서만 행사되어야 한다는 국가작용의 한계를 선언한 것이다(헌재 2018.6.28. 2011헌바379).

① (O) 과잉금지원칙이란 국가가 국민의 기본권을 제한하는 내용의 입법활동을 함에 있어서 준수하여야 할 기본원칙 내지 입법활동의 한계를 의미한다(헌재 1990.9.3. 89헌가95).

② (O) 헌법 제37조 제2항은 "국민의 모든 자유와 권리는 필요한 경우에 한하여 법률로써 제한할 수 있다."고 규정하고 있는데 이는 과잉금지의 원칙을 규정한 것이다(헌재 1990.9.3. 89헌가95).

④ (O) 목적의 정당성이란 국민의 기본권을 제한하려는 입법의 목적이 헌법 및 법률의 체제상 그 정당성이 인정되어야 한다는 것을 말한다(헌재 2008.4.24. 2007헌마1456).

07 정답 ②

② (×) 국가작용에 있어서 취해진 어떠한 조치나 선택된 수단은 그것이 달성하려는 사안의 목적에 적합하여야 함은 당연하지만 그 조치나 수단이 목적달성을 위하여 유일무이한 것일 필요는 없다(헌재 1989.12.22. 88헌가13).

① (O) 방법의 적절성이란 정당한 입법목적을 달성하기 위한 방법이 '효과적이고 적절해야' 한다는 것을 말한다(헌재 2008.4.24. 2007헌마1456).

③ (O) 헌법재판소가 방법의 적절성으로 심사하는 내용은 입법자가 선택한 방법이 최적의 것이었는가 하는 것이 아니고, 그 방법이 입법목적 달성에 유효한 수단인가 하는 점에 한정된다(헌재 2008.4.24. 2007헌마1456).

④ (O) 입법목적을 달성하기 위한 수단으로서 반드시 가장 합리적이며 효율적인 수단을 선택하여야 하는 것은 아니라고 할지라도 적어도 현저하게 불합리하고 불공정한 수단의 선택은 피하여야 할 것이다(헌재 1996.4.25. 92헌바47).

08 정답 ③

③ (×) 입법자가 택한 수단보다 국민의 기본권을 덜 침해하는 수단이 존재하더라도 그 다른 수단이 효과 측면에서 입법자가 선택한 수단과 동등하거나 유사하다고 단정할 만한 명백한 근거가 없는 이상, 그것이 과잉금지원칙에 반한다고 할 수는 없다(헌재 2012.8.23. 2010헌가65).

① (O) 침해의 최소성이란 입법권자가 선택한 기본권 제한의 조치가 입법목적 달성을 위하여 적절하다 할지라도 보다 완화된 형태나 방법을 모색함으로써 기본권의 제한은 필요한 최소한도에 그치도록 하여야 한다는 것을 말한다(헌재 2008.4.24. 2007헌마1456).

② (O) 과잉금지원칙의 한 내용인 '최소침해의 원칙'이라는 것은 어디까지나 입법목적의 달성에 있어 동일한 효과를 나타내는 수단 중에서 되도록 당사자의 기본권을 덜 침해하는 수단을 채택하라는 헌법적 요구이다(헌재 2012.8.23. 2010헌가65).

④ (O) 입법자가 임의적 규정으로도 법의 목적을 실현할 수 있는 경우에 구체적 사안의 개별성과 특수성을 고려할 수 있는 가능성을 일체 배제하는 필요적 규정을 둔다면, 이는 비례의 원칙의 한 요소인 최소침해성의 원칙에 위배된다(헌재 1998.5.28. 96헌가12).

09 정답 ②

② (×) 현대법치국가에서는 국가와 특수한 관계에 있는 국민에 대하여 기본권 보호의 사각지대를 인정한 특별권력관계이론은 더 이상 용인될 수 없는 이론이다(헌재 2016.11.24. 2012헌마854).

① (O) 19세기 독일 공법이론의 산물인 특별권력관계이론에 따르면, 국민은 일반국민과 특별권력관계에 있는 국민으로 구분되고 후자에게는 기본권이 적용되지 않는다고 한다(헌재 2016.11.24. 2012헌마854).

③ (O) 모든 국가기관이 기본권의 구속을 받는 헌법국가에서 기본권의 구속으로부터 자유로운 국가행위의 영역은 원칙적으로 인정되지 않는다(헌재 2016.11.24. 2012헌마854).

④ (○) 특별권력관계에 있어서도 일반행정법관계에 있어서와 마찬가지로 행정청의 위법한 처분 또는 공권력의 행사·불행사 등으로 인하여 권리 또는 법적 이익을 침해당한 자는 행정소송 등에 의하여 그 위법한 처분 등의 취소를 구할 수 있다(헌재 1995.12.28, 91헌마80).

## 10 정답 ④

④ (×) 국민의 기본권에 대한 국가의 적극적 보호의무는 궁극적으로 입법자의 입법행위를 통하여 비로소 실현될 수 있는 것이기 때문에, 입법자의 입법행위를 매개로 하지 아니하고 단순히 기본권이 존재한다는 것만으로 헌법상 광범위한 방어적 기능을 갖게 되는 기본권의 소극적 방어권으로서의 측면과 근본적인 차이가 있다(헌재 1997.1.16, 90헌마110).

① (○), ② (○) 기본권 보호의무란 기본권적 법익을 기본권 주체인 사인에 의한 위법한 침해 또는 침해의 위험으로부터 보호하여야 하는 국가의 의무를 말하며, 주로 사인인 제3자에 의한 개인의 생명이나 신체의 훼손에서 문제되는데, 이는 타인에 의하여 개인의 신체나 생명 등 법익이 국가의 보호의무 없이는 무력화될 정도의 상황에서만 적용될 수 있다(헌재 2009.2.26, 2005헌마764).

③ (○) 우리 헌법은 제10조에서 국가는 개인이 가지는 불가침의 기본적 인권을 확인하고 이를 보장할 의무를 진다고 규정함으로써, 소극적으로 국가권력이 국민의 기본권을 침해하는 것을 금지하는 데 그치지 아니하고 나아가 적극적으로 국민의 기본권을 타인의 침해로부터 보호할 의무를 부과하고 있다(헌재 1997.1.16, 90헌마110).

# 경찰헌법 2회 모의고사 정답 및 해설

제2회 모의고사 정답

| | | | | | | | | | |
|---|---|---|---|---|---|---|---|---|---|
| 01 | ② | 02 | ③ | 03 | ① | 04 | ④ | 05 | ④ |
| 06 | ③ | 07 | ① | 08 | ② | 09 | ③ | 10 | ④ |

## 01 정답 ②

② (×) 국가가 국민의 기본권 보호의무를 이행함에 있어 그 행위의 형식에 관하여도 폭넓은 형성의 자유가 인정되고, 그것도 반드시 법령에 의하여 이행하여야 하는 것은 아니며, 이 사건 고시와 같이 국가가 쇠고기 소비자의 생명·신체의 안전에 관한 보호의무를 이행하기 위하여 취한 행위의 경우 법령의 위임이 없거나 그 위임의 범위를 벗어난 것이라는 사유만으로는 보호의무를 위반하거나 그로 인하여 소비자의 기본권을 침해한 것으로 볼 수 없다(헌재 2008.12.26, 2008헌마419).

① (○) 국가의 보호의무를 입법자가 어떻게 실현하여야 할 것인가 하는 문제는 원칙적으로 권력분립 원칙과 민주주의 원칙에 따라 국민에 의해 직접 민주적 정당성을 부여받고 자신의 결정에 대해 정치적 책임을 지는 입법자의 책임범위에 속한다(헌재 1997.1.16, 90헌마110).

③ (○) 헌법재판소는 권력분립의 관점에서 소위 "과소보호금지원칙", 즉 국가가 국민의 법익보호를 위하여 적어도 적절하고 효율적인 최소한의 보호조치를 취했는가를 기준으로 심사하게 된다(헌재 1997.1.16, 90헌마110).

④ (○) 헌법재판소는 원칙적으로 국가의 보호의무에서 특정조치를 취해야 할 또는 특정법률을 제정해야 할 구체적인 국가의 의무를 이끌어 낼 수 없다. 단지 국가가 특정조치를 취해야만 당해 법익을 효율적으로 보호할 수 있는 유일한 수단일 경우에만 입법자의 광범위한 형성권은 국가의 구체적인 보호의무로 축소되며, 이 경우 국가가 보호의무 이행의 유일한 수단인 특정조치를 취하지 않은 때에는 헌법재판소는 보호의무의 위반을 확인하게 된다(헌재 1997.1.16, 90헌마110).

## 02 정답 ③

③ (×) 위원회는 진정에 관한 위원회의 조사, 증거의 확보 또는 피해자의 권리 구제를 위하여 필요하다고 인정하면 피해자를 위하여 대한법률구조공단 또는 그 밖의 기관에 법률구조를 요청할 수 있다(국가인권위원회법 제47조 제1항). 법률구조 요청은 피해자의 명시한 의사에 반하여 할 수 없다(국가인권위원회법 제47조 제2항).

① (○) 위원은 국회가 선출하는 4명(상임위원 2명을 포함), 대통령이 지명하는 4명(상임위원 1명을 포함), 대법원장이 지명하는 3명을 대통령이 임명한다(국가인권위원회법 제5조 제2항).

② (○) 위원회는 진정이 없는 경우에도 인권침해나 차별행위가 있다고 믿을 만한 상당한 근거가 있고 그 내용이 중대하다고 인정할 때에는 직권으로 조사할 수 있다(국가인권위원회법 제30조 제3항).

④ (○) 위원회의 진정에 대한 조사·조정 및 심의는 비공개로 한다. 다만, 위원회의 의결이 있을 때에는 공개할 수 있다(국가인권위원회법 제49조).

## 03 정답 ①

① (×) 인간으로서의 존엄과 가치조항은 1962년 헌법(제5차 개정헌법)에서 도입되었다.

② (○) 인간의 존엄과 가치 조항은 헌법 이념의 핵심으로 국가는 헌법에 규정된 개별적 기본권을 비롯하여 헌법에 열거되지 아니한 자유와 권리까지도 이를 보장하여야 하고, 이를 통하여 개별 국민이 가지는 인간으로서의 존엄과 가치를 존중하고 확보하여야 한다는 헌법의 기본원리를 선언한 것이다(헌재 2010.2.25, 2008헌가23).

③ (○) 인간의 존엄과 가치는 모든 인간을 그 자체로서 목적으로 존중할 것을 요구하고, 인간을 다른 목적을 위한 단순한 수단으로 취급하는 것을 허용하지 아니한다(헌재 2016.12.29, 2013헌마142).

④ (○) 인간의 존엄성은 '국가권력의 한계'로서 국가에 의한 침해로부터 보호받을 개인의 방어권일 뿐 아니라, '국가권력의 과제'로서 국민이 제3자에 의하여 인간존엄성을 위협받을 때 국가는 이를 보호할 의무를 부담한다(헌재 2019.12.27, 2012헌마939).

## 04 정답 ④

④ (×) 법인도 법인의 목적과 사회적 기능에 비추어 볼 때 그 성질에 반하지 않는 범위 내에서 인격권의 한 내용인 사회적 신용이나 명예 등의 주체가 될 수 있고 법인이 이러한 사회적 신용이나 명예 유지 내지 법인격의 자유로운 발현을 위하여 의사결정이나 행동을 어떻게 할 것인지를 자율적으로 결정하는 것도 법인의 인격권의 한 내용을 이룬다고 할 것이다(헌재 2012.8.23, 2009헌가27).

① (○) 개인의 인격권 및 행복추구권의 본질적 내용은 개인이 자신의 신변이나 생활에 관한 사항은 이를 스스로 선택·결정하는데 있다 할 것이고, 그 선택의 대상에는 성생활에 관한 사항도 당연히 포함되는 것이다(헌재 1990.9.10, 89헌마82).

② (○) 사회활동을 통한 개인의 자유로운 인격발현을 위해서는, 타인의 눈에 비치는 자신의 모습을 형성하는 데 있어 결정적인 인자가 될 수 있는 각종 정보자료에 관하여 스스로 결정할 수 있는 권리, 다시 말하여 사회적 인격상에 관한 자기결정권이 보장되어야 한다(헌재 2003.6.26, 2002헌가14).

③ (○) 헌법 제10조로부터 도출되는 일반적 인격권에는 각 개인이 그 삶을 사적으로 형성할 수 있는 자율영역에 대한 보장

이 포함되어 있음을 감안할 때, 장래 가족의 구성원이 될 태아의 성별 정보에 대한 접근을 국가로부터 방해받지 않을 부모의 권리는 이와 같은 일반적 인격권에 의하여 보호된다(헌재 2008.7.31. 2004헌마1010).

## 05 정답 ④

④ (×) 자도소주구입명령제도는 소비자가 자신의 의사에 따라 자유롭게 상품을 선택하는 것을 제약함으로써 소비자의 행복추구권에서 파생되는 자기결정권도 제한하고 있다(헌재 1996.12.26. 96헌가18).

① (○) 자기결정권은 인간의 존엄성을 실현하기 위한 수단으로서 인간이 자신의 생활영역에서 인격의 발현과 삶의 방식에 관한 근본적인 결정을 자율적으로 내릴 수 있는 권리다(헌재 2019.4.11. 2017헌바127).

② (○) 일반적 인격권은 인간의 존엄성과 밀접한 연관관계를 보이는 자유로운 인격발현의 기본조건을 포괄적으로 보호하는데, 개인의 자기결정권은 일반적 인격권에서 파생된다. 모든 국민은 그의 존엄한 인격권을 바탕으로 하여 자율적으로 자신의 생활영역을 형성해 나갈 수 있는 권리를 가진다(헌재 2019.4.11. 2017헌바127).

③ (○) 개인의 인격권·행복추구권에는 개인의 자기운명결정권이 전제되는 것이고, 이 자기운명결정권에는 임신과 출산에 관한 결정, 즉 임신과 출산의 과정에 내재하는 특별한 희생을 강요당하지 않을 자유가 포함되어 있다(헌재 2012.8.23. 2010헌바402).

## 06 정답 ③

③ (×) 인간이라는 생명체의 형성이 출생 이전의 그 어느 시점에서 시작됨을 인정하더라도, 법적으로 사람의 시기를 출생의 시점에서 시작되는 것으로 보는 것이 헌법적으로 금지된다고 할 수 없다(헌재 2008.7.31. 2004헌바81).

① (○) 생명에 대한 권리는 비록 헌법에 명문의 규정이 없다 하더라도 인간의 생존본능과 존재목적에 바탕을 둔 선험적이고 자연법적인 권리로서 헌법에 규정된 모든 기본권의 전제로서 기능하는 기본권 중의 기본권이라 할 것이다(헌재 1996.11.28. 95헌바1).

② (○) 국가는 헌법상 용인될 수 있는 정당한 사유 없이 생명권을 박탈하는 내용의 입법 등을 하여서는 아니될 뿐만 아니라, 한편으로는 사인의 범죄행위로 인해 일반국민의 생명권이 박탈되는 것을 방지할 수 있는 입법 등을 함으로써 일반국민의 생명권을 최대한 보호할 의무가 있다(헌재 2010.2.25. 2008헌가23).

④ (○) 생명이 이념적으로 절대적 가치를 지닌 것이라 하더라도 생명에 대한 법적 평가가 예외적으로 허용될 수 있다고 할 것이므로, 생명권 역시 헌법 제37조 제2항에 의한 일반적 법률유보의 대상이 될 수밖에 없다(헌재 2010.2.25. 2008헌가23).

## 07 정답 ①

① (×) 행복추구권은 국민이 행복을 추구하기 위하여 필요한 급부를 국가에게 적극적으로 요구할 수 있는 것을 내용으로 하는 것이 아니라, 국민이 행복을 추구하기 위한 활동을 국가권력의 간섭 없이 자유롭게 할 수 있다는 포괄적인 의미의 자유권으로서의 성격을 가진다(헌재 1995.7.21. 93헌가14).

② (○) 행복추구권은 다른 기본권에 대한 보충적 기본권으로서의 성격을 지니므로, 공무담임권이라는 우선적으로 적용되는 기본권이 존재하여 그 침해 여부를 판단하는 이상, 행복추구권 침해 여부를 독자적으로 판단할 필요가 없다(헌재 2000.12.14. 99헌마112).

③ (○) 헌법 제10조 전문은 행복추구권을 보장하고 있는데 행복추구권에는 그 구체적인 표현으로서 일반적 행동자유권과 개성의 자유로운 발현권이 포함된다(헌재 1998.10.29. 97헌마345).

④ (○) 공물을 사용·이용하게 해달라고 청구할 수 있는 권리는 청구권의 영역에 속하는 것이므로 이러한 권리가 포괄적인 자유권인 행복추구권에 포함된다고 할 수 없다(헌재 2011.6.30. 2009헌마406 서울광장 차벽봉쇄 사건).

## 08 정답 ②

② (×) 일반적 행동자유권은 '모든 행위를 할 자유와 행위를 하지 않을 자유'로 가치 있는 행동만 그 보호영역으로 하는 것은 아닌 것으로, 그 보호영역에는 개인의 생활방식과 취미에 관한 사항도 포함되며, 여기에는 위험한 스포츠를 즐길 권리와 같은 위험한 생활방식으로 살아갈 권리도 포함된다(헌재 2003.10.30. 2002헌마518).

① (○) 일반적 행동자유권에는 적극적으로 자유롭게 행동을 하는 것은 물론 소극적으로 행동을 하지 않을 자유, 즉 부작위의 자유도 포함되며, 포괄적인 의미의 자유권으로서 일반조항적인 성격을 가진다(헌재 2003.10.30. 2002헌마518).

③ (○) 계약자유의 원칙이란 계약을 체결할 것인가의 여부, 체결한다면 어떠한 내용의, 어떠한 상대방과의 관계에서, 어떠한 방식으로 계약을 체결하느냐 하는 것도 당사자 자신이 자기의사로 결정하는 자유뿐만 아니라, 원치 않으면 계약을 체결하지 않을 자유를 말하며, 이는 헌법상의 행복추구권 속에 함축된 일반적 행동자유권으로부터 파생되는 것이라 할 것이다. 이는 곧 헌법 제119조 제1항의 개인의 경제상의 자유의 일종이기도 하다(헌재 1991.6.3. 89헌마204).

④ (○) 무상 또는 일회적·일시적으로 가르치는 행위는 헌법 제15조의 직업의 자유에 의하여 보호되는 생활영역이 아니다. 이러한 성격과 형태의 가르치는 행위는 일반적 행동의 자유에 속하는 것으로서 헌법 제10조의 행복추구권에 의하여 보호된다(헌재 2000.4.27. 98헌가16).

09 정답 ③

③ (×) 평등원칙 위반의 특수성은 대상 법률이 정하는 '법률효과' 자체가 위헌이 아니라, 그 법률효과가 수범자의 한 집단에만 귀속하여 '다른 집단과 사이에 차별'이 발생한다는 점에 있기 때문에, 평등원칙의 위반을 인정하기 위해서는 우선 법적용에 관련하여 상호 배타적인 '두 개의 비교집단'을 일정한 기준에 따라서 구분할 수 있어야 한다(헌재 2003.12.18, 2002헌마593).

① (○) 평등의 원칙은 국민의 기본권 보장에 관한 우리 헌법의 최고원리로서 국가가 입법을 하거나 법을 해석 및 집행함에 있어 따라야 할 기준인 동시에, 국가에 대하여 합리적 이유없이 불평등한 대우를 하지 말 것과, 평등한 대우를 요구할 수 있는 모든 국민의 권리로서, 국민의 기본권 중의 기본권이다(헌재 1989.1.25, 88헌가7).

② (○) 우리 헌법이 선언하고 있는 '법 앞에 평등'은 행정부나 사법부에 의한 법적용상의 평등만을 의미하는 것이 아니고, 입법권자에게 정의와 형평의 원칙에 합당하게 합헌적으로 법률을 제정하도록 하는 것을 명하는 '법내용상의 평등'을 의미하고 있기 때문에 그 입법내용이 정의와 형평에 반하거나 자의적으로 이루어진 경우에는 평등권 등의 기본권을 본질적으로 침해한 입법권의 행사로서 위헌성을 면하기 어렵다(헌재 1992.4.28, 90헌바24).

④ (○) 헌법 제11조 제1항의 평등의 원칙은 일체의 차별적 대우를 부정하는 절대적 평등을 의미하는 것이 아니라 입법과 법의 적용에 있어서 합리적 근거 없는 차별을 하여서는 아니 된다는 상대적 평등을 뜻하고 따라서 합리적 근거 있는 차별 내지 불평등은 평등의 원칙에 반하는 것이 아니다(헌재 2002.12.18, 2001헌마546).

10 정답 ④

④ (×) 자의심사의 경우에는 차별을 정당화하는 합리적인 이유가 있는지만을 심사하기 때문에 그에 해당하는 비교대상 간의 사실상의 차이나 입법목적(차별목적)을 발견・확인하는 데 그치는 반면, 비례심사의 경우에는 단순히 합리적인 이유의 존부 문제가 아니라 차별을 정당화하는 이유와 차별 간의 상관관계에 대한 심사, 즉 비교대상 간의 사실상의 차이의 성질과 비중 또는 입법목적(차별목적)의 비중과 차별의 정도에 적정한 균형관계가 이루어져 있는가를 심사하게 된다(헌재 2011.2.24, 2008헌바56).

① (○) 평등원칙 위반 여부를 심사함에 있어 엄격한 심사척도에 의할 것인지, 완화된 심사척도에 의할 것인지는 입법자에게 허용되는 '입법형성권의 정도'에 따라서 달라지는데, 특별한 사정이 없는 한 법률의 평등원칙 위반 여부는 입법자의 '자의성이 있는지 여부'만을 심사하게 된다(헌재 2003.12.18, 2002헌마593).

② (○) 입법자가 설정한 차별이 국민들 간에 단순한 이해관계의 차별을 넘어서서 '기본권에 관련된 차별'을 가져온다면 헌법재판소는 그러한 차별에 대해서는 자의금지 내지 합리성 심사를 넘어서 목적과 수단 간의 엄격한 비례성이 준수되었는지를 심사하여야 한다. 나아가 사람이나 사항에 대한 불평등대우가 기본권으로 보호된 '자유의 행사에 불리한 영향을 미칠 수 있는 정도가 크면 클수록', 입법자의 형성의 여지에 대해서는 그만큼 더 좁은 한계가 설정되므로, 헌법재판소는 보다 엄격한 심사척도를 적용함이 타당하다(헌재 2003.9.25, 2003헌마30).

③ (○) 헌법이 스스로 차별의 근거로 삼아서는 안 되는 기준을 제시하거나 차별을 특히 금지하고 있는 영역을 제시하고 있는 경우이거나, 차별적 취급으로 인하여 관련 기본권에 중대한 제한을 초래하게 되는 경우에는 입법형성권은 축소되어 엄격한 심사척도가 적용되어야 하지만, 그 밖의 경우에는 차별적 취급에 합리적인 이유가 있는지 여부를 심사하는 것으로 충분하다(헌재 2012.11.29, 2011헌마533).

# 경찰헌법 3회 모의고사 정답 및 해설

제3회 모의고사 정답

| | | | | | | | | | |
|---|---|---|---|---|---|---|---|---|---|
| 01 | ③ | 02 | ④ | 03 | ④ | 04 | ① | 05 | ② |
| 06 | ② | 07 | ① | 08 | ③ | 09 | ② | 10 | ③ |

## 01 정답 ③

③ (×) 헌법 제11조 제1항 후문의 규정은 불합리한 차별의 금지에 초점이 있고, 예시한 사유가 있는 경우에 절대적으로 차별을 금지할 것을 요구함으로써 입법자에게 인정되는 입법형성권을 제한하는 것은 아니다(헌재 2010.11.25, 2006헌마328).

① (○) 헌법이 규정한 평등의 원칙은 국가가 언제 어디에서 어떤 계층을 대상으로 하여 기본권에 관한 상황이나 제도의 개선을 시작할 것인지를 선택하는 것을 방해하지는 않는다. 말하자면 국가는 합리적인 기준에 따라 능력이 허용하는 범위 내에서 법적 가치의 상향적 구현을 위한 제도의 단계적 개선을 추진할 수 있는 길을 선택할 수 있어야 한다(헌재 1990.6.25, 89헌마107).

② (○) 적극적 평등실현조치(Affirmative Action)는 대체로 '일정한 혜택을 통하여 종래 차별을 받아온 소수집단에게 사회의 각 영역에서 보다 많은 참여의 기회를 부여하려는 제반 조치'를 의미한다. 미국에서 인종차별의 관행을 철폐하기 위하여 시행되어 온 소수인종집단에 대한 우대정책 등이 그 대표적인 예이다(헌재 2014.8.28, 2013헌마553).

④ (○) 헌법 제11조 제1항에서의 사회적 신분이란 사회에서 장기간 점하는 지위로서 일정한 사회적 평가를 수반하는 것을 의미한다 할 것이므로 전과자도 사회적 신분에 해당된다(헌재 1995.2.23, 93헌바43).

## 02 정답 ④

④ (○) 피고인의 자백이 고문・폭행・협박・구속의 부당한 장기화 또는 기망 기타의 방법에 의하여 자의로 진술된 것이 아니라고 인정될 때 또는 정식재판에 있어서 피고인의 자백이 그에게 불리한 유일한 증거일 때에는 이를 유죄의 증거로 삼거나 이를 이유로 처벌할 수 없다(헌법 제12조 제7항).

① (×) 누구든지 법률에 의하지 아니하고는 체포・구속・압수・수색 또는 심문을 받지 아니하며, 법률과 적법한 절차에 의하지 아니하고는 처벌・보안처분 또는 강제노역을 받지 아니한다(헌법 제12조 제1항 후문).

② (×) 체포・구속・압수 또는 수색을 할 때에는 적법한 절차에 따라 검사의 신청에 의하여 법관이 발부한 영장을 제시하여야 한다(헌법 제12조 제3항 전문).

③ (×) 누구든지 체포 또는 구속을 당한 때에는 즉시 변호인의 조력을 받을 권리를 가진다. 다만, 형사피고인이 스스로 변호인을 구할 수 없을 때에는 법률이 정하는 바에 의하여 국가가 변호인을 붙인다(헌법 제12조 제4항).

## 03 정답 ④

④ (×) 인터넷회선 감청은 서버에 저장된 정보가 아니라, 인터넷상에서 발신되어 수신되기까지의 과정 중에 수집되는 정보, 즉 전송 중인 정보의 수집을 위한 수사이므로, 압수・수색과 구별된다(헌재 2018.8.30, 2016헌마263).

① (○) 신체의 자유는 신체의 안전성이 외부로부터의 물리적인 힘이나 정신적인 위험으로부터 침해당하지 아니할 자유와 신체활동을 임의적이고 자율적으로 할 수 있는 자유를 말한다(헌재 1992.12.24, 92헌가8).

② (○) 헌법 제12조 제3항의 '체포・구속・압수・수색'에는 강제구금은 물론 강제구인, 강제동행 및 강제구류 등이 포함된다. 따라서 법률이 수사기관으로 하여금 법관에 의한 영장에 의하지 아니하고 참고인에 대하여 실질적으로 이와 동일한 행위를 하도록 허용한다면 이는 헌법상 영장주의원칙을 위반한 것이거나 적어도 위 헌법상 원칙을 잠탈하는 것이다(헌재 2008.1.10, 2007헌마1468).

③ (○) 헌법 제12조 제4항 본문에 규정된 "구속"은 사법절차에서 이루어진 구속뿐 아니라, 행정절차에서 이루어진 구속까지 포함하는 개념이다. 따라서 헌법 제12조 제4항 본문에 규정된 변호인의 조력을 받을 권리는 행정절차에서 구속을 당한 사람에게도 즉시 보장된다(헌재 2018.5.31, 2014헌마346).

## 04 정답 ①

① (×) 보안처분은 형벌만으로는 행위자의 장래의 재범에 대한 위험성을 제거하기에 충분하지 못한 경우에 사회방위와 행위자의 사회복귀의 목적을 달성하기 위하여 고안된 특별예방적 목적처분으로, 제7차 개정헌법 이래 보안처분제도를 헌법상의 제도로 수용하여 왔다(헌재 1997.11.27, 92헌바28).

② (○) 형벌과 보안처분은 다 같이 형사제재에 해당하지만, 형벌은 책임의 한계 안에서 과거 불법에 대한 응보를 주된 목적으로 하는 제재이고, 보안처분은 장래 재범 위험성을 전제로 범죄를 예방하기 위한 제재이다(헌재 2012.12.27, 2011헌바89).

③ (○) 보안처분의 본질인 재범의 위험성은 보안처분으로 인한 신체의 자유박탈이라는 인권 제한과의 비례(균형)원칙상 단순한 재범의 가능성만으로는 부족하고 상당한 개연성을 요구하며, 그 판단은 전과 이외에도 범행의 의의와 행위자의 연령・성격・가족관계・교육정도・직업・환경・당해 범행 이전의 행적・범행의 동기・수단・범행 후의 정황과 개전의 정 등을 총체적으로 평가하여 인정되어야 한다(헌재 1989.7.14, 88헌가5).

④ (○) 보안처분은 형벌과는 달리 행위자의 장래 재범위험성에 근거하는 것으로서, 행위 시가 아닌 재판 시의 재범위험성 여

부에 대한 판단에 따라 보안처분 선고를 결정하므로 원칙적으로 재판 당시 현행법을 소급적용할 수 있다고 보는 것이 타당하고 합리적이다(헌재 2012.12.27, 2010헌가82).

05 정답 ②

② (×) 죄형법정주의를 천명한 헌법 제12조 제1항 후단이나 제13조 제1항 전단에서 말하는 법률은 입법부에서 제정한 형식적 의미의 법률을 의미한다(헌재 1991.7.8, 91헌가4).

① (○) 죄형법정주의는 개인의 법적 안정성을 보호하고 성문의 형벌법규에 의한 실정법질서를 확립하여 국가형벌권의 자의적 행사로부터 개인의 자유와 권리를 보장하려는 법치국가 형법의 기본원칙이다(헌재 1991.7.8, 91헌가4).

③ (○) 구성요건의 명확성이란 입법권자가 모든 구성요건을 단순한 의미의 서술적인 개념에 의하여 규정하여야 한다는 것은 아니고, 자의를 허용하지 않는 통상의 해석방법에 의하더라도 당해 처벌법규의 보호법익과 그에 의하여 금지된 행위 및 처벌의 종류와 정도를 누구나 알 수 있도록 규정되어 있어야 한다는 의미로 파악하여야 할 것이다(헌재 2010.9.30, 2009헌바355).

④ (○) 형벌에 관한 준용규정이 죄형법정주의 명확성원칙에 위배되는지 여부는 구성요건 및 벌칙규정의 준용 여부가 준용규정에 의하여 명확한지에 달린 것이지 형벌규정이라고 해서 포괄적 준용 방식은 금지되고 반드시 열거적 준용 방식을 택하여만 하는 것은 아니다(헌재 2022.6.30, 2020헌바15).

06 정답 ②

② (×) 형벌불소급원칙이 적용되는 '처벌'의 범위를 형법이 정한 형벌의 종류에만 한정되는 것으로 보게 되면, 형법이 정한 형벌 외의 형태로 가해질 수 있는 형사적 제재나 불이익은 소급적용이 허용되는 결과가 되어, 법적 안정성과 예측가능성을 보장하여 자의적 처벌로부터 국민을 보호하고자 하는 형벌불소급원칙의 취지가 몰각될 수 있다. 따라서 형벌불소급원칙에서 의미하는 '처벌'은 단지 형법에 규정되어 있는 형식적 의미의 형벌 유형에 국한되지 않는다(헌재 2017.10.26, 2015헌바239).

① (○) 신법이 피적용자에게 유리한 경우에는 이른바 시혜적인 소급입법이 가능하지만 이를 입법자의 의무라고는 할 수 없고, 그러한 소급입법을 할 것인지의 여부는 입법재량의 문제로서 그 판단은 일차적으로 입법기관에 맡겨져 있다(헌재 1999.7.22, 98헌바14).

③ (○) 행위의 가벌성은 행위에 대한 소추가능성의 전제조건이지만 소추가능성은 가벌성의 조건이 아니므로 공소시효의 정지규정을 과거에 이미 행한 범죄에 대하여 적용하도록 하는 법률이라 하더라도 그 사유만으로 헌법 제12조 제1항 및 제13조 제1항에 규정한 죄형법정주의의 파생원칙인 형벌불소급의 원칙에 언제나 위배되는 것으로 단정할 수는 없다(헌재 1996.2.16, 96헌가2).

④ (○) 개정된 법률 이전의 행위를 소급하여 형사처벌하도록 규정하고 있는 것이 아니라 형사처벌을 규정하고 있던 행위시법이 사후 폐지되었음에도 신법이 아닌 행위시법에 의하여 형사처벌하도록 규정한 것은 헌법 제13조 제1항의 형벌불소급원칙 보호영역에 포섭되지 아니한다(헌재 2015.2.26, 2012헌바268).

07 정답 ①

① (×) 현행헌법 제12조 제1항 후문과 제3항은 적법절차의 원칙을 헌법상 명문규정으로 두고 있는데, 이는 현행헌법에서 처음으로 영미법계의 국가에서 국민의 인권을 보장하기 위한 기본원리의 하나로 발달되어 온 적법절차의 원칙을 도입하여 헌법에 명문화한 것이다(헌재 1992.12.24, 92헌가8).

② (○), ③ (○) 적법절차의 원칙(due process of law)은 공권력에 의한 국민의 생명・자유・재산의 침해는 반드시 합리적이고 정당한 법률에 의거해서 정당한 절차를 밟은 경우에만 유효하다는 원리로서, 그 의미는 누구든지 합리적이고 정당한 법률의 근거가 있고 적법한 절차에 의하지 아니하고는 체포・구속・압수・수색을 당하지 아니함은 물론, 형사처벌 및 행정벌과 보안처분, 강제노역 등을 받지 아니한다고 이해되는바, 이는 형사절차상의 제한된 범위 내에서만 적용되는 것이 아니라 국가작용으로서 기본권 제한과 관련되든 아니든 모든 입법작용 및 행정작용에도 광범위하게 적용된다고 해석하여야 한다(헌재 2018.4.26, 2016헌바453).

④ (○) 국가기관이 국민과의 관계에서 공권력을 행사함에 있어서 준수해야 할 법원칙으로서 형성된 적법절차의 원칙을 국가기관에 대하여 헌법을 수호하고자 하는 탄핵소추절차에는 직접 적용할 수 없다(헌재 2004.5.14, 2004헌나1).

08 정답 ③

③ (×) 하나의 형사재판절차에서 다루어진 사건을 대상으로 동시에 징역형과 자격정지형을 병과하는 것은 이중처벌금지원칙에 위반되지 아니한다(헌재 2018.3.29, 2016헌바361).

① (○) 이중처벌금지의 원칙은 한번 판결이 확정되면 동일한 사건에 대해서는 다시 심판할 수 없다는 일사부재리의 원칙이 국가형벌권의 기속원리로 헌법상 선언된 것으로서, 동일한 범죄행위에 대하여 국가가 형벌권을 거듭 행사할 수 없도록 함으로써 국민의 기본권 특히 신체의 자유를 보장하기 위한 것이다(헌재 1994.6.30, 92헌바38).

② (○) 헌법 제13조 제1항에서 말하는 처벌은 원칙으로 범죄에 대한 '국가의 형벌권 실행으로서의 과벌'을 의미하는 것이고, 국가가 행하는 일체의 제재나 불이익처분을 모두 그 처벌에 포함시킬 수는 없다(헌재 1994.6.30, 92헌바38).

④ (○) 집행유예가 실효되는 경우에 부활되는 본형은 이미 판결이 확정된 동일한 사건에 대하여 다시 심판한 결과 새로이 부과되는 것이 아니라 집행유예에 본래부터 내재되어 있던 효

과가 발생한 것에 불과하고 동일한 범죄행위에 대하여 국가가 형벌권을 거듭 행사하도록 하는 것이 아니므로 이중처벌금지 원칙은 문제되지 않는다(헌재 2020.6.25. 2019헌마192).

## 09 정답 ②

② (×) 무죄추정의 원칙은 형사절차뿐만 아니라 기타 일반 법생활 영역에서의 기본권 제한과 같은 경우에도 적용된다(헌재 2005.5.26. 2002헌마699).

① (○) 무죄추정이란 유죄의 판결이 확정되기 전에 죄 있는 자에 준하여 취급함으로써 법률적, 사실적 측면에서 유형, 무형의 불이익을 주는 것을 말하고, 여기서 불이익이란 유죄를 근거로 그에 대하여 사회적 비난 내지 기타 응보적 의미의 차별취급을 가하는 유죄 인정의 효과로서의 불이익을 뜻한다(헌재 2005.5.26. 2002헌마699).

③ (○) 구속은 예외적으로 구속 이외의 방법에 의하여서는 범죄에 대한 효과적인 투쟁이 불가능하여 형사소송의 목적을 달성할 수 없다고 인정되는 경우에 한하여 최후의 수단으로만 사용되어야 하며 구속수사 또는 구속재판이 허용될 경우라도 그 구속기간은 가능한 한 최소한에 그쳐야 한다(헌재 2003.11.27. 2002헌마193).

④ (○) 무죄추정의 원칙이 제도적으로 표현된 것으로는, 공판절차의 입증단계에서 거증책임을 검사에게 부담시키는 제도, 보석 및 구속적부심 등 인신구속의 제한을 위한 제도, 그리고 피의자 및 피고인에 대한 부당한 대우 금지 등이 있다(헌재 2001.11.29. 2001헌바41).

## 10 정답 ③

③ (×) 현행 헌법 제12조 제3항 중 "검사의 신청"이라는 부분의 취지도 모든 영장의 발부에 검사의 신청이 필요하다는 것이 아니라 수사단계에서 영장의 발부를 신청할 수 있는 자를 검사로 한정한 것으로 해석함이 타당하다(헌재 1997.3.27. 96헌바28).

① (○) 헌법상 영장주의의 본질은 체포·구속·압수·수색 등 기본권을 제한하는 강제처분을 함에 있어서는 중립적인 법관의 구체적 판단을 거쳐야 한다는 데에 있다(헌재 2018.6.28. 2012헌마191).

② (○) 형사절차가 아니라 하더라도 실질적으로 수사기관에 의한 인신구속과 동일한 효과를 발생시키는 인신구금은 영장주의의 본질상 그 적용대상이 되어야 한다(헌재 2020.9.24. 2017헌바157 영창사건 4인의 재판관의 보충의견).

④ (○) 법원이 직권으로 발부하는 영장과 수사기관의 청구에 의하여 발부하는 구속영장의 법적 성격은 같지 않는데, 전자는 명령장으로서의 성질을 갖고 후자는 허가장으로서의 성질을 갖는다(헌재 1997.3.27. 96헌바28).

# 경찰헌법 4회 모의고사 정답 및 해설

## 제4회 모의고사 정답

| 01 | ① | 02 | ② | 03 | ② | 04 | ③ | 05 | ② |
|---|---|---|---|---|---|---|---|---|---|
| 06 | ④ | 07 | ① | 08 | ③ | 09 | ② | 10 | ③ |

## 01 정답 ①

① (×) 진술거부권은 고문 등 폭행에 의한 강요는 물론 법률로써도 진술을 강요당하지 아니함을 의미한다(헌재 1997.3.27, 96헌가11).

② (○) 진술거부권은 현재 피의자나 피고인으로서 수사 또는 공판절차에 계속 중인 자뿐만 아니라 장차 피의자나 피고인이 될 자에게도 보장된다(헌재 2005.12.22, 2004헌바25).

③ (○) 진술거부권에 있어서의 진술이란 형사상 자신에게 불이익이 될 수 있는 진술이므로 범죄의 성립과 양형에서의 불리한 사실 등을 말하는 것이고, 그 진술내용이 자기의 형사책임에 관련되는 것일 것을 전제로 한다(헌재 2014.9.25, 2013헌마11).

④ (○) 진술거부권의 보호대상이 되는 진술이란 언어적 표출, 즉 개인의 생각이나 지식, 경험사실을 정신작용의 일환인 언어를 통하여 표출하는 것을 의미한다(헌재 2005.12.22, 2004헌바25).

## 02 정답 ②

② (×) 불구속 피의자의 경우에도 변호인의 조력을 받을 권리는 우리 헌법에 나타난 법치국가원리, 적법절차원칙에서 인정되는 당연한 내용이고, 헌법 제12조 제4항도 이를 전제로 특히 신체구속을 당한 사람에 대하여 변호인의 조력을 받을 권리의 중요성을 강조하기 위하여 별도로 명시하고 있다(헌재 2004.9.23, 2000헌마138).

① (○) 변호인의 조력을 받을 권리란 국가권력의 일방적인 형벌권 행사에 대항하여 자신에게 부여된 헌법상・소송법상 권리를 효율적이고 독립적으로 행사하기 위하여 변호인의 도움을 얻을 피의자 및 피고인의 권리를 말한다(헌재 2016.4.28, 2015헌마243).

③ (○) 교정시설에 수용중인 수형자는 원칙적으로 변호인의 조력을 받을 권리의 주체가 될 수 없다. 다만, 수형자의 경우에도 재심절차 등에는 변호인 선임을 위한 일반적인 교통・통신이 보장될 수도 있다(헌재 1998.8.27, 96헌마398).

④ (○) 형사절차가 종료되어 교정시설에 수용 중인 수형자나 미결수용자가 형사사건의 변호인이 아닌 민사재판, 행정재판, 헌법재판 등에서 변호사와 접견할 경우에는 원칙적으로 헌법상 변호인의 조력을 받을 권리의 주체가 될 수 없다(헌재 2013.8.29, 2011헌마122).

## 03 정답 ②

② (×) 변호인의 조력을 받을 권리의 내용 중 하나인 변호인과의 접견교통권은 국가안전보장・질서유지 또는 공공복리를 위해 필요한 경우에는 법률로써 제한될 수 있다(헌재 2016.4.28, 2015헌마243).

① (○) 변호인을 선임하지 않은 피의자 등의 변호인 조력을 받을 권리는 변호인 선임을 통하여 구체화되는데, 피의자 등의 변호인 선임권은 변호인의 조력을 받을 권리의 출발점이자 가장 기초적인 구성부분으로서 법률로써도 제한할 수 없는 권리이다(헌재 2019.2.28, 2015헌마1204).

③ (○) 변호인과 상담하고 조언을 구할 권리는 변호인의 조력을 받을 권리의 내용 중 구체적인 입법형성이 필요한 다른 절차적 권리의 필수적인 전제요건으로서 변호인의 조력을 받을 권리 그 자체에서 막바로 도출되는 것이다(헌재 2004.9.23, 2000헌마138).

④ (○) 불구속 피의자가 피의자신문시 변호인의 조언과 상담을 원한다면, 위법한 조력의 우려가 있어 이를 제한하는 다른 규정이 있고 그가 이에 해당한다고 하지 않는 한 수사기관은 피의자의 위 요구를 거절할 수 없다(헌재 2004.9.23, 2000헌마138).

## 04 정답 ③

③ (×) 개인정보자기결정권의 보호대상이 되는 개인정보는 개인의 신체, 신념, 사회적 지위, 신분 등과 같이 개인의 인격주체성을 특징짓는 사항으로서 그 개인의 동일성을 식별할 수 있게 하는 일체의 정보라고 할 수 있고, 반드시 개인의 내밀한 영역이나 사사(私事)의 영역에 속하는 정보에 국한되지 않고 공적 생활에서 형성되었거나 이미 공개된 개인정보까지 포함한다(헌재 2005.5.26, 99헌마513).

① (○) 개인정보자기결정권은 자신에 관한 정보가 언제 누구에게 어느 범위까지 알려지고 또 이용되도록 할 것인지를 그 정보주체가 스스로 결정할 수 있는 권리이다. 즉 정보주체가 개인정보의 공개와 이용에 관하여 스스로 결정할 권리를 말한다(헌재 2005.5.26, 99헌마513).

② (○) 개인정보자기결정권은 자신에 관한 정보가 언제 누구에게 어느 범위까지 알려지고 또 이용되도록 할 것인지를 그 정보주체가 스스로 결정할 수 있는 권리로서, 헌법 제10조 제1문에서 도출되는 일반적 인격권 및 헌법 제17조의 사생활의 비밀과 자유에 의하여 보장된다(헌재 2016.6.30, 2015헌마924).

④ (○) 개인정보를 대상으로 한 조사・수집・보관・처리・이용 등의 행위는 모두 원칙적으로 개인정보자기결정권에 대한 제한에 해당한다(헌재 2005.5.26, 99헌마513).

## 05 정답 ②

② (×) 거주・이전의 자유는 공권력의 간섭을 받지 아니하고 일시적으로 머물 체류지와 생활의 근거되는 거주지를 자유롭게

정하고 체류지와 거주지를 변경할 목적으로 자유롭게 이동할 수 있는 자유를 내용으로 한다. 그러나 거주·이전의 자유가 국민에게 그가 선택할 직업 내지 그가 취임할 공직을 그가 선택하는 임의의 장소에서 자유롭게 행사할 수 있는 권리까지 보장하는 것은 아니다(헌재 1996.6.26, 96헌마200).

① (○) 거주·이전의 자유는 생활형성의 중심지, 즉 거주지나 체류지라고 볼 만한 정도로 생활과 밀접한 연관을 갖는 장소를 선택하고 변경하는 행위를 보호하는 기본권으로서, 생활의 근거지에 이르지 못하는 일시적인 이동을 위한 장소의 선택과 변경까지 그 보호영역에 포함되는 것은 아니다(헌재 2011.6.30, 2009헌마406).

③ (○) 거주·이전의 자유는 국내에서 체류지와 거주지를 자유롭게 정할 수 있는 자유영역뿐 아니라 나아가 국외에서 체류지와 거주지를 자유롭게 정할 수 있는 '해외여행 및 해외 이주의 자유'를 포함하고 덧붙여 대한민국의 국적을 이탈할 수 있는 '국적변경의 자유' 등도 그 내용에 포섭된다고 보아야 한다(헌재 2004.10.28, 2003헌가18).

④ (○) 해외여행 및 해외이주의 자유는 필연적으로 외국에서 체류 또는 거주하기 위해서 대한민국을 떠날 수 있는 '출국의 자유'와 외국체류 또는 거주를 중단하고 다시 대한민국으로 돌아올 수 있는 '입국의 자유'를 포함한다(헌재 2004.10.28, 2003헌가18).

## 06 정답 ④

④ (×) 자유로운 의사소통은 통신내용의 비밀을 보장하는 것만으로는 충분하지 아니하고 구체적인 통신으로 발생하는 외형적인 사실관계, 특히 통신관여자의 인적 동일성·통신시간·통신장소·통신횟수 등 통신의 외형을 구성하는 통신이용의 전반적 상황의 비밀까지도 보장해야 한다(헌재 2018.6.28, 2012헌마191).

① (○) 통신의 자유란 개인이 그 의사나 정보를 우편물이나 전기통신 등의 수단에 의하여 전달 또는 교환하는 경우에 그 내용 등이 본인의 의사에 반하여 공개되지 아니할 자유를 말한다(헌재 2001.3.21, 2000헌바25).

② (○) 통신의 자유란 통신수단을 자유로이 이용하여 의사소통할 권리이고, 이러한 '통신수단의 자유로운 이용'에는 자신의 인적사항을 누구에게도 밝히지 않는 상태로 통신수단을 이용할 자유, 즉 통신수단의 익명성 보장도 포함된다(헌재 2019.9.26, 2017헌마1209).

③ (○) 통신의 비밀이란 서신·우편·전신의 통신수단을 통하여 개인 간에 의사나 정보의 전달과 교환(의사소통)이 이루어지는 경우, 통신의 내용과 통신이용의 상황이 개인의 의사에 반하여 공개되지 아니할 자유를 의미한다(헌재 2019.9.26, 2017헌마1209).

## 07 정답 ①

① (×) 통신의 중요한 수단인 서신의 당사자나 내용은 본인의 의사에 반하여 공개될 수 없으므로 서신의 검열은 원칙으로 금지된다. 그러나 통신의 자유도 절대적인 것은 아니므로 헌법 제37조 제2항에 따라 국가안전보장·질서유지 또는 공공복리를 위하여 필요한 경우에는 법률로써 제한할 수 있고, 다만 제한하는 경우에도 그 본질적인 내용은 침해할 수 없다(헌재 1998.8.27, 96헌마398).

② (○) 통신비밀보호법상 '감청'이란 대상이 되는 전기통신의 송·수신과 동시에 이루어지는 경우만을 의미하고, 이미 수신이 완료된 전기통신의 내용을 지득하는 등의 행위는 포함되지 않는다(대판 2012.10.25, 2012도4644).

③ (○) 불법검열에 의하여 취득한 우편물이나 그 내용 및 불법감청에 의하여 지득 또는 채록된 전기통신의 내용은 재판 또는 징계절차에서 증거로 사용할 수 없다(통신비밀보호법 제4조).

④ (○) 검사 또는 사법경찰관은 통신사실 확인자료제공을 받은 사건에 관하여 통신비밀보호법이 정한 기간 내에 통신사실 확인자료제공을 받은 사실과 제공요청기관 및 그 기간 등을 통신사실 확인자료제공의 대상이 된 당사자에게 서면으로 통지하여야 한다(통신비밀보호법 제13조의3 제1항).

## 08 정답 ③

③ (×) 특정한 내적인 확신 또는 신념이 양심으로 형성된 이상 그 내용 여하를 떠나 양심의 자유에 의해 보호되는 양심이 될 수 있으므로, 헌법상 양심의 자유에 의해 보호받는 '양심'으로 인정할 것인지의 판단은 그것이 깊고, 확고하며, 진실된 것인지 여부에 따르게 된다(헌재 2018.6.28, 2011헌바379).

① (○) 헌법은 제19조는 양심의 자유를 국민의 기본권으로 보장하고 있는데, 인간의 존엄성 유지와 개인의 자유로운 인격발현을 최고의 가치로 삼는 우리 헌법상의 기본권체계 내에서 양심의 자유의 기능은 개인적 인격의 정체성과 동질성을 유지하는 데 있다(헌재 2004.8.26, 2002헌가1).

② (○) 헌법상 보호되는 양심은 어떤 일의 옳고 그름을 판단함에 있어서 그렇게 행동하지 아니하고는 자신의 인격적인 존재가치가 허물어지고 말 것이라는 강력하고 진지한 마음의 소리로서 절박하고 구체적인 양심을 말한다(헌재 2018.6.28, 2011헌바379).

④ (○) 양심은 민주적 다수의 사고나 가치관과 일치하는 것이 아니라, 개인적 현상으로서 지극히 주관적인 것이다. 그래서 양심은 그 대상이나 내용 또는 동기에 의하여 판단될 수 없으며, 특히 양심상의 결정이 이성적·합리적인가, 타당한가 또는 법질서나 사회규범·도덕률과 일치하는가 하는 관점은 양심의 존재를 판단하는 기준이 될 수 없다(헌재 2018.6.28, 2011헌바379).

09 정답 ②

② (×) 양심에 대한 사회적·도덕적 판단이나 평가는 당연히 가능하며, 양심이기 때문에 무조건 그 자체로 정당하다거나 도덕적이라는 의미는 아니다(헌재 2018.6.28, 2011헌바379).

① (○) 법률판단의 문제는 개인의 인격형성과는 무관하며, 대화와 토론을 통하여 가장 합리적인 것으로 그 내용이 동화되거나 수렴될 수 있는 포용성을 가지는 분야에 속한다고 할 것이므로 헌법 제19조에 의하여 보장되는 양심의 영역에 포함되지 아니한다(헌재 2002.1.31, 2001헌바43).

③ (○) 개인의 양심은 사회 다수의 정의관·도덕관과 일치하지 않을 수 있으며, 오히려 헌법상 양심의 자유가 문제되는 상황은 개인의 양심이 국가의 법질서나 사회의 도덕률에 부합하지 않는 경우이므로, 헌법에 의해 보호받는 양심은 법질서와 도덕에 부합하는 사고를 가진 다수가 아니라 이른바 '소수자'의 양심이 되기 마련이다(헌재 2018.6.28, 2011헌바379).

④ (○) 양심의 자유 중 양심형성의 자유는 내심에 머무르는 한, 절대적으로 보호되는 기본권이라 할 수 있는 반면, 양심적 결정을 외부로 표현하고 실현할 수 있는 권리인 양심실현의 자유는 법질서에 위배되거나 타인의 권리를 침해할 수 있기 때문에 법률에 의하여 제한될 수 있다(헌재 2018.6.28, 2011헌바379).

10 정답 ③

③ (×) 종교전파의 자유는 국민에게 그가 선택한 임의의 장소에서 자유롭게 행사할 수 있는 권리까지 보장한다고 할 수 없으며, 그 임의의 장소가 대한민국의 주권이 미치지 아니하는 지역 나아가 국가에 의한 국민의 생명·신체 및 재산의 보호가 강력히 요구되는 해외 위난지역인 경우에는 더욱 그러하다(헌재 2008.6.26, 2007헌마1366).

① (○) 신앙의 자유는 신과 피안 또는 내세에 대한 인간의 내적 확신에 대한 자유를 말하는 것으로서, 이러한 신앙의 자유는 그 자체가 내심의 자유의 핵심이기 때문에 법률로써도 이를 침해할 수 없다(헌재 2016.6.30, 2015헌바46).

② (○) 종교의 자유에는 신앙에 대한 침묵을 뜻하는 소극적인 신앙고백의 자유와 자신의 종교적인 확신에 반하는 행위를 강요당하지 아니하는 소극적인 종교행위의 자유 등이 포함된다(대판 2010.4.22, 2008다38288).

④ (○) 종교교육이라 하더라도 그것이 학교나 학원이라는 교육기관의 형태를 취할 경우에는 교육법이나 학원법상의 규정에 의한 규제를 받게 된다고 보아야 할 것이고, 종교교육이라고 해서 예외가 될 수 없다 할 것이다. 그러나 그러한 종교단체가 교육법상의 학교나 학원법상의 학원 형태가 아닌 교단 내부의 순수한 성직자 내지 교리자 양성기관을 운영하는 것은 방해받지 아니한다고 볼 것이다(헌재 2000.3.30, 99헌바14).

# 경찰헌법 5회 모의고사 정답 및 해설

제5회 모의고사 정답

| | | | | | | | | | |
|---|---|---|---|---|---|---|---|---|---|
| 01 | ③ | 02 | ② | 03 | ④ | 04 | ② | 05 | ① |
| 06 | ① | 07 | ② | 08 | ② | 09 | ④ | 10 | ① |

## 01 정답 ③

③ (×) 표현의 자유는 개인이 자기의 인격을 형성하는 개인적 가치인 자기실현의 수단임과 동시에 정치적 의사결정에 참여하는 사회적 가치인 자기통치를 실현하는 수단이라는 점에서 이러한 자유는 공무원에게도 원칙적으로 보장되어야 한다(헌재 2018.7.26, 2016헌바139).

① (○) 언론・출판의 자유의 내용 중 의사표현・전파의 자유에 있어서 의사표현 또는 전파의 매개체는 어떠한 형태이건 가능하며 그 제한이 없으므로, 담화・연설・토론・연극・방송・음악・영화・가요 등과 문서・소설・시가・도화・사진・조각・서화 등 모든 형상의 의사표현 또는 의사전파의 매개체를 포함한다(헌재 2009.5.28, 2006헌바109).

② (○) 표현의 자유는 자신의 의사를 표현・전달하고, 의사형성에 필요한 정보를 수집・접수하며, 객관적인 사실을 보도・전파할 수 있는 자유를 그 내용으로 하는 주관적 공권일 뿐 아니라, 의사표현과 여론형성 그리고 정보의 전달을 통하여 국민의 정치적 공감대에 바탕을 둔 민주정치를 실현시키고 동화적 통합을 이루기 위한 객관적 가치질서로서의 성격도 갖는다(헌재 2009.5.28, 2006헌바109).

④ (○) 표현의 자유는 사상 또는 의견의 자유로운 표명(발표의 자유)과 그것을 전파할 자유(전달의 자유)를 의미한다. 이러한 표현의 자유는 표현의 형식과 방법, 시기 면에서도 원칙적으로 제한받지 않을 것이 요구된다(헌재 2020.11.26, 2016헌마275).

## 02 정답 ②

② (×) 일반적으로 표현의 자유는 정보의 전달 또는 전파와 관련지어 생각되므로 구체적인 전달이나 전파의 상대방이 없는 집필의 단계를 표현의 자유의 보호영역에 포함시킬 것인지 의문이 있을 수 있으나, 집필은 문자를 통한 모든 의사표현의 기본 전제가 된다는 점에서 당연히 표현의 자유의 보호영역에 속해 있다(헌재 2005.2.24, 2003헌마289).

① (○) 광고가 단순히 상업적인 상품이나 서비스에 관한 사실을 알리는 경우에도 그 내용이 공익을 포함하는 때에는 헌법 제21조의 표현의 자유에 의하여 보호된다(헌재 2002.12.18, 2000헌마764).

③ (○) 자유로운 표명과 전파의 자유에는 자신의 신원을 누구에게도 밝히지 아니한 채 익명 또는 가명으로 자신의 사상이나 견해를 표명하고 전파할 익명표현의 자유도 그 보호영역에 포함된다(헌재 2010.2.25, 2008헌마324).

④ (○) 인터넷 공간에서의 익명표현이 부작용을 초래할 우려가 있다 하더라도 그것이 갖는 헌법적 가치에 비추어 강하게 보호되어야 한다(헌재 2012.8.23, 2010헌마47).

## 03 정답 ④

④ (×) 알 권리의 실현은 법률의 제정이 뒤따라 이를 구체화시키는 것이 충실하고도 바람직하지만, 그러한 법률이 제정되어 있지 않다고 하더라도 불가능한 것은 아니고 헌법 제21조에 의해 직접 보장될 수 있다(헌재 1991.5.13, 90헌마133).

① (○) 알 권리란 모든 정보원으로부터 일반적 정보를 수집하고 이를 처리할 수 있는 권리를 말한다. 여기서 일반적이란 신문, 잡지, 방송 등 불특정다수인에게 개방될 수 있는 것을 말하며, 정보란 양심, 사상, 의견, 지식 등의 형성에 관련이 있는 일체의 자료를 말한다(헌재 2010.10.28, 2008헌마638).

② (○) 정보에의 접근・수집・처리의 자유, 즉 알 권리는 표현의 자유에 당연히 포함되는 것으로 보아야 하는 것이다(헌재 1989.9.4, 88헌마22).

③ (○) 자유로운 의사의 형성은 정보에의 접근이 충분히 보장됨으로써 비로소 가능한 것이며, 그러한 의미에서 정보에의 접근・수집・처리의 자유, 즉 알 권리는 표현의 자유와 표리일체의 관계에 있으며 자유권적 성질과 청구권적 성질을 공유하는 것이다(헌재 1991.5.13, 90헌마133).

## 04 정답 ②

② (×) 국민은 헌법상 보장된 알권리의 한 내용으로서 국회에 대하여 입법과정의 공개를 요구할 권리를 가지며, 국회의 의사에 대하여는 직접적인 이해관계 유무와 상관없이 일반적 정보공개청구권을 가진다고 할 수 있다(헌재 2009.9.24, 2007헌바17).

① (○) 알 권리의 핵심은 정부가 보유하고 있는 정보에 대한 국민의 알권리, 즉 국민의 정부에 대한 일반적 정보공개를 구할 권리(청구권적 기본권)라고 할 것이며, 또한 자유민주적 기본질서를 천명하고 있는 헌법 전문과 제1조 및 제4조의 해석상 당연한 것이라고 봐야 할 것이다(헌재 1989.9.4, 88헌마22).

③ (○) 국가안전의 보장과 관련된 내용이 아닌 정부 또는 어떤 정치세력의 단순한 정치적 이익이나 행정편의에 관련된 것에 불과한 이른바 가성비밀은 국가기밀에 해당하지 아니한다(헌재 1997.1.16, 92헌바6).

④ (○) 알 권리에서 파생되는 정부의 공개의무는 특별한 사정이 없는 한 국민의 적극적인 정보수집행위, 특히 특정의 정보에 대한 공개청구가 있는 경우에야 비로소 존재하므로, 정보공개청구가 없었던 경우 사전에 공개할 정부의 의무는 인정되지 아니한다(헌재 2004.12.16, 2002헌마579).

05 정답 ①

① (×) 헌법 제21조 제4항은 언론・출판의 자유에 따르는 책임과 의무를 강조하는 동시에 '언론・출판의 자유에 대한 제한의 요건'을 명시한 규정으로 볼 것이고, 헌법상 표현의 자유의 보호영역 한계를 설정한 것이라고는 볼 수 없다(헌재 2009.5.28, 2006헌바109).

② (○) 명예란 사람의 품성, 명성, 신용 등 인격적 가치에 대하여 사회로부터 받는 객관적인 평가를 말하고, 특히 법인의 경우에는 그 사회적 명성과 신용을 가리키는 것이며, 명예훼손이란 명예주체에 대한 사회적 평가를 저하시키는 일체의 행위를 말한다(대판 2000.7.28, 99다6203).

③ (○) 개인의 언론 활동이 타인의 명예를 훼손하는 경우, 행위자와 피해자라는 개인 대 개인 간의 사적 관계에서는 언론의 자유보다 명예 보호라는 인격권이 우선하나, 당해 표현이 공공적・사회적・객관적인 의미를 가진 정보에 해당되는 것은 그 평가를 달리 하여야 한다(헌재 1999.6.24, 97헌마265).

④ (○) 음란표현은 헌법 제21조가 규정하는 언론・출판의 자유의 보호영역 내에 있다(헌재 2009.5.28, 2006헌바109).

06 정답 ①

① (×) 헌법 제21조 제2항의 검열은 그 명칭이나 형식과 관계없이 실질적으로 행정권이 주체가 되어 사상이나 의견 등이 발표되기 이전에 예방적 조치로서 그 내용을 심사, 선별하여 발표를 사전에 억제하는, 즉 허가받지 아니한 것의 발표를 금지하는 제도를 뜻한다(헌재 2001.8.30, 2000헌가9).

② (○) 사전검열은 절대적으로 금지되고, 여기에서 절대적이라 함은 언론・출판의 자유의 보호를 받는 표현에 대해서는 사전검열금지원칙이 예외 없이 적용된다는 의미이다(헌재 2001.8.30, 2000헌가9).

③ (○) 심의기관에서 허가절차를 통하여 영화의 상영 여부를 종국적으로 결정할 수 있도록 하는 것은 검열에 해당하나, 예컨대 영화의 상영으로 인한 실정법위반의 가능성을 사전에 막고, 청소년 등에 대한 상영이 부적절할 경우 이를 유통단계에서 효과적으로 관리할 수 있도록 미리 등급을 심사하는 것은 사전검열이 아니다(헌재 1996.10.4, 93헌가13).

④ (○) 검열을 행정기관이 아닌 독립적인 위원회에서 행한다고 하더라도, 행정권이 주체가 되어 검열절차를 형성하고 검열기관의 구성에 지속적인 영향을 미칠 수 있는 경우라면 실질적으로 그 검열기관은 행정기관이라고 보아야 한다(헌재 2008.10.30, 2004헌가18).

07 정답 ②

② (×) 일반적으로 집회는, 일정한 장소를 전제로 하여 특정 목적을 가진 다수인이 일시적으로 회합하는 것을 말하는 것으로 일컬어지고 있고, 그 공동의 목적은 '내적인 유대 관계'로 족하다(헌재 2009.5.28, 2007헌바22).

① (○) 집회의 자유에는 집회를 통하여 형성된 의사를 집단적으로 표현하고 이를 통해 불특정 다수인의 의사에 영향을 줄 자유를 포함한다. 따라서 이를 내용으로 하는 시위의 자유 또한 집회의 자유를 규정한 헌법 제21조 제1항에 의하여 보호되는 기본권이다(헌재 2005.11.24, 2004헌가17).

③ (○) 헌법이 집회의 자유를 보장한 것은 관용과 다양한 견해가 공존하는 다원적인 '열린사회'에 대한 헌법적 결단이다(헌재 2009.9.24, 2008헌가25).

④ (○) 집회의 자유는 다른 법익의 보호를 위하여 정당화되지 않는 한, 집회장소를 항의의 대상으로부터 분리시키는 것을 금지한다(헌재 2003.10.30, 2000헌바67).

08 정답 ②

② (×) '행정청이 주체가 되어 집회의 허용 여부를 사전에 결정하는 것'으로서 행정청에 의한 사전허가는 헌법상 금지되지만, 입법자가 법률로써 일반적으로 집회를 제한하는 것은 헌법상 '사전허가금지'에 해당하지 않는다(헌재 2009.9.24, 2008헌가25).

① (○) 비록 헌법이 명시적으로 밝히고 있지는 않으나, 집회의 자유에 의하여 보호되는 것은 단지 '평화적' 또는 '비폭력적' 집회이다(헌재 2003.10.30, 2000헌바67).

③ (○) 집회의 자유에 대한 제한은 다른 중요한 법익의 보호를 위하여 반드시 필요한 경우에 한하여 정당화되는 것이며, 특히 집회의 금지와 해산은 원칙적으로 공공의 안녕질서에 대한 직접적인 위협이 명백하게 존재하는 경우에 한하여 허용될 수 있다(헌재 2003.10.30, 2000헌바67).

④ (○) 집회의 금지와 해산은 집회의 자유를 보다 적게 제한하는 다른 수단, 즉 조건을 붙여 집회를 허용하는 가능성을 모두 소진한 후에 비로소 고려될 수 있는 최종적인 수단이다(헌재 2003.10.30, 2000헌바67).

09 정답 ④

④ (×) 관할 경찰관서장으로서는 단순히 신고사항에 미비점이 있었다거나 신고의 범위를 일탈하였다는 이유만으로 당해 옥외집회 또는 시위 자체를 해산하거나 저지하여서는 아니 될 것이고, 그로 인하여 타인의 법익 기타 공공의 안녕질서에 대하여 직접적인 위험이 초래된 경우에 비로소 그 위험의 방지・제거에 적합한 제한조치를 취할 수 있되, 그 조치는 법령에 의하여 허용되는 범위 내에서 필요한 최소한도에 그쳐야 한다(대판 2001.10.9, 98다20929).

① (○) 옥외집회나 시위를 주최하려는 자는 그에 관한 목적, 일시(필요한 시간), 장소, 주최자(단체인 경우에는 그 대표자 포함), 참가 예정인 단체와 인원, 시위의 경우 그 방법(진로와 약도 포함) 모두를 적은 신고서를 옥외집회나 시위를 시작하기 720시간 전부터 48시간 전에 관할 경찰서장에게 제출하여야 한다(집시법 제6조 제1항).

② (O) 누구든지 해가 뜨기 전이나 해가 진 후에는 옥외집회 또는 시위를 하여서는 아니 된다. 다만, 집회의 성격상 부득이하여 주최자가 질서유지인을 두고 미리 신고한 경우에는 관할 경찰관서장은 질서 유지를 위한 조건을 붙여 해가 뜨기 전이나 해가 진 후에도 옥외집회를 허용할 수 있다(집시법 제10조).
③ (O) 경찰관은 집회 또는 시위의 주최자에게 알리고 그 집회 또는 시위의 장소에 정복을 입고 출입할 수 있다. 다만, 옥내집회 장소에 출입하는 것은 직무 집행을 위하여 긴급한 경우에만 할 수 있다(집시법 제19조 제1항).

10 정답 ①

① (×) 결사란 자연인 또는 법인의 다수가 상당한 기간 동안 공동목적을 위하여 자유의사에 기하여 결합하고 조직화된 의사형성이 가능한 단체를 말하는 것으로, 공법상의 결사나 법이 특별한 공공목적에 의하여 구성원의 자격을 정하고 있는 특수단체의 조직활동은 이에 포함되지 아니한다(헌재 1994.2.24, 92헌바43).
② (O) 헌법재판소는 결사의 자유에서 말하는 결사의 공동목적의 범위를 비영리적인 것으로 제한하지는 않았고, 영리단체를 결사에서 제외하여야 할 뚜렷한 근거가 없는 터이므로, 영리단체도 헌법상 결사의 자유에 의하여 보호된다(헌재 2002.9.19, 2000헌바84).
③ (O) 결사의 자유는 인격발현과 관련된 기본권이라는 점에서 외국인에게도 인정된다. 한편 법인 등 결사체도 그 조직과 의사형성에 있어서, 그리고 업무수행에 있어서 자기결정권을 가지고 있어 결사의 자유의 주체가 된다(헌재 2000.6.1, 99헌마553).
④ (O) 결사의 자유에는 '단체활동의 자유'도 포함되는데, 단체활동의 자유는 단체 외부에 대한 활동뿐만 아니라 단체의 조직, 의사형성의 절차 등의 단체의 내부적 생활을 스스로 결정하고 형성할 권리인 '단체 내부 활동의 자유'를 포함한다(헌재 2012.12.27, 2011헌마562).

# 경찰헌법 6회 모의고사 정답 및 해설

## 제6회 모의고사 정답

| | | | | | | | | | |
|---|---|---|---|---|---|---|---|---|---|
| 01 | ③ | 02 | ① | 03 | ② | 04 | ① | 05 | ② |
| 06 | ③ | 07 | ④ | 08 | ④ | 09 | ③ | 10 | ② |

### 01 정답 ③

③ (×) 헌법상의 재산권은 토지소유자가 이용가능한 모든 용도로 토지를 자유로이 최대한 사용할 권리나 가장 경제적 또는 효율적으로 사용할 수 있는 권리를 보장하는 것을 의미하지는 않는다. 입법자는 중요한 공익상의 이유와 앞에서 본 토지가 가진 특성에 따라 토지를 일정용도로 사용하는 권리를 제한할 수 있기 때문이다(헌재 1998.12.24, 89헌마214).

① (○) 우리 헌법상의 재산권에 관한 규정은 다른 기본권규정과는 달리 그 내용과 한계가 법률에 의해 구체적으로 형성되는 기본권 형성적 법률유보의 형태를 띠고 있으므로, 재산권의 구체적 모습은 재산권의 내용과 한계를 정하는 법률에 의하여 형성되고, 그 법률은 재산권을 제한한다는 의미가 아니라 재산권을 형성한다는 의미를 갖는다(헌재 1993.7.29, 92헌바20).

② (○) 재산권의 내용과 한계를 법률로 정한다는 것은 헌법적으로 보장된 재산권의 내용을 구체화하면서 이를 제한하는 것으로 볼 수 있다. 다만 이러한 경우에도 사유재산제도나 사유재산을 부인하는 것은 재산권보장규정의 침해를 의미하고 결코 재산권 형성적 법률유보라는 이유로 정당화될 수 없다(헌재 2006.11.30, 2003헌바66).

④ (○) 재산권 수용적 법률이란 국가가 구체적인 공적 과제를 수행하기 위하여 이미 형성된 구체적인 재산적 권리를 전면적 또는 부분적으로 박탈하거나 제한하는 법률을 말한다(헌재 1999.4.29, 94헌바37).

### 02 정답 ①

① (×) 재산권의 내용을 새로이 형성하는 규정은 비례의 원칙을 기준으로 판단하였을 때 공익에 의하여 정당화되는 경우에만 합헌적이다. 즉, 재산권의 내용을 새로이 형성하는 법률이 합헌적이기 위하여서는 장래에 적용될 법률이 헌법에 합치하여야 할 뿐만 아니라, 또한 과거의 법적 상태에 의하여 부여된 구체적 권리에 대한 침해를 정당화하는 이유가 존재하여야 한다(헌재 1999.4.29, 94헌바37).

② (○) 재산권의 내용과 한계를 정하는 법률도 사유재산제도나 사유재산을 부인하는 것은 재산권 보장 규정의 침해를 의미하고 결코 재산권 형성적 법률유보라는 이유로 정당화될 수 없다(헌재 2019.9.26, 2016헌바314).

③ (○) 새로운 법규정으로 '이미 실현된 토지사용을 배제'한다면, 즉 토지를 종래 합법적으로 행사된 토지이용의 목적으로도 사용할 수 없는 경우에는 토지재산권의 제한을 단순히 사회적 제약으로 판단할 수 없고 수용적 효과를 인정해야 한다(헌재 2003.4.24, 99헌바110).

④ (○) 공공필요에 의한 재산권의 공권력적, 강제적 박탈을 의미하는 공용수용은 국민의 재산권을 그 의사에 반하여 강제적으로라도 취득해야 할 공익적 필요성이 있을 것, 수용과 그에 대한 보상은 모두 법률에 의거할 것, 정당한 보상을 지급할 것의 요건을 갖추어야 합헌적인 것이라고 할 수 있다(헌재 2006.7.27, 2003헌바18).

### 03 정답 ②

② (×) 어떤 공과금이 조세인지 아니면 부담금인지는 단순히 법률에서 그것을 무엇으로 성격 규정하고 있느냐를 기준으로 할 것이 아니라, 그 실질적인 내용을 결정적인 기준으로 삼아야 한다(헌재 2004.7.15, 2002헌바42).

① (○) 조세는 국가 등의 일반적 과제의 수행을 위한 것으로서 담세능력이 있는 일반국민에 대해 부과되지만, 부담금은 특별한 과제의 수행을 위한 것으로서 당해 공익사업과 일정한 관련성이 있는 특정 부류의 사람들에 대해서만 부과되는 점에서 차이가 있다(헌재 2004.7.15, 2002헌바42).

③ (○) 부담금은 조세에 대한 관계에서 어디까지나 예외적으로만 인정되어야 하며, 어떤 공적 과제에 관한 재정조달을 조세로 할 것인지 아니면 부담금으로 할 것인지에 관하여 입법자의 자유로운 선택권을 허용하여서는 안 된다(헌재 2004.7.15, 2002헌바42).

④ (○) 부담금은 국민의 재산권을 제한하는 성격을 가지고 있으므로 부담금을 부과함에 있어서도 평등원칙이나 비례성원칙과 같은 재산권 제한 입법의 한계 역시 준수되어야 한다(헌재 2008.9.25, 2007헌가1).

### 04 정답 ①

① (×) 직업이란 생활의 기본적 수요를 충족시키기 위한 계속적인 활동, 즉 총체적이며 경제적 성질을 가지는 모든 소득활동을 의미하며 이러한 활동인 한 그 종류나 성질을 불문한다(헌재 1993.5.13, 92헌마80).

② (○) 직업의 자유는 국가자격제도정책과 국가의 경제상황에 따라 법률에 의하여 제한할 수 있고 인류보편적인 성격을 지니고 있지 아니하므로 국민의 권리에 해당한다. 이와 같이 헌법에서 인정하는 직업의 자유는 원칙적으로 대한민국 국민에게 인정되는 기본권이지, 외국인에게 인정되는 기본권은 아니다(헌재 2014.8.28, 2013헌마359).

③ (○) 개개인이 선택한 직업의 수행에 의하여 국가의 사회질서와 경제질서가 형성된다는 점에서, 직업의 자유는 사회적 시장경제질서라고 하는 객관적 법질서의 구성요소이기도 하다(헌재 2011.9.29, 2009헌마351).

④ (○) 직업선택의 자유에는 자신이 원하는 직업 내지 직종에 종사하는 데 필요한 전문지식을 습득하기 위한 직업교육장을 임의로 선택할 수 있는 직업교육장 선택의 자유도 포함된다(헌재 2009.2.26, 2007헌마1262).

## 05 정답 ②

② (×) 직장선택의 자유는 원하는 직장을 제공하여 줄 것을 청구하거나 한번 선택한 직장의 존속보호를 청구할 권리를 보장하지 않으며, 또한 사용자의 처분에 따른 직장 상실로부터 직접 보호하여 줄 것을 청구할 수도 없다. 다만 국가는 이 기본권에서 나오는 객관적 보호의무, 즉 사용자에 의한 해고로부터 근로자를 보호할 의무를 질뿐이다(헌재 2002.11.28, 2001헌바50).

① (○) 헌법 제15조가 보장하는 직업의 자유는 독립적 형태의 직업활동뿐만 아니라 고용된 형태의 종속적인 직업활동도 보장한다. 따라서 직업선택의 자유는 직장선택의 자유를 포함한다(헌재 2002.11.28, 2001헌바50).

③ (○) 좁은 의미의 직업선택의 자유를 제한하는 것은 인격발현에 대한 침해의 효과가 직업수행의 자유를 제한하는 경우보다 일반적으로 크기 때문에 전자에 대한 제한은 후자에 대한 제한보다 더 엄격한 제약을 받는다(헌재 2010.5.27, 2008헌바110).

④ (○) 직업선택의 자유를 제한하는 경우에 기본권 주체의 능력이나 자격 등 주관적 사유에 의한 제한보다는 기본권 주체와는 전혀 무관한 객관적 사유를 이유로 하는 제한이 가장 심각한 제약이 되므로, 객관적 사유에 의한 직업선택의 자유의 제한은 가장 엄격한 요건이 갖추어진 경우에만 허용될 수 있고 그 제한법률에 대한 심사기준도 엄격한 비례의 원칙이 적용된다(헌재 2010.5.27, 2008헌바110).

## 06 정답 ③

③ (×) 국민투표법조항이 국회의원선거권자인 재외선거인에게 국민투표권을 인정하지 않은 것은 국회의원선거권자의 헌법개정안 국민투표 참여를 전제하고 있는 헌법 제130조 제2항의 취지에도 부합하지 않는다(헌재 2014.7.24, 2009헌마256).

① (○) 헌법 제72조에 의한 중요정책에 관한 국민투표는 국가안위에 관계되는 사항에 관하여 대통령이 제시한 구체적인 정책에 대한 주권자인 국민의 승인절차라 할 수 있고, 헌법 제130조 제2항에 의한 헌법개정에 관한 국민투표는 대통령 또는 국회가 제안하고 국회의 의결을 거쳐 확정된 헌법개정안에 대하여 주권자인 국민이 최종적으로 그 승인 여부를 결정하는 절차이다(헌재 2007.6.28, 2004헌마644).

② (○) 대의기관의 선출주체가 곧 대의기관의 의사결정에 대한 승인주체가 되는 것은 당연한 논리적 귀결이므로, 국민투표권자의 범위는 대통령선거권자·국회의원선거권자와 일치되어야 한다(헌재 2007.6.28, 2004헌마644).

④ (○) 대법원은 국민투표무효의 소송에 있어서 국민투표에 관하여 국민투표법 또는 국민투표법에 의하여 발하는 명령에 위반하는 사실이 있는 경우라도 국민투표의 결과에 영향이 미쳤다고 인정하는 때에 한하여 국민투표의 전부 또는 일부의 무효를 판결한다(국민투표법 제93조).

## 07 정답 ④

④ (×) 승진시험의 응시제한이나 이를 통한 승진기회의 보장 문제는 공직신분의 유지나 업무수행에는 영향을 주지 않는 단순한 내부 승진인사에 관한 문제에 불과하여 공무담임권의 보호영역에 포함된다고 보기는 어렵다(헌재 2007.6.28, 2005헌마1179).

① (○) 공무담임권이란 입법부, 집행부, 사법부는 물론 지방자치단체 등 국가, 공공단체의 구성원으로서 그 직무를 담당할 수 있는 권리를 말한다(헌재 2006.2.23, 2005헌마403).

② (○) 직무를 담당한다는 것은 모든 국민이 현실적으로 그 직무를 담당할 수 있다고 하는 의미가 아니라, 국민이 공무담임에 관한 자의적이지 않고 '평등한 기회를 보장받음'을 의미한다(헌재 2006.5.25, 2004헌바12).

③ (○) 공무담임권의 보호영역에는 공직취임의 기회의 자의적인 배제뿐 아니라, 공무원 신분의 부당한 박탈까지 포함되는 것이라고 할 것이다(헌재 2005.10.27, 2004헌바41).

## 08 정답 ④

④ (×) 헌법 제25조의 공무담임권의 보호영역에는 공무원이 특정의 장소에서 근무하는 것이나 특정의 보직을 받아 근무하는 것을 포함하는 일종의 공무수행의 자유까지 포함된다고 보기 어렵다(헌재 2014.1.28, 2011헌마239).

① (○) 승진임용은 신규임용과 함께 공무원을 임용하는 방법 중 하나이므로, 공무담임권은 공직취임의 기회 균등뿐만 아니라 취임한 뒤 승진할 때에도 균등한 기회 제공을 요구한다(헌재 2018.7.26, 2017헌마1183).

② (○) 기능직공무원이 일반직공무원으로 우선 임용될 수 있는 기회의 보장은 공무담임권에서 당연히 파생되는 것으로 볼 수 없다(헌재 2013.11.28, 2011헌마565).

③ (○) 헌법 제25조의 공무담임권이 공무원의 재임 기간 동안 충실한 공무 수행을 담보하기 위하여 공무원의 퇴직급여 및 공무상 재해보상을 보장할 것까지 그 보호영역으로 하고 있다고 보기 어렵다(헌재 2014.6.26, 2012헌마459).

## 09 정답 ③

③ (×) 동일인이 같은 내용의 청원서를 2개 이상의 청원기관에 제출한 경우 소관이 아닌 청원기관의 장은 청원서를 소관 청원기관의 장에게 이송하여야 한다(청원법 제16조 제2항).

① (○) 헌법 제26조와 청원법의 규정에 관하여 헌법상 보장된 청원권은 공권력과의 관계에서 일어나는 여러 가지 이해관계, 의견, 희망 등에 관하여 적법한 청원을 한 모든 당사자에게 국가기관이 청원을 수리할 뿐만 아니라 이를 심사하여 청원자에게 그 처리결과를 통지할 것을 요구할 수 있는 권리를 말한다(헌재 1997.7.16. 93헌마239).

② (○) 우리 헌법은 문서로 청원을 하도록 한 것 이외에 그 형식을 제한하고 있지 않으며, 청원권의 행사방법이나 그 절차를 구체화하고 있는 청원법도 제3자를 통해 하는 방식의 청원을 금지하고 있지 않다. 따라서 국민이 여러 가지 이해관계 또는 국정에 관해서 자신의 의견이나 희망을 해당 기관에 직접 진술하는 외에 그 본인을 대리하거나 중개하는 제3자를 통해 진술하더라도 이는 청원권으로서 보호된다(헌재 2005.11.24. 2003헌바108).

④ (○) 청원기관의 장은 청원심의회의 심의를 거쳐 청원을 처리하여야 한다. 다만, 청원심의회의 심의를 거칠 필요가 없는 사항에 대해서는 심의를 생략할 수 있다(청원법 제21조 제1항).

## 10 정답 ②

② (×) 청원사항의 처리결과에 심판서나 재결서에 준하여 이유를 명시할 것을 요구하는 것은 청원권의 보호범위에 포함되지 아니하므로, 청원 소관관서는 청원법이 정하는 절차와 범위 내에서 청원사항을 성실・공정・신속히 심사하고 청원인에게 그 청원을 어떻게 처리하였거나 처리하려 하는지를 알 수 있는 정도로 결과통지함으로써 충분하다(헌재 1994.2.24. 93헌마213).

① (○) 청원기관의 장은 청원을 접수한 때에는 특별한 사유가 없으면 90일 이내(공개청원의 공개 여부 결정기간 및 국민의 의견을 듣는 기간 제외)에 처리결과를 청원인(공동청원의 경우 대표자)에게 알려야 한다. 이 경우 공개청원의 처리결과는 온라인청원시스템에 공개하여야 한다(청원법 제21조 제2항).

③ (○) 청원이 단순한 호소나 요청이 아닌 구체적인 권리행사로서의 성질을 갖는 경우라면 그에 대한 피청구인의 거부행위는 청구인의 법률관계나 법적 지위에 영향을 미치는 것으로서 당연히 헌법소원의 대상이 되는 공권력의 행사라고 할 수 있을 것이다(헌재 2004.10.28. 2003헌마898).

④ (○) 국회에 청원을 하려는 자는 의원의 소개를 받거나 국회규칙으로 정하는 기간 동안 국회규칙으로 정하는 일정한 수 이상의 국민의 동의를 받아 청원서를 제출하여야 한다(국회법 제123조 제1항).

# 경찰헌법 7회 모의고사 정답 및 해설

**제7회 모의고사 정답**

| | | | | | | | | | |
|---|---|---|---|---|---|---|---|---|---|
| 01 | ③ | 02 | ④ | 03 | ② | 04 | ④ | 05 | ② |
| 06 | ① | 07 | ③ | 08 | ① | 09 | ① | 10 | ② |

## 01 정답 ③

③ (×) '피고인 스스로 치료감호를 청구할 수 있는 권리'가 헌법상 재판청구권의 보호범위에 포함된다고 보기는 어렵다(헌재 2010.4.29, 2008헌마622).

① (○) 헌법 제27조는 "모든 국민은 헌법과 법률이 정한 법관에 의하여 법률에 의한 재판을 받을 권리를 가진다."고 규정하여 재판청구권을 보장하고 있고, 이때 재판을 받을 권리에는 민사재판, 형사재판, 행정재판, 헌법재판이 포함된다(헌재 2013.8.29, 2011헌마122).

② (○) 국민에게 중요한 사항으로서 '사실확정과 법률의 해석적용'에 관련된 문제이고 사법절차를 통하여 결정되어야 할 만한 속성을 지닌 것이라면 재판청구권의 보호범위에 포함된다(헌재 2010.4.29, 2008헌마622).

④ (○) 교정시설 내 수용자와 변호사 사이의 접견교통권의 보장은 헌법상 보장되는 재판청구권의 한 내용 또는 그로부터 파생되는 권리로 볼 수 있다(헌재 2013.8.29, 2011헌마122).

## 02 정답 ④

④ (×) 헌법 제27조에서 규정한 재판을 받을 권리에 모든 사건에 대해 상소법원의 구성법관에 의한, 상소심 절차에 의한 재판을 받을 권리까지도 당연히 포함된다고 단정할 수 없을 것이고, 모든 사건에 대해 획일적으로 상소할 수 있게 하느냐 않느냐는 특단의 사정이 없는 한 입법정책의 문제이다(헌재 1993.11.25, 91헌바8).

① (○) 재판청구권의 실현은 재판권을 행사하는 법원의 조직과 소송절차에 관한 입법에 의존하고 있기 때문에 입법자에 의한 재판청구권의 구체적 형성은 불가피하며, 따라서 입법자는 소송요건과 관련하여 소송의 주체・방식・절차・시기・비용 등에 관하여 규율할 수 있다(헌재 2006.4.27, 2005헌마1119).

② (○) 재판청구권과 같은 절차적 기본권은 자유권적 기본권 등 다른 기본권의 경우와 비교하여 볼 때 상대적으로 입법자의 광범위한 입법형성권이 인정되므로, 관련 법률에 대한 위헌심사기준은 합리성원칙 내지 자의금지원칙이 적용된다(헌재 2005.5.26, 2003헌가7).

③ (○) 재심청구권은 입법형성권의 행사에 의하여 비로소 창설되는 법률상의 권리일 뿐, 헌법 제27조 제1항, 제37조 제1항에 의하여 직접 발생되는 기본적 인권은 아니다(헌재 2000.6.29, 99헌바66).

## 03 정답 ②

② (×) 헌법 제27조 제2항이 '직접적으로' 군인은 어떤 경우에도 일반법원의 재판을 받는 것을 금지하는 것으로 단정하기는 어렵고 따라서 군인 신분취득 전에 범한 '일반형사범죄'에 대한 군사법원의 재판권이 헌법상 당연히 용인되어야 한다고 보기는 어렵다(헌재 2009.7.30, 2008헌바162).

① (○) 헌법과 법률이 정한 법관에 의하여 재판을 받을 권리라 함은 헌법과 법률이 정한 자격과 절차에 의하여 임명되고, 물적 독립과 인적 독립이 보장된 법관에 의한 재판을 받을 권리를 의미한다(헌재 1993.11.25, 91헌바8).

③ (○) 우리 헌법상 헌법과 법률이 정한 법관에 의한 재판을 받을 권리는 직업법관에 의한 재판을 주된 내용으로 하는 것이므로 국민참여재판을 받을 권리가 헌법 제27조 제1항에서 규정한 재판을 받을 권리의 보호범위에 속한다고 볼 수 없다(헌재 2009.11.26, 2008헌바12).

④ (○) "공정한 재판을 받을 권리"는 공개된 법정의 법관 앞에서 모든 증거자료가 조사되고 검사와 피고인이 서로 공격・방어할 수 있는 공평한 기회가 보장되는 재판을 받을 권리를 포함한다(헌재 2001.8.30, 99헌마496).

## 04 정답 ④

④ (×) 생명・신체의 침해로 인한 국가배상을 받을 권리는 양도하거나 압류하지 못한다(국가배상법 제4조).

① (○) 국가나 지방자치단체는 공무원 또는 공무를 위탁받은 사인이 직무를 집행하면서 고의 또는 과실로 법령을 위반하여 타인에게 손해를 입히거나, 「자동차손해배상 보장법」에 따라 손해배상의 책임이 있을 때에는 국가배상법에 따라 그 손해를 배상하여야 한다(국가배상법 제2조 제1항).

② (○) 국가배상청구의 요건인 공무원의 직무에는 권력적 작용만이 아니라 비권력적 작용도 포함되며 단지 행정주체가 사경제주체로서 하는 활동만 제외된다(대판 2001.1.5, 98다39060).

③ (○) 국가배상법에 따른 손해배상의 소송은 배상심의회에 배상신청을 하지 아니하고도 제기할 수 있다(국가배상법 제9조).

## 05 정답 ②

② (×) 헌법 제28조에서 문제되는 신체의 자유에 대한 제한인 구금으로 인하여 침해되는 가치는 객관적으로 산정할 수 없으므로 일단 침해된 신체의 자유에 대하여 어느 정도의 보상을 하여야 완전한 보상을 하였다고 할 것인지 단언하기 어렵다(헌재 2010.10.28, 2008헌마514).

① (○) 형사피의자 또는 형사피고인으로서 구금되었던 자가 법률이 정하는 불기소처분을 받거나 무죄판결을 받은 때에는 법률이 정하는 바에 의하여 국가에 정당한 보상을 청구할 수 있다(헌법 제28조).

③ (O) 형사소송법에 따라 면소 또는 공소기각의 재판을 받아 확정된 피고인이 면소 또는 공소기각의 재판을 할 만한 사유가 없었더라면 무죄재판을 받을 만한 현저한 사유가 있었을 경우 국가에 대하여 구금에 대한 보상을 청구할 수 있다(형사보상법 제26조 제1항).

④ (O) 1개의 재판으로 경합범의 일부에 대하여 무죄재판을 받고 다른 부분에 대하여 유죄재판을 받았을 경우에는 법원은 재량으로 보상청구의 전부 또는 일부를 기각할 수 있다(형사보상법 제4조).

## 06 정답 ①

① (×) 형사보상법은 보상을 받을 자가 다른 법률에 따라 손해배상을 청구하는 것을 금지하지 아니한다(형사보상법 제6조 제1항).

② (O) 보상청구는 무죄재판이 확정된 사실을 안 날부터 3년, 무죄재판이 확정된 때부터 5년 이내에 하여야 한다(형사보상법 제8조).

③ (O) 보상결정에 대하여는 1주일 이내에 즉시항고를 할 수 있고(형사보상법 제20조 제1항), 청구기각 결정에 대하여는 즉시항고를 할 수 있다(형사보상법 제20조 제2항).

④ (O) 보상결정이 송달된 후 2년 이내에 보상금 지급청구를 하지 아니할 때에는 권리를 상실한다(형사보상법 제21조 제3항).

## 07 정답 ③

③ (×) 구조금의 신청은 해당 구조대상 범죄피해의 발생을 안 날부터 3년이 지나거나 해당 구조대상 범죄피해가 발생한 날부터 10년이 지나면 할 수 없다(범죄피해자보호법 제25조 제2항).

① (O) 범죄피해자구조청구권이라 함은 타인의 범죄행위로 말미암아 생명을 잃거나 신체상의 피해를 입은 국민이나 그 유족이 가해자로부터 충분한 피해배상을 받지 못한 경우에 국가에 대하여 일정한 보상을 청구할 수 있는 권리이며, 그 법적 성격은 생존권적 기본권으로서의 성격을 가지는 청구권적 기본권이라고 할 것이다(헌재 2011.12.29. 2009헌마354).

② (O) 국가는 구조피해자나 유족이 해당 구조대상 범죄피해를 원인으로 하여 손해배상을 받았으면 그 범위에서 구조금을 지급하지 아니한다(범죄피해자보호법 제21조 제1항).

④ (O) 구조금을 받을 권리는 그 구조결정이 해당 신청인에게 송달된 날부터 2년간 행사하지 아니하면 시효로 인하여 소멸된다(범죄피해자보호법 제31조).

## 08 정답 ①

① (×) 사회적 기본권의 구체적인 실현에 있어서 입법자는 광범위한 형성의 자유를 가지므로 헌법 제34조로부터 바로 지방자치단체장을 위한 별도의 퇴직급여제도를 마련할 입법의무가 도출된다고 보기 어렵다(헌재 2014.6.26. 2012헌마459).

② (O) 인간다운 생활을 할 권리로부터는 인간의 존엄에 상응하는 최소한의 물질적인 생활의 유지에 필요한 급부를 요구할 수 있는 구체적인 권리가 상황에 따라서는 직접 도출될 수 있다고 할 수는 있어도, 동 기본권이 직접 그 이상의 급부를 내용으로 하는 구체적인 권리를 발생케 한다고는 볼 수 없다(헌재 1995.7.21. 93헌가14).

③ (O) 모든 국민은 인간다운 생활을 할 권리를 가진다는 헌법 규정은 헌법재판에 있어서 입법부나 행정부가 국민으로 하여금 인간다운 생활을 영위하도록 하기 위하여 객관적으로 필요한 최소한의 조치를 취할 의무를 다하였는지를 기준으로 국가기관의 행위의 합헌성을 심사하여야 한다는 통제규범으로 작용하는 것이다(헌재 1997.5.29. 94헌마33).

④ (O) 국가가 행하는 생계보호의 수준이 그 재량의 범위를 명백히 일탈하였는지의 여부, 즉 인간다운 생활을 보장하기 위한 객관적 내용의 최소한을 보장하고 있는지의 여부는 생활보호법에 의한 생계보호급여만을 가지고 판단하여서는 아니되고 그 외의 법령에 의거하여 국가가 생계보호를 위하여 지급하는 각종 급여나 각종 부담의 감면 등을 총괄한 수준을 가지고 판단하여야 한다(헌재 1997.5.29. 94헌마33).

## 09 정답 ①

① (×) 사회적 기본권의 성격을 가지는 사회보장수급권은 국가에 대하여 적극적으로 급부를 요구하는 것이므로 헌법규정만으로는 이를 실현할 수 없고, 법률에 의한 형성을 필요로 한다. 사회보장수급권의 구체적 내용, 즉 수급요건, 수급권자의 범위, 급여금액 등은 법률에 의하여 비로소 확정된다(헌재 2001.9.27. 2000헌마342).

② (O) 분만급여청구권은 사회보장제도 중 사회보험으로서의 의료보험급여의 일종으로 의료보험법이라는 입법에 의하여 구체적으로 형성된 권리이다(헌재 1997.12.24. 95헌마390).

③ (O) 의료보험법상의 보험급여는 가입자가 기여금의 형태로 납부한 보험료에 대한 반대급부의 성질을 갖는 것이고 본질상, 보험사고로 초래되는 가입자의 재산상의 부담을 전보하여 주는 경제적 유용성을 가지므로 의료보험수급권은 재산권의 성질을 갖는다. 법률에 의하여 구체적으로 형성된 의료보험수급권에 대하여 헌법재판소는 이를 재산권의 보장을 받는 공법상의 권리라고 판시하였다(헌재 2003.12.18. 2002헌바1).

④ (O) 공무원연금법상의 각종 급여는 기본적으로 모두 '사회보장적 급여로서의 성격'을 가짐과 동시에 '공로보상 내지 후불임금으로서의 성격'도 함께 가지며 특히 퇴직연금수급권은 경제적 가치 있는 권리로서 헌법 제23조에 의하여 보장되는 재산권으로서의 성격을 가진다(헌재 2005.6.30. 2004헌바42).

10 정답 ②

② (×) 국가유공자 등에 대한 보훈의 내용은 입법자가 국가의 경제수준, 재정능력, 국민감정 등을 종합적으로 고려하여 결정해야 하는 입법정책의 문제이므로 국가유공자가 받게 될 보훈은 법률에 규정됨으로써 비로소 구체적인 법적 권리로 형성된다(헌재 1995.7.21, 93헌가14).

① (○) 산재보험법상의 유족급여는 헌법 제34조의 인간다운 생활을 할 권리에 근거하여 산재보험법에 구체화된 사회보장적 성격의 보험급여라고 할 것이다(헌재 2012.3.29, 2011헌바133).

③ (○) 사회복지란 공적부조대상자 등 요보호자가 자립의 생활능력을 계발하는 데 필요한 지원을 하는 국가적 활동을 말한다(헌재 2002.12.18, 2002헌마52).

④ (○) 국가는 노인의 특성에 적합한 주택정책을 복지향상차원에서 개발하여 노인으로 하여금 쾌적한 주거활동을 할 수 있도록 노력하여야 할 의무를 부담한다(헌재 2016.6.30, 2015헌바46).

# 경찰헌법 8회 모의고사 정답 및 해설

## 제8회 모의고사 정답

| 01 | ② | 02 | ② | 03 | ① | 04 | ④ | 05 | ③ |
|---|---|---|---|---|---|---|---|---|---|
| 06 | ④ | 07 | ② | 08 | ③ | 09 | ① | 10 | ② |

### 01 정답 ②

② (×) 사회적 기본권의 구체적인 실현에 있어서 입법자는 광범위한 형성의 자유를 가지므로 헌법 제34조로부터 바로 지방자치단체장을 위한 별도의 퇴직급여제도를 마련할 입법의무가 도출된다고 보기 어렵다(헌재 2014.6.26. 2012헌마459).

① (○) 인간다운 생활을 할 권리는 사회권적 기본권의 일종으로서 인간의 존엄에 상응하는 최소한의 물질적인 생활의 유지에 필요한 급부를 요구할 수 있는 권리를 의미하는데, 이러한 권리는 국가가 재정형편 등 여러 가지 상황들을 종합적으로 감안하여 법률을 통하여 구체화할 때에 비로소 인정되는 법률적 권리이다(헌재 2004.10.28. 2002헌마328).

③ (○) 헌법재판에 있어서 헌법 제34조는 다른 국가기관, 즉 입법부나 행정부가 국민으로 하여금 인간다운 생활을 영위하도록 하기 위하여 객관적으로 필요한 최소한의 조치를 취할 의무를 다하였는지를 기준으로 국가기관의 행위의 합헌성을 심사하여야 한다는 통제규범으로 작용하는 것이다(헌재 1997.5.29. 94헌마33).

④ (○) 인간다운 생활을 보장하기 위한 객관적 내용의 최소한을 보장하고 있는지의 여부는 생활보호법에 의한 생계보호급여만을 가지고 판단하여서는 아니 되고 그 외의 법령에 의거하여 국가가 생계보호를 위하여 지급하는 각종 급여나 각종 부담의 감면 등을 총괄한 수준을 가지고 판단하여야 한다(헌재 1997.5.29. 94헌마33).

### 02 정답 ②

② (×) 사회보험료는 기존의 공과금체계에 편입시킬 수 없는 독자적 성격을 가진 공과금이다. 특정의 반대급부 없이 금전납부의무를 부담하는 세금과는 달리, 보험료는 반대급부인 보험급여를 전제로 하고 있으며, 한편으로는 특정 이익의 혜택이나 특정 시설의 사용가능성에 대한 금전적 급부인 수익자부담금과는 달리, 급여혜택을 받지 못하는 제3자인 사용자에게도 보험료 납부의무가 부과된다는 점에서 수익자부담금과 그 성격을 달리한다(헌재 2001.8.30. 2000헌마668).

① (○) 사회적 기본권의 성격을 가지는 사회보장수급권은 국가에 대하여 적극적으로 급부를 요구하는 것이므로 헌법규정만으로는 이를 실현할 수 없고, 법률에 의한 형성을 필요로 한다. 사회보장수급권의 구체적 내용, 즉 수급요건, 수급권자의 범위, 급여금액 등은 법률에 의하여 비로소 확정된다(헌재 2001.9.27. 2000헌마342).

③ (○) 구 의료보험법 제31조 제1항이 규정하는 이른바 “분만급여청구권”은 사회보장제도 중 사회보험으로서의 의료보험급여의 일종으로 의료보험법이라는 입법에 의하여 구체적으로 형성된 권리이다(헌재 1997.12.24. 95헌마390).

④ (○) 헌법은 제35조 제3항에서 국가는 주택정책개발을 통하여 모든 국민이 쾌적한 주거생활을 할 수 있도록 노력해야 한다고 규정한다. 따라서 국가는 노인의 특성에 적합한 주택정책을 복지향상차원에서 개발하여 노인으로 하여금 쾌적한 주거활동을 할 수 있도록 노력하여야 할 의무를 부담한다(헌재 2016.6.30. 2015헌바46).

### 03 정답 ①

① (×) 교육을 받을 권리는 국민이 능력에 따라 균등하게 교육받을 것을 공권력에 의하여 부당하게 침해받지 않을 권리와 국민이 능력에 따라 균등하게 교육받을 수 있도록 국가가 적극적으로 배려하여 줄 것을 요구할 수 있는 권리로 구성되는바, 전자는 자유권적 기본권의 성격이, 후자는 사회권적 기본권의 성격이 강하다(헌재 2008.4.24. 2007헌마1456).

② (○) 헌법은 제31조 제1항에서 ‘교육을 받을 권리’를 보장함으로써 국가로부터 교육에 필요한 시설의 제공을 요구할 수 있는 권리 및 각자의 능력에 따라 교육시설에 입학하여 배울 수 있는 권리를 국민의 기본권으로서 보장하면서, 한편, 국민 누구나 능력에 따라 균등한 교육을 받을 수 있게끔 노력해야 할 의무와 과제를 국가에게 부과하고 있는 것이다(헌재 2000.4.27. 98헌가16).

③ (○) 평등권으로서 교육을 받을 권리는 ‘취학의 기회균등’, 즉 각자의 능력에 상응하는 교육을 받을 수 있도록 학교 입학에 있어서 자의적 차별이 금지되어야 한다는 차별금지원칙을 의미한다(헌재 2017.12.28. 2016헌마649).

④ (○) 헌법 제31조 제1항은 취학의 기회에 있어서 고려될 수 있는 차별기준으로 ‘능력’을 제시함으로써, 능력 이외의 다른 요소에 의한 차별을 원칙적으로 제한하고 있다. 여기서 ‘능력’이란 ‘수학능력’을 의미하고 교육제도에서 ‘수학능력’은 개인의 인격발현과 밀접한 관계에 있는 인격적 요소이며, 학교 입학에 있어서 고려될 수 있는 합리적인 차별기준을 의미한다(헌재 2017.12.28. 2016헌마649).

### 04 정답 ④

④ (×) 재학 중인 학교의 법적 형태를 공법상 영조물인 국립대학으로 유지하여 줄 것을 요구할 권리는 교육받을 권리에 포함되지 아니하며, 대학의 관리・운영에 관한 사항은 학생의 학문의 자유와 관련되어 있다고 볼 수 없어 자기관련성이 인정되지 않는다(헌재 2014.4.24. 2011헌마612).

① (○) 교육을 받을 권리가 국가에 대하여 특정한 교육제도나 시설의 제공을 요구할 수 있는 권리를 뜻하는 것은 아니므로, 청구인이 이 사건 도서관에서 도서를 대출할 수 없거나 열람실을 이용할 수 없더라도 청구인의 교육을 받을 권리가 침해된다고 볼 수 없다(헌재 2016.11.24, 2014헌마977).

② (○) 교육을 받을 권리는 교육영역에서의 기회균등을 내용으로 하는 것이지, 자신의 교육환경을 최상 혹은 최적으로 만들기 위해 타인의 교육시설 참여 기회를 제한할 것을 청구할 수 있는 기본권은 아니므로, 기존의 재학생들에 대한 교육환경이 상대적으로 열악해질 수 있음을 이유로 새로운 편입학 자체를 하지 말도록 요구하는 것은 교육을 받을 권리의 내용으로는 포섭할 수 없다(헌재 2003.9.25, 2001헌마814).

③ (○) 헌법 제31조 제1항으로부터 군인이 자기계발을 위하여 해외유학하는 경우에 그 교육비를 청구할 수 있는 권리가 도출된다고 할 수는 없다(헌재 2009.4.30, 2007헌마290).

## 05 정답 ③

③ (×) 무상의 중등교육을 받을 권리는 법률에서 중등교육을 의무교육으로서 시행하도록 규정하기 전에는 헌법상 권리로서 보장되는 것은 아니다(헌재 1991.2.11, 90헌가27).

① (○) 국가는 학부모가 경제적 여건에 관계없이 교육의 의무를 이행할 수 있도록 의무교육은 무상으로 할 것을 원칙으로 천명하여 국가에 의무교육을 실시할 수 있는 인적·물적 여건을 마련할 의무를 부과하였다(헌재 2012.8.23, 2010헌바220).

② (○) 의무교육에 있어서 무상의 범위에는 의무교육이 실질적이고 균등하게 이루어지기 위한 본질적 항목으로, 수업료나 입학금의 면제, 학교와 교사 등 인적·물적 시설 및 그 시설을 유지하기 위한 인건비와 시설유지비, 신규시설투자비 등의 재원 부담으로부터의 면제가 포함된다 할 것이며, 그 외에도 의무교육을 받는 과정에 수반하는 비용으로서 의무교육의 실질적인 균등보장을 위해 필수불가결한 비용은 무상의 범위에 포함된다(헌재 2012.4.24, 2010헌바164).

④ (○) 헌법 제31조 제2항, 제3항으로부터 직접 의무교육 경비를 중앙정부로서의 국가가 부담하여야 한다는 결론은 도출되지 않으며, 그렇다고 하여 의무교육의 성질상 중앙정부로서의 국가가 모든 비용을 부담하여야 하는 것도 아니다(헌재 2005.12.22, 2004헌라3).

## 06 정답 ④

④ (×) 대학의 자율의 구체적인 내용은 법률이 정하는 바에 의하여 보장되며, 국가는 헌법 제31조 제6항에 따라 모든 학교제도의 조직·계획·운영·감독에 관한 포괄적인 권한, 즉 학교제도에 관한 전반적인 형성권과 규율권을 부여받는다. 다만 그 규율의 정도는 그 시대와 각급 학교의 사정에 따라 다를 수밖에 없으므로 교육의 본질을 침해하지 않는 한 궁극적으로는 입법권자의 형성의 자유에 속한다. 따라서 대학의 자율에 대한 침해 여부를 심사함에 있어서는 입법자가 입법형성의 한계를 넘는 자의적인 입법을 하였는지 여부를 판단하여야 한다(헌재 2014.4.24, 2011헌마612).

① (○) 학교교육에 있어서 교사의 가르치는 권리를 수업권이라고 한다면 그것은 자연법적으로는 학부모에게 속하는 자녀에 대한 교육권을 신탁받은 것이고, 실정법상으로는 공교육의 책임이 있는 국가의 위임에 의한 것이다(헌재 1992.11.12, 89헌마88).

② (○) 교육의 자주성이나 대학의 자율성은 헌법 제22조 제1항이 보장하고 있는 학문의 자유의 확실한 보장수단으로 꼭 필요한 것으로서 이는 대학에게 부여된 헌법상의 기본권이다(헌재 1998.7.16, 96헌바33).

③ (○) 대학의 자율성은 학문의 자유의 주체인 교원들이 그 중심이 되는 것이지만, 공권력 등 외부세력의 간섭을 배제하고 대학을 자주적으로 운영한다는 측면에서는 교원뿐만 아니라 역시 대학의 구성원인 직원, 학생 등도 원칙적으로 대학자치의 주체가 될 수 있다고 보아야 한다(대판 2015.7.23, 2012두19496).

## 07 정답 ②

② (×) 국가에 대하여 고용증진을 위한 사회적·경제적 정책을 요구할 수 있는 권리는 '사회권적 기본권'으로서 국민에 대하여만 인정해야 하지만, 자본주의 경제질서하에서 근로자가 기본적 생활수단을 확보하고 인간의 존엄성을 보장받기 위하여 최소한의 근로조건을 요구할 수 있는 권리는 '자유권적 기본권'의 성격도 아울러 가지므로 이러한 경우 외국인 근로자에게도 그 기본권 주체성을 인정함이 타당하다(헌재 2007.8.30, 2004헌마670).

① (○) 엄격한 의미에서 근로의 권리는 사회적 기본권으로서, 국가에 대하여 직접 일자리(직장)를 청구하거나 일자리에 갈음하는 생계비의 지급청구권을 의미하는 것이 아니라, 고용증진을 위한 사회적·경제적 정책을 요구할 수 있는 권리에 그친다. 근로의 권리를 직접적인 일자리 청구권으로 이해하는 것은 사회주의적 통제경제를 배제하고, 사기업 주체의 경제상의 자유를 보장하는 우리 헌법의 경제질서 내지 기본권규정들과 조화될 수 없다(헌재 2002.11.28, 2001헌바50).

③ (○) 해고예고제도는 근로조건의 핵심적 부분인 해고와 관련된 사항일 뿐만 아니라, 근로자가 갑자기 직장을 잃어 생활이 곤란해지는 것을 막는 데 목적이 있으므로 근로자의 인간 존엄성을 보장하기 위한 최소한의 근로조건으로서 근로의 권리의 내용에 포함된다(헌재 2015.12.23, 2014헌바3).

④ (○) 근로자가 퇴직급여를 청구할 수 있는 권리도 헌법상 바로 도출되는 것이 아니라 퇴직급여법 등 관련 법률이 구체적으로 정하는 바에 따라 비로소 인정될 수 있는 것이다(헌재 2011.7.28, 2009헌마408).

08 정답 ③

③ (×) 결사의 자유의 경우 단체를 결성하는 자유, 단체에 가입하는 자유뿐만 아니라 단체를 결성하지 아니할 자유, 단체에의 참가를 강제당하지 아니할 자유, 단체를 탈퇴할 자유를 포함하는데 반하여, 근로자의 단결권은 단결할 자유만을 가리킬 뿐이다(헌재 1999.11.25, 98헌마141).

① (○) 근로자라 함은 직업의 종류를 불문하고 임금・급료 기타 이에 준하는 수입에 의하여 생활하는 자, 즉 임금생활자를 의미하고, 교원도 학생들에 대한 지도・교육이라는 노무에 종사하고 그 대가로 받는 임금・급료 그 밖에 이에 준하는 수입으로 생활하는 사람이므로 근로자에 해당한다(헌재 2015.5.28, 2013헌마671).

② (○) 헌법 제32조 및 제33조에 각 규정된 근로기본권은 근로자의 근로조건을 개선함으로써 그들의 경제적・사회적 지위의 향상을 기하기 위한 것으로서 자유권적 기본권으로서의 성격보다는 생존권 내지 사회권적 기본권으로서의 측면이 보다 강한 것으로서 그 권리의 실질적 보장을 위해서는 국가의 적극적인 개입과 뒷받침이 요구되는 기본권이다(헌재 1991.7.22, 89헌가106).

④ (○) 국가의 행정관청이 사법상 근로계약을 체결한 경우 그 근로계약관계의 권리・의무는 행정주체인 국가에 귀속되므로, 국가는 그러한 근로계약관계에 있어서 노동조합 및 노동관계조정법 제2조 제2호에 정한 사업주로서 단체교섭의 당사자의 지위에 있는 사용자에 해당한다(대판 2008.9.11, 2006다40935).

09 정답 ①

① (×) 특수경비원에게 보장되는 근로3권 중 단체행동권의 제한에 관한 법률조항에 해당하는 것으로서, 헌법 제37조 제2항의 과잉금지원칙에 위반되는지 여부가 문제될 뿐이지, 그 자체로 근로3권의 보장에 관한 헌법 제33조 제1항에 위배된다고 볼 수는 없다(헌재 2009.10.29, 2007헌마1359).

② (○) 공무원인 근로자 중 법률이 정하는 자 이외의 공무원에게는 그 권리행사의 제한뿐만 아니라 금지까지도 할 수 있는 법률제정의 가능성을 헌법에서 직접 규정하고 있다는 점에서 헌법 제33조 제2항은 특별한 의미가 있다(헌재 2008.12.26, 2005헌마971).

③ (○) 법률이 정하는 주요방위산업체에 종사하는 근로자의 단체행동권은 법률이 정하는 바에 의하여 이를 제한하거나 인정하지 아니할 수 있다(헌법 제33조 제3항).

④ (○) 비상계엄지역에서 계엄사령관은 군사상 필요할 때에는 체포・구금・압수・수색・거주・이전・언론・출판・집회・결사 또는 단체행동에 대하여 특별한 조치를 할 수 있다(계엄법 제9조 제1항).

10 정답 ②

② (×) 일정한 경우 국가는 사인인 제3자에 의한 국민의 환경권 침해에 대해서도 적극적으로 기본권 보호조치를 취할 의무를 지나, 헌법재판소가 이를 심사할 때에는 국가가 국민의 기본권적 법익 보호를 위하여 적어도 적절하고 효율적인 최소한의 보호조치를 취했는가 하는 이른바 "과소보호금지원칙"의 위반 여부를 기준으로 삼아야 한다(헌재 2008.7.31, 2006헌마711).

① (○) 환경권은 건강하고 쾌적한 생활을 유지하는 조건으로서 양호한 환경을 향유할 권리이고, 생명・신체의 자유를 보호하는 토대를 이루며, 궁극적으로 '삶의 질' 확보를 목표로 하는 권리이다(헌재 2008.7.31, 2006헌마711).

③ (○) 환경권은 명문의 법률규정이나 관계 법령의 규정 취지 및 조리에 비추어 권리의 주체, 대상, 내용, 행사 방법 등이 구체적으로 정립될 수 있어야만 인정되는 것이므로, 사법상의 권리로서의 환경권을 인정하는 명문의 규정이 없는데도 환경권에 기하여 직접 방해배제청구권을 인정할 수 없다(대판 1997.7.22, 96다56153).

④ (○) 건강하고 쾌적한 환경에서 생활할 권리를 보장하는 환경권의 보호대상이 되는 환경에는 자연 환경뿐만 아니라 인공적 환경과 같은 생활환경도 포함된다(헌재 2008.7.31, 2006헌마711).

MEMO

PART

# 02

# 형사법

## 정답 및 해설편

# 형사법 1회 모의고사 정답 및 해설

### 제1회 모의고사 정답

| 01 | ② | 02 | ① | 03 | ④ | 04 | ③ | 05 | ③ |
|---|---|---|---|---|---|---|---|---|---|
| 06 | ④ | 07 | ② | 08 | ④ | 09 | ② | 10 | ① |

## 01 정답 ②

② (×) [3] 간접정범이 성립하기 위하여 타인의 의사를 부당하게 억압할 것을 요하는지 여부(소극) ➡ 처벌되지 아니하는 타인의 행위를 적극적으로 유발하고 이를 이용하여 자신의 범죄를 실현한 자는 형법 제34조 제1항이 정하는 간접정범의 죄책을 지게 되고, 그 과정에서 타인의 의사를 부당하게 억압하여야만 간접정범에 해당하는 것은 아니다. [4] 정유회사 경영자의 청탁으로 국회의원이 위 경영자와 지역구 지방자치단체장 사이에 정유공장의 지역구 유치와 관련한 간담회를 주선하고 위 경영자는 정유회사 소속 직원들로 하여금 위 국회의원이 사실상 지배・장악하고 있던 후원회에 후원금을 기부하게 한 사안에서, 국회의원에게는 정치자금법 제32조 제3호 위반죄가, 경영자에게는 정치자금법 위반죄의 간접정범이 성립한다(대판 2008.9.11, 2007도7204). ∴ 그 과정에서 乙의 의사를 부당하게 억압한 것은 아니었던 경우 甲이 乙의 행위를 이용하여 자신의 범죄를 실현하였다면 형법 제34조 제1항이 정하는 간접정범의 죄책을 진다.

① (○) [1] 공모공동정범의 성립 요건 ➡ 형법 제30조의 공동정범은 공동가공의 의사와 그 공동의사에 기한 기능적 행위지배를 통한 범죄 실행이라는 주관적・객관적 요건을 충족함으로써 성립하는바, 단순한 공모자에 그치는 것이 아니라 범죄에 대한 본질적 기여를 통한 기능적 행위지배가 존재하는 것으로 인정되는 경우여야 한다. [2] 전국노점상총연합회가 주관한 도로행진시위에 참가한 피고인이 다른 시위 참가자들과 함께 경찰관 등에 대한 특수공무집행방해 행위를 하던 중 체포된 사안에서, 단순 가담자인 피고인에게 체포된 이후에 이루어진 다른 시위참가자들의 범행에 대하여는 본질적 기여를 통한 기능적 행위지배가 존재한다고 보기 어려워 공모공동정범의 죄책을 인정할 수 없다(대판 2009.6.23, 2009도2994).

③ (○) 공모에 주도적으로 참여한 공모자가 공모관계에서 이탈하여 공동정범으로서 책임을 지지 않기 위한 요건 ➡ 공모관계에서의 이탈은 공모자가 공모에 의하여 담당한 기능적 행위지배를 해소하는 것이 필요하므로 공모자가 공모에 주도적으로 참여하여 다른 공모자의 실행에 영향을 미친 때에는 범행을 저지하기 위하여 적극적으로 노력하는 등 실행에 미친 영향력을 제거하지 아니하는 한 공모관계에서 이탈하였다고 할 수 없다(대판 2008.4.10, 2008도1274).

④ (○) 공범자의 범인도피행위 도중에 기왕의 범인도피상태를 이용하여 스스로 범인도피행위를 계속한 자에 대하여 범인도피죄의 공동정범이 성립하는지 여부 ➡ 범인도피죄는 범인을 도피하게 함으로써 기수에 이르지만 범인도피행위가 계속되는 동안에는 범죄행위도 계속되고 행위가 끝날 때 비로소 범죄행위가 종료되고, 공범자의 범인도피행위의 도중에 그 범행을 인식하면서 그와 공동의 범의를 가지고 기왕의 범인도피상태를 이용하여 스스로 범인도피행위를 계속한 자에 대하여는 범인도피죄의 공동정범이 성립한다(대판 1995.9.5, 95도577).

## 02 정답 ①

① (×) 간접정범이 정범인가 아니면 공범인가

> ① 공범설 ➡ 공범독립성설 : 정범의 실행행위와 관계없이 교사・방조가 있으면 정범과 독립하여 공범이 성립한다고 한다. ∴간접정범개념은 인정할 필요가 없고 공범으로 보아야 한다.
>
> ② 정범설 ➡ 공범종속성설 : 정범이 처벌되지 아니하는 자에 해당하여 그를 교사・방조한 자가 그에 종속하여 공범이 성립할 수 없게 되는 문제를 해결할 필요가 있다. 간접정범은 인적 도구를 이용한다는 점에서 물적 도구를 이용하는 직접정범과 그 규범적 평가에 있어 차이가 없다. ∴ 간접정범은 정범이 된다. ∴ 공범종속성설은 간접정범의 정범성을 인정하나, 공범독립성설은 간접정범을 공범 속에 흡수해야 한다고 본다.

② (○) 변호사가 변호사 아닌 자에게 고용되어 법률사무소의 개설・운영에 관여하는 행위는 위 범죄가 성립하는 데 당연히 예상될 뿐만 아니라 범죄의 성립에 없어서는 아니 되는 것인데도 이를 처벌하는 규정이 없는 이상, 볼 때 변호사 아닌 자에게 고용되어 법률사무소의 개설・운영에 관여한 변호사의 행위가 일반적인 형법 총칙상의 공모, 교사 또는 방조에 해당된다고 하더라도 변호사를 변호사 아닌 자의 공범으로서 처벌할 수는 없다(대판 2004.10.28, 2004도3994).

③ (○) 과실범과 공동정범 ➡ 2인 이상이 어떠한 과실행위를 서로의 의사연락아래 하여 범죄되는 결과를 발생케 한 경우에는 과실범의 공동정범이 성립된다. 형법 제30조에 「공동하여 죄를 범한 때」의 「죄」는 고의범이고 과실범이고를 불문한다고 해석하여야 할 것이고 따라서 공동정범의 주관적 요건인 공동의 의사도 고의를 공동으로 가질 의사임을 필요로 하지 않고 고의 행위이고 과실 행위이고 간에 그 행위를 공동으로 할 의사이면 족하다고 해석하여야 할 것이므로 2인 이상이 어떠한 과실 행위를 서로의 의사연락 아래 하여 범죄되는 결과를 발생케 한 것이라면 여기에 과실범의 공동정범이 성립되는 것이다. 기록에 의하면 본건 사고는 경관의 검문에 응하지 않고 트럭을 질주함으로써 야기된 것인 바 제1심판결에서 본 각 증거를 종합하면 피고인은 원심 공동 피고인과 서로 의사를 연락하여 경관의 검문에 응하지 않고 트럭을 질주케 하였던 것임을 충분히 인정할 수 있음이 명백하므로 피고인은 본건 과실 치사 죄의 공동정범이 된다고 할 것이다(대판 1962.3.29, 4294형상598).

④ (O) 공무원 아닌 자가 공무원의 선거운동 기획 참여행위에 공동 가공하는 경우와 후보자인 공무원이 자신을 위한 다른 공무원의 참여행위에 공동 가공한 경우 모두 공직선거법 제255조 제1항 제10호 위반죄의 공동정범이 되는지 여부(적극) ➡ 공무원 등 공적 지위에 있는 자가 아니라고 하더라도 공무원 등 공적 지위에 있는 자의 선거운동 기획에 참여하는 행위에 공동 가공하는 경우에는 제255조 제1항 제10호 위반의 공동정범으로서의 죄책을 면할 수 없는 것이고, 이는 공무원이 자기 자신을 위한 다른 공무원의 선거운동 기획 참여행위에 공동 가공하는 경우에도 마찬가지이다(대판 2007.10.25, 2007도4069).

## 03 정답 ④

④ (O) 세무사였던 자 또는 그 사무직원과 사무직원이었던 자가 그 직무상 지득한 비밀을 누설하는 행위를 처벌하고 있을 뿐 비밀을 누설받는 상대방을 처벌하는 규정이 없고, 세무사의 사무직원이 직무상 지득한 비밀을 누설한 행위와 그로부터 그 비밀을 누설받은 행위는 대향범 관계에 있으므로 이에 공범에 관한 형법총칙 규정을 적용할 수 없다(대판 2007.10.25, 2007도6712). ∴ 세무사의 사무직원으로부터 그가 직무상 보관하고 있던 임대사업자 등의 인적사항, 사업자소재지가 기재된 서면을 교부받은 행위가 세무사법상 직무상 비밀누설죄의 공동정범에 해당하지 않는다.

① (×) 뇌물공여죄가 성립되기 위하여서는 뇌물을 공여하는 행위와 상대방 측에서 금전적으로 가치가 있는 그 물품 등을 받아들이는 행위(부작위 포함)가 필요할 뿐이지 반드시 상대방 측에서 뇌물수수죄가 성립되어야만 한다는 것을 뜻하는 것은 아니다(대판 1987.12.22, 87도1699).

② (×) 2인 이상 서로 대향된 행위의 존재를 필요로 하는 대향범에 대하여는 공범에 관한 형법총칙 규정이 적용될 수 없는데, 형법 제127조는 공무원 또는 공무원이었던 자가 법령에 의한 직무상 비밀을 누설하는 행위만을 처벌하고 있을 뿐 직무상 비밀을 누설받은 상대방을 처벌하는 규정이 없는 점에 비추어, 직무상 비밀을 누설받은 자에 대하여는 공범에 관한 형법총칙 규정이 적용될 수 없다(대판 2011.4.28, 2009도3642).

③ (×) 변호사가 변호사 아닌 자에게 고용되어 법률사무소의 개설·운영에 관여하는 행위는 위 범죄가 성립하는 데 당연히 예상될 뿐만 아니라 범죄의 성립에 없어서는 아니 되는 것인데도 이를 처벌하는 규정이 없는 이상, 볼 때 변호사 아닌 자에게 고용되어 법률사무소의 개설·운영에 관여한 변호사의 행위가 일반적인 형법 총칙상의 공모, 교사 또는 방조에 해당된다고 하더라도 변호사를 변호사 아닌 자의 공범으로서 처벌할 수는 없다(대판 2004.10.28, 2004도3994). ∴ ~ 변호사 아닌 자에게 고용되어 법률사무소의 개설·운영에 관여한 변호사의 행위가 일반적인 형법 총칙상의 공모, 교사 또는 방조에 해당된다고 하더라도 변호사를 변호사 아닌 자의 공범으로서 처벌할 수는 없다.

## 04 정답 ③

③ (×) 자기에게 유리한 판결을 얻기 위하여 소송상의 주장이 사실과 다름이 객관적으로 명백하거나 증거가 조작되어 있다는 정을 인식하지 못하는 제3자를 이용하여 그로 하여금 소송의 당사자가 되게 하고 법원을 기망하여 소송 상대방의 재물 또는 재산상 이익을 취득하려 하였다면 간접정범의 형태에 의한 소송사기죄가 성립하게 된다(대판 2007.9.6, 2006도3591). ∴甲이 乙명의 차용증을 가지고 있기는 하나 그 채권의 존재에 관하여 乙과 다툼이 있는 상황에서 당초에 없던 월 2푼의 약정이자에 관한 내용 등을 부가한 乙명의 차용증을 새로 위조하여 이를 바탕으로 자신의 처에 대한 채권자인 丙에게 차용원금 및 위조된 차용증에 기한 약정이자 2,500만원을 양도하고 이러한 사정을 모르는 丙으로 하여금 乙을 상대로 양수금 청구소송을 제기하도록 한 사안에서, 적어도 위 약정이자 2,500만원 중 법정지연손해금 상당의 돈을 제외한 나머지 돈에 관한 甲의 행위는 丙을 도구로 이용한 간접정범 형태의 소송사기죄를 구성한다. ∴ 甲은 소송 당사자가 아니지만, 병을 도구로 이용한 간접정범 형태의 사기죄에 해당한다.

① (O) [3] 간접정범이 성립하기 위하여 타인의 의사를 부당하게 억압할 것을 요하는지 여부(소극) ➡ 처벌되지 아니하는 타인의 행위를 적극적으로 유발하고 이를 이용하여 자신의 범죄를 실현한 자는 형법 제34조 제1항이 정하는 간접정범의 죄책을 지게 되고, 그 과정에서 타인의 의사를 부당하게 억압하여야만 간접정범에 해당하는 것은 아니다. [4] 정유회사 경영자의 청탁으로 국회의원이 위 경영자와 지역구 지방자치단체장 사이에 정유공장의 지역구 유치와 관련한 간담회를 주선하고 위 경영자는 정유회사 소속 직원들로 하여금 위 국회의원이 사실상 지배·장악하고 있던 후원회에 후원금을 기부하게 한 사안에서, 국회의원에게는 정치자금법 제32조 제3호 위반죄가, 경영자에게는 정치자금법 위반죄의 간접정범이 성립한다(대판 2008.9.11, 2007도7204). ∴ 그 과정에서 乙의 의사를 부당하게 억압한 것은 아니었던 경우 甲이 乙의 행위를 이용하여 자신의 범죄를 실현하였다면 형법 제34조 제1항이 정하는 간접정범의 죄책을 진다.

② (O) 공무원 아닌 자가 관공서에 허위내용의 증명원을 제출하여 그 정을 모르는 공무원으로부터 그 증명원 내용과 같은 증명서를 발급받은 경우, 공문서위조죄의 간접정범이 성립하는지 여부(소극) ➡ 어느 문서의 작성권한을 갖는 공무원이 그 문서의 기재사항을 인식하고 그 문서를 작성할 의사로써 이에 서명날인하였다면, 설령 그 서명날인이 타인의 기망으로 착오에 빠진 결과 그 문서의 기재사항이 진실에 반함을 알지 못한 데 기인한다고 하여도, 그 문서의 성립은 진정하며 여기에 하등 작성명의를 모용한 사실이 있다고 할 수는 없으므로, 공무원 아닌 자가 관공서에 허위내용의 증명원을 제출하여 그 내용이 허위인 정을 모르는 담당공무원으로부터 그 증명원 내용과 같은 증명서를 발급받은 경우 공문서위조죄의 간접정범으로 의율할 수는 없다(대판 2001.3.9, 2000도938).

④ (O) 경찰서 보안과장인 피고인이 乙의 음주운전을 눈감아주

기 위하여 그에 대한 음주운전자 적발보고서를 찢어버리고, 부하로 하여금 일련번호가 동일한 가짜 음주운전 적발보고서에 丙에 대한 음주운전 사실을 기재케 하여 그 정을 모르는 담당 경찰관으로 하여금 주취운전자 음주측정처리부에 丙에 대한 음주운전 사실을 기재하도록 한 이상, 丙이 음주운전으로 인하여 처벌을 받았는지 여부와는 관계없이 허위공문서작성 및 동 행사죄의 간접정범으로서의 죄책을 면할 수 없다(대판 1996.10.11, 95도1706). ▶ 음주운전자 적발보고서를 찢어버린 부분은 공용서류무효죄가 인정됨

## 05 정답 ③

② (O), ③ (×) 허위공문서작성죄의 주체는 문서를 작성할 권한이 있는 명의인인 공무원에 한하고 그 공무원의 문서작성을 보조하는 직무에 종사하는 공무원은 허위공문서작성죄의 주체가 될 수 없다. 따라서 보조 직무에 종사하는 공무원이 허위공문서를 기안하여 허위임을 모르는 작성권자의 결재를 받아 공문서를 완성한 때에는 허위공문서작성죄의 간접정범이 될 것이지만, 이러한 결재를 거치지 않고 임의로 작성권자의 직인 등을 부정 사용함으로써 공문서를 완성한 때에는 공문서위조죄가 성립한다. 이는 공문서의 작성권한 없는 사람이 허위공문서를 기안하여 작성권자의 결재를 받지 않고 공문서를 완성한 경우에도 마찬가지이다. 나아가 작성권자의 직인 등을 보관하는 담당자는 일반적으로 작성권자의 결재가 있는 때에 한하여 보관 중인 직인 등을 날인할 수 있을 뿐이다. 이러한 경우 다른 공무원 등이 작성권자의 결재를 받지 않고 직인 등을 보관하는 담당자를 기망하여 작성권자의 직인을 날인하도록 하여 공문서를 완성한 때에도 공문서위조죄가 성립한다(대판 2017.5.17, 2016도13912).

① (O) 감금죄는 간접정범의 형태로도 행하여질 수 있는 것이므로, 인신구속에 관한 직무를 행하는 자 또는 이를 보조하는 자가 피해자를 구속하기 위하여 진술조서 등을 허위로 작성한 후 이를 기록에 첨부하여 구속영장을 신청하고, 진술조서 등이 허위로 작성된 정을 모르는 검사와 영장전담판사를 기망하여 구속영장을 발부받은 후 그 영장에 의하여 피해자를 구금하였다면 형법 제124조 제1항의 직권남용감금죄가 성립한다(대판 2006.5.25, 2003도3945).

④ (O) 타인을 비방할 목적으로 허위사실인 기사의 재료를 신문기자에게 제공한 경우에 기사를 신문지상에 게재하느냐의 여부는 신문 편집인의 권한에 속한다고 할 것이나 이를 편집인이 신문지상에 게재한 이상 기사의 게재는 기사재료를 제공한 자의 행위에 기인한 것이므로 기사재료의 제공행위는 형법 제309조 제2항 소정의 출판물에 의한 명예훼손죄의 죄책을 면할 수 없다(대판 1994.4.12, 93도3535).

[비교] [1] 출판물에 의한 명예훼손죄는 간접정범에 의하여 범하여질 수도 있으므로 타인을 비방할 목적으로 허위의 기사 재료를 그 정을 모르는 기자에게 제공하여 신문 등에 보도되게 한 경우에도 성립할 수 있으나 제보자가 기사의 취재·작성과 직접적인 연관이 없는 자에게 허위의 사실을 알렸을 뿐인 경우에는, 제보자가 피제보자에게 그 알리는 사실이 기사화 되도록 특별히 부탁하였다거나 피제보자가 이를 기사화할 것이 고도로 예상되는 등의 특별한 사정이 없는 한, 피제보자가 언론에 공개하거나 기자들에게 취재됨으로써 그 사실이 신문에 게재되어 일반 공중에게 배포되더라도 제보자에게 출판·배포된 기사에 관하여 출판물에 의한 명예훼손죄의 책임을 물을 수는 없다. [2] 의사가 의료기기 회사와의 분쟁을 정치적으로 해결하기 위하여 국회의원에게 허위의 사실을 제보하였을 뿐인데, 위 국회의원의 발표로 그 사실이 일간신문에 게재된 경우 출판물에 의한 명예훼손이 성립하지 아니한다(대판 2002.6.28, 2000도3045).

## 06 정답 ④

④ (×) 암묵적인 범의의 상통과 공동정범의 성부(적극) ➡ 공동정범이 성립하기 위하여는 반드시 공범자 간에 사전에 모의가 있어야 하는 것은 아니며, 우연히 만난 자리에서 서로 협력하여 공동의 범의를 실현하려는 의사가 암묵적으로 상통하여 범행에 공동가공하더라도 공동정범은 성립된다(대판 1984.12.26, 82도1373). ∴ 우연히 만난 자리에서 서로 협력하여 공동의 범의를 실현하려는 의사가 암묵적으로 상통하여 범행에 공동가공한 것이라면 공동정범은 성립한다.

① (O) 포괄일죄의 범행 도중에 공동정범으로 가담한 자는 가담 이후의 범행에 대하여만 책임을 지는지 여부(적극) ➡ 포괄일죄의 범행 도중에 공동정범으로 범행에 가담한 자는 비록 그가 그 범행에 가담할 때에 이미 이루어진 종전의 범행을 알았다 하더라도 그 가담 이후의 범행에 대하여만 공동정범으로 책임을 진다(대판 1997.6.27, 97도163).

② (O) 부하들이 싸움을 하고 있는 도중 폭력단체의 수괴의 지위에 있는 자가 현장에 모습을 나타내고 전부 죽이라는 고함을 친 경우의 죄책 ➡ 부하들이 흉기를 들고 싸움을 하고 있는 도중에 폭력단체의 두목급 수괴의 지위에 있는 을이 그 현장에 모습을 나타내고 더우기나 부하들이 흉기들을 소지하고 있어 살상의 결과를 초래할 것을 예견하면서도 전부 죽이라는 고함을 친 행위는 부하들의 행위에 큰 영향을 미치는 것으로서 을은 이로써 위 싸움에 가세한 것이라고 보지 아니할 수 없고, 나아가 부하들이 칼, 야구방망이 등으로 피해자들을 난타, 난자하여 사망케 한 것이라면 을은 살인죄의 공동정범으로서의 죄책을 면할 수 없다(대판 1987.10.13, 87도1240).

③ (O) [2] 공모에 주도적으로 참여한 공모자가 공모관계에서 이탈하여 공동정범으로서 책임을 지지 않기 위한 요건 ➡ 공모관계에서의 이탈은 공모자가 공모에 의하여 담당한 기능적 행위지배를 해소하는 것이 필요하므로 공모자가 공모에 주도적으로 참여하여 다른 공모자의 실행에 영향을 미친 때에는 범행을 저지하기 위하여 적극적으로 노력하는 등 실행에 미친 영향력을 제거하지 아니하는 한 공모관계에서 이탈하였다고 할 수 없다. [3] 다른 3명의 공모자들과 강도 모의를 하면서 삽을 들고 사람을 때리는 시늉을 하는 등 그 모의를 주도한 피고인이 함께 범행 대상을 물색하다가 다른 공모자들이

강도의 대상을 지목하고 뒤쫓아 가자 단지 "어?"라고만 하고 비대한 체격 때문에 뒤따라가지 못한 채 범행현장에서 200m 정도 떨어진 곳에 앉아 있었으나 위 공모자들이 피해자를 쫓아가 강도상해의 범행을 한 사안에서, 피고인에게 공동가공의 의사와 공동의사에 기한 기능적 행위지배를 통한 범죄의 실행사실이 인정되므로 강도상해죄의 공모관계에 있고, 다른 공모자가 강도상해죄의 실행에 착수하기까지 범행을 만류하는 등으로 그 공모관계에서 이탈하였다고 볼 수 없으므로 강도상해죄의 공동정범으로서의 죄책을 진다(대판 2008.4.10, 2008도1274).

## 07 정답 ②

② (×) 행위자 일방의 가공의사와 공동정범의 성부 ➡ 공동정범은 행위자 상호 간에 범죄행위를 공동으로 한다는 공동가공의 의사를 가지고 범죄를 공동실행하는 경우에 성립하는 것으로서, 여기에서의 공동가공의 의사는 공동행위자 상호 간에 있어야 하며 행위자 일방의 가공의사만으로는 공동정범관계가 성립할 수 없다(대판 1985.5.14, 84도2118). ∴ 편면적 공동정범은 부정된다.

① (○) 제30조

> 제30조(공동정범) 2인 이상이 공동하여 죄를 범한 때에는 각자를 그 죄의 정범으로 처벌한다.

③ (○) [1] 공모에 주도적으로 참여한 공모자가 공모관계에서 이탈하여 공동정범으로서 책임을 지지 않기 위한 요건 ➡ 공모관계에서의 이탈은 공모자가 공모에 의하여 담당한 기능적 행위지배를 해소하는 것이 필요하므로 공모자가 공모에 주도적으로 참여하여 다른 공모자의 실행에 영향을 미친 때에는 범행을 저지하기 위하여 적극적으로 노력하는 등 실행에 미친 영향력을 제거하지 아니하는 한 공모자가 구속되었다는 등의 사유만으로 공모관계에서 이탈하였다고 할 수 없다. [2] 갑이 을과 공모하여 가출 청소년 병(여, 16세)에게 낙태수술비를 벌도록 해 주겠다고 유인하였고, 을로 하여금 병의 성매매 홍보용 나체사진을 찍도록 하였으며, 병이 중도에 약속을 어길 경우 민형사상 책임을 진다는 각서를 작성하도록 한 후, 자신이 별건으로 체포되어 구치소에 수감 중인 동안 병이 을의 관리 아래 12회에 걸쳐 불특정 다수 남성의 성매수 행위의 상대방이 된 대가로 받은 돈을 병, 을 및 갑의 처 등이 나누어 사용한 사안에서, 병의 성매매 기간 동안 갑이 수감되어 있었다 하더라도 위 갑은 을과 함께 미성년자유인죄, 구 청소년의 성보호에 관한 법률 위반죄의 책임을 진다. = 甲은 공모관계에서 이탈하였다고 할 수 없다(대판 2010.9.9, 2010도6924).

④ (○) 포괄일죄의 범행 도중에 공동정범으로 가담한 자는 가담 이후의 범행에 대하여만 책임을 지는지 여부(적극) ➡ 포괄일죄의 범행 도중에 공동정범으로 범행에 가담한 자는 비록 그가 그 범행에 가담할 때에 이미 이루어진 종전의 범행을 알았다 하더라도 그 가담 이후의 범행에 대하여만 공동정범으로 책임을 진다(대판 1997.6.27, 97도163).

## 08 정답 ④

④ (×) 암묵적인 범의의 상통과 공동정범의 성부(적극) ➡ 공동정범이 성립하기 위하여는 반드시 공범자 간에 사전에 모의가 있어야 하는 것은 아니며, 우연히 만난 자리에서 서로 협력하여 공동의 범의를 실현하려는 의사가 암묵적으로 상통하여 범행에 공동가공하더라도 공동정범은 성립된다(대판 1984.12.26, 82도1373). ∴ 우연히 만난 자리에서 서로 협력하여 공동의 범의를 실현하려는 의사가 암묵적으로 상통하여 범행에 공동가공한 것이라면 공동정범은 성립한다.

① (○) 과실범과 공동정범 ➡ 2인 이상이 어떠한 과실행위를 서로의 의사연락아래 하여 범죄되는 결과를 발생케 한 경우에는 과실범의 공동정범이 성립된다. 형법 제30조에 「공동하여 죄를 범한 때」의 「죄」는 고의범이고 과실범이고를 불문한다고 해석하여야 할 것이고 따라서 공동정범의 주관적 요건인 공동의 의사도 고의를 공동으로 가질 의사임을 필요로 하지 않고 고의 행위이고 과실 행위이고 간에 그 행위를 공동으로 할 의사이면 족하다고 해석하여야 할 것이므로 2인 이상이 어떠한 과실 행위를 서로의 의사연락 아래 하여 범죄되는 결과를 발생케 한 것이라면 여기에 과실범의 공동정범이 성립되는 것이다. 기록에 의하면 본건 사고는 경관의 검문에 응하지 않고 트럭을 질주함으로써 야기된 것인 바 제1심판결에서 본 각 증거를 종합하면 피고인은 원심 공동 피고인과 서로 의사를 연락하여 경관의 검문에 응하지 않고 트럭을 질주케 하였던 것임을 충분히 인정할 수 있음이 명백하므로 피고인은 본건 과실 치사 죄의 공동정범이 된다고 할 것이다(대판 1962.3.29, 4294형상598).

② (○) 실행행위를 분담하지 않은 공모자에 대한 공동정범 성부 ➡ 공모공동정범은 공동범행의 인식으로 범죄를 실행하는 것으로 공동의사주체로서의 집단 전체의 하나의 범죄행위의 실행이 있음으로써 성립하고 공모자 모두가 그 실행행위를 분담하여 이를 실행할 필요가 없고 실행행위를 분담하지 않아도 공모에 의하여 수인간에 공동의사주체가 형성되어 범죄의 실행행위가 있으면 실행행위를 분담하지 않았다고 하더라도 공동의 사주체로서 정범의 죄책을 면할 수 없다(대판 1983.3.8, 82도3248).

③ (○) 갑 주식회사의 협력업체 소속 근로자인 피고인들을 비롯한 10인이 갑 회사 정문 앞 등에서 1인은 고용보장 등의 주장 내용이 담긴 피켓을 들고 다른 2~4인은 그 옆에 서 있는 방법으로 6일간 총 17회에 걸쳐 미신고 옥외시위를 공모, 공동주최하였다는 취지로 기소된 사안에서, 피켓을 직접 든 1인 외에 그 주변에 있는 사람들이 별도로 구호를 외치거나 전단을 배포하는 등의 행위를 하지 않았다는 형식적 이유만으로 신고대상이 되지 아니하는 이른바 '1인 시위'에 해당한다고 볼 수 없으며, 위 각 행위에 대한 공동가공의 의사와 공동의사에 기한 기능적 행위지배가 인정되는 피고인들에게는 구체적 실행행위에 직접 관여하였는지와 관계없이 공모공동정범에 의한 주최자로서 책임을 물을 수 있다(대판 2011.9.29, 2009도2821).

09 정답 ②

② (×) 구 정치자금법 제45조 제1항의 정치자금을 기부한 자와 기부받은 자는 이른바 대향범인 필요적 공범관계에 있다. 이러한 공범관계는 행위자들이 서로 대향적 행위를 하는 것을 전제로 하는데, 각자의 행위가 범죄구성요건에 해당하면 그에 따른 처벌을 받을 뿐이고 반드시 협력자 전부에게 범죄가 성립해야 하는 것은 아니다. 정치자금을 기부하는 자의 범죄가 성립하지 않더라도 정치자금을 기부받는 자가 정치자금법이 정하지 않은 방법으로 정치자금을 제공받는다는 의사를 가지고 받으면 정치자금부정수수죄가 성립한다(대판 2017.11.14, 2017도3449). ∴ 정치자금을 기부하는 자의 범죄가 성립하지 않더라도 정치자금을 기부받는 자가 정치자금법이 정하지 않은 방법으로 정치자금을 제공받는다는 의사를 가지고 받으면 정치자금부정수수죄가 성립한다.

① (○) 금품 등 수수와 같은 대향적 범죄에 공범에 관한 형법총칙 규정이 적용되는지 여부(소극) 및 금품 등 공여자에게 따로 처벌규정이 없는 경우, 공여행위를 교사 또는 방조한 행위가 공여자의 상대방 범행에 대하여 공범관계가 성립하는지 여부(소극) ➡ 금품 등의 수수와 같이 2인 이상의 서로 대향된 행위의 존재를 필요로 하는 관계에 있어서는 공범이나 방조범에 관한 형법총칙 규정의 적용이 있을 수 없다. 따라서 금품 등을 공여한 자에게 따로 처벌규정이 없는 이상, 그 공여행위는 그와 대향적 행위의 존재를 필요로 하는 상대방의 범행에 대하여 공범관계가 성립되지 아니하고, 오로지 금품 등을 공여한 자의 행위에 대하여만 관여하여 그 공여행위를 교사하거나 방조한 행위도 상대방의 범행에 대하여 공범관계가 성립되지 아니한다(대판 2014.1.16, 2013도6969).

③ (○) 교사범이 성립하기 위하여는 정범의 범죄행위가 인정되는 것이 전제요건인지 여부(적극) ➡ 교사범이 성립하기 위해서는 교사자의 교사행위와 정범의 실행행위가 있어야 하는 것이므로, 정범의 성립은 교사범의 구성요건의 일부를 형성하고 교사범이 성립함에는 정범의 범죄행위가 인정되는 것이 그 전제요건이 된다(대판 2000.2.25, 99도1252).

④ (○) [3] 의사가 직접 환자를 진찰하지 않고 처방전을 작성하여 교부한 행위와 대향범 관계에 있는 '처방전을 교부받은 행위'에 대하여 공범에 관한 형법총칙 규정을 적용할 수 있는지 여부(소극) ➡ 2인 이상의 서로 대향된 행위의 존재를 필요로 하는 대향범에 대하여는 공범에 관한 형법총칙 규정이 적용될 수 없는데, 구 의료법 제17조 제1항 본문은 의료업에 종사하고 직접 진찰한 의사가 아니면 처방전을 작성하여 환자 등에게 교부하지 못한다고 규정하면서 제89조에서는 위 조항 본문을 위반한 자를 처벌하고 있을 뿐, 위와 같이 작성된 처방전을 교부받은 상대방을 처벌하는 규정이 따로 없는 점에 비추어, ➡ 위와 같이 작성된 처방전을 교부받은 자에 대하여는 공범에 관한 형법총칙 규정이 적용될 수 없다고 보아야 한다. [4] 갑 주식회사 임원인 피고인들이 의사 을 등과 공모하거나 교사하여, 직원 병 등을 통하여 의사 을 등에게 직원 명단을 전달하면 을 등이 직원들을 직접 진찰하지 않고 처방전을 작성하는 방법으로 갑 회사 직원들에 대하여 의약품 처방전을 발급·교부하였다고 하여 주위적으로 구 의료법 위반, 예비적으로 구 의료법 위반 교사로 기소된 사안에서, ➡ 을 등이 처방전을 작성하여 교부한 행위와 병 등이 처방전을 교부받은 행위는 대향범 관계에 있고, 구 의료법 제17조 제1항 본문 및 제89조에 비추어 위와 같이 처방전을 교부받은 자에 대하여는 공범에 관한 형법총칙 규정을 적용할 수 없다는 이유로, 직원 병 등을 의사 을 등의 처방전 교부행위에 대한 공동정범 또는 교사범으로 처벌할 수 없는 이상 병 등에게 가공한 피고인들 역시 처벌할 수 없다(대판 2011.10.13, 2011도6287). ※ 필요적 공범 중 대향범의 경우 처벌되지 않는 대향자가 처벌되는 대향자를 적극적으로 교사·방조한 경우에 처벌되는 대향자의 범죄에 대한 공범이 성립할 수 없다(∵ 대향자의 일방에 대하여 처벌규정을 두지 않은 것은 그 행위를 불문에 부친다는 취지이므로).

10 정답 ①

① (×) [1] 공모에 주도적으로 참여한 공모자가 공모관계에서 이탈하여 공동정범으로서 책임을 지지 않기 위한 요건 ➡ 공모관계에서의 이탈은 공모자가 공모에 의하여 담당한 기능적 행위지배를 해소하는 것이 필요하므로 공모자가 공모에 주도적으로 참여하여 다른 공모자의 실행에 영향을 미친 때에는 범행을 저지하기 위하여 적극적으로 노력하는 등 실행에 미친 영향력을 제거하지 아니하는 한 공모자가 구속되었다는 등의 사유만으로 공모관계에서 이탈하였다고 할 수 없다. [2] 갑이 을과 공모하여 가출 청소년 병(여, 16세)에게 낙태수술비를 벌도록 해 주겠다고 유인하였고, 을로 하여금 병의 성매매 홍보용 나체사진을 찍도록 하였으며, 병이 중도에 약속을 어길 경우 민형사상 책임을 진다는 각서를 작성하도록 한 후, 자신이 별건으로 체포되어 구치소에 수감 중인 동안 병이 을의 관리 아래 12회에 걸쳐 불특정 다수 남성의 성매수 행위의 상대방이 된 대가로 받은 돈을 병, 을 및 갑의 처 등이 나누어 사용한 사안에서, 병의 성매매 기간 동안 갑이 수감되어 있었다 하더라도 위 갑은 을과 함께 미성년자유인죄, 구 청소년의 성보호에 관한 법률 위반죄의 책임을 진다(대판 2010.9.9, 2010도6924). = 甲은 공모관계에서 이탈하였다고 할 수 없다. ∴ 甲은 乙과 함께 미성년자유인죄, 아청법위반죄의 책임을 진다(甲은 공모관계에서 이탈한 것으로 인정되는 것 ×).

② (○) [1] 공동정범의 성립요건 ➡ 공동정범이 성립하기 위하여는 주관적 요건으로서 공동가공의 의사와 객관적 요건으로서 공동의사에 기한 기능적 행위지배를 통한 범죄의 실행사실이 필요하고, 공동가공의 의사는 타인의 범행을 인식하면서도 이를 제지하지 아니하고 용인하는 것만으로는 부족하고 공동의 의사로 특정한 범죄행위를 하기 위하여 일체가 되어 서로 다른 사람의 행위를 이용하여 자기의 의사를 실행에 옮기는 것을 내용으로 하는 것이어야 한다. [2] 피고인에게 다른 일행의 강간 범행에 공동으로 가공할 의사가 있었다고 볼

수 없다. 피해자 일행을 한 사람씩 나누어 강간하자는 피고인 일행의 제의에 아무런 대답도 하지 않고 따라 다니다가 자신의 강간 상대방으로 남겨진 공소외인에게 일체의 신체적 접촉도 시도하지 않은 채 다른 일행이 인근 숲 속에서 강간을 마칠 때까지 공소외인과 함께 이야기만 나눈 경우 ➡ 피고인에게 다른 일행의 강간 범행에 공동으로 가공할 의사가 있었다고 볼 수 없다(대판 2003.3.28, 2002도7477).

③ (O) 2인 이상이 범죄에 공동 가공하는 공범관계에서 공모는 법률상 어떤 정형을 요구하지 아니하고, 2인 이상이 공모하여 어느 범죄에 공동 가공하여 그 범죄를 실현하려는 의사의 결합만 있으면 되며, 비록 전체의 모의과정이 없더라도 수인 사이에 순차적 또는 암묵적으로 상통하여 그 의사의 결합이 이루어지면 공모관계가 성립한다. 그리고 이러한 공모가 이루어진 이상 실행행위에 직접 관여하지 아니한 사람이라도 다른 공모자의 행위에 대하여 공동정범으로서의 형사책임을 지며, 이와 같은 공모에 대하여는 직접증거가 없더라도 정황사실과 경험법칙에 의하여 이를 인정할 수 있다(대판 2016.8.29, 2016도6297 / 대판 2015.11.10, 2004도1164 / 대판 2006.5.11, 2003도4320).

④ (O) [1] 구성요건행위를 직접 분담하여 실행하지 아니한 공모자를 공모공동정범으로 인정하기 위한 요건 ➡ 형법 제30조의 공동정범은 공동가공의 의사와 그 공동의사에 의한 기능적 행위지배를 통한 범죄실행이라는 주관적·객관적 요건을 충족함으로써 성립하므로, 공모자 중 구성요건행위를 직접 분담하여 실행하지 아니한 사람도 위 요건의 충족 여부에 따라 이른바 공모공동정범으로서의 죄책을 질 수도 있다. [2] 건설 관련 회사의 유일한 지배자가 회사 대표의 지위에서 장기간에 걸쳐 건설공사 현장소장들의 뇌물공여행위를 보고받고 이를 확인·결재하는 등의 방법으로 위 행위에 관여한 사안에서, 비록 사전에 구체적인 대상 및 액수를 정하여 뇌물공여를 지시하지 아니하였다고 하더라도 그 핵심적 경과를 계획적으로 조종하거나 촉진하는 등으로 기능적 행위지배를 하였다고 보아 공모공동정범의 죄책을 인정하여야 할 것이다(대판 2010.7.15, 2010도3544).

# 형사법 2회 모의고사 정답 및 해설

### 제2회 모의고사 정답

| | | | | | | | | | |
|---|---|---|---|---|---|---|---|---|---|
| 01 | ③ | 02 | ① | 03 | ④ | 04 | ② | 05 | ② |
| 06 | ④ | 07 | ④ | 08 | ④ | 09 | ③ | 10 | ② |

## 01 정답 ③

③ (×) 상해 또는 중상해를 교사하였는데 피교사자가 살인을 실행한 경우 교사자의 죄책 ➡ 교사자가 피교사자에 대하여 상해 또는 중상해를 교사하였는데 피교사자가 이를 넘어 살인을 실행한 경우에, 일반적으로 교사자는 상해죄 또는 중상해죄의 죄책을 지게 되는 것이지만 이 경우에 교사자에게 피해자의 사망이라는 결과에 대하여 과실 내지 예견가능성이 있는 때에는 상해치사죄의 죄책을 지울 수 있다(대판 2002.10.25, 2002도4089). ∴ 甲이 乙에게 丙을 상해할 것을 교사하였으나 乙에 의해 상해를 입은 丙이 사망한 경우, 甲에게(乙에게 ×) 피해자의 사망에 대한 예견가능성이 인정되는 한 甲도 상해치사죄의 죄책을 진다.

① (○) 제31조 제2항 ➡ 효과 없는 교사

> 제31조(교사범)
> ① 타인을 교사하여 죄를 범하게 한 자는 죄를 실행한 자와 동일한 형으로 처벌한다.
> ② 교사를 받은 자가 범죄의 실행을 승낙하고 실행의 착수에 이르지 아니한 때에는 교사자와 피교사자를 음모 또는 예비에 준하여 처벌한다(효과 없는 교사).
> ③ 교사를 받은 자가 범죄의 실행을 승낙하지 아니한 때에도 교사자에 대하여는 전항과 같다(실패한 교사).

② (○) 질적 초과가 본질적인 경우로서 맞음.

> ▸ 질적 초과가 본질적인 경우(정범이 실행한 범죄가 교사된 범죄와 전혀 다른 범죄인 경우) ㉠ 실행한 범죄에 대해서는 교사범이 성립하지 않고, 효과 없는 교사(제31조 제2항)로서 교사한 범죄의 예비·음모의 처벌규정이 있는 경우에 한하여 교사한 범죄의 예비·음모로 처벌된다. ㉡ 강도를 교사하였는데 강간을 한 경우 ➡ 강도의 예비·음모

④ (○) 교사내용에 미달한 경우에 대한 예로서 맞음.
▸ 교사한 범죄의 실행의 착수가 없는 경우 ㉮ 교사한 범죄의 예비·음모의 처벌규정이 있는 경우에는 교사자가 교사한 범죄의 예비·음모(제31조 제2항)와 피교사자가 실행한 범죄의 교사범의 상상적 경합이 성립한다. ㉯ ∴ 예비·음모의 형이 중할 경우에는 예비·음모의 책임을 진다. ㉰ 강도를 교사하였는데 절도를 실행한 경우 ➡ 절도죄의 교사범과 강도의 예비·음모의 상상적 경합(형이 중한 강도의 예비·음모에 의하여 처벌)

## 02 정답 ①

① (×) 입영기피를 결심한 자에 대하여 "잘 되겠지, 몸조심하라" 하고 악수를 나누는 행위가 입영기피의 방조행위에 해당하는지 여부 ➡ 이미 스스로 입영기피를 결심하고 집을 나서는 공소외 (갑)에게 피고인이 이별을 안타까와 하는 뜻에서 잘 되겠지 몸조심하라 하고 악수를 나눈 행위는 입영기피의 범죄의사를 강화시킨 방조행위에 해당한다고 볼 수 없다(대판 1983.4.12, 82도43). ∴ 입영기피를 결심한 자에게 "잘 되겠지, 몸 조심하라"고 하고 악수를 나눈 행위는 입영기피의 방조행위에 해당하지 않는다.

② (○) 나. 교사의 수단·방법과 범행의 특정 정도 ➡ 막연히 "범죄를 하라"거나 "절도를 하라"고 하는 등의 행위만으로는 교사행위가 되기에 부족하다 하겠으나, 타인으로 하여금 일정한 범죄를 실행할 결의를 생기게 하는 행위를 하면 되는 것으로서 교사의 수단방법에 제한이 없다 할 것이므로, 교사범이 성립하기 위하여는 범행의 일시, 장소, 방법 등의 세부적인 사항까지를 특정하여 교사할 필요는 없는 것이고, 정범으로 하여금 일정한 범죄의 실행을 결의할 정도에 이르게 하면 교사범이 성립된다. 다. 절도범들로부터 19회에 걸쳐 장물을 취득하여 온 자가 절도범들에게 도라이바 1개를 사주면서 "열심히 일을 하라(도둑질을 하라)"고 말한 것이 절도의 교사가 된다(대판 1991.5.14, 91도542). ➡ 피고인이 갑, 을, 병이 절취하여 온 장물을 상습으로 19회에 걸쳐 시가의 3분의1 내지 4분의 1의 가격으로 매수하여 취득하여 오다가, 갑, 을에게 일제 도라이바 1개를 사주면서 "병이 구속되어 도망다니려면 돈도 필요할텐데 열심히 일을 하라(도둑질을 하라)"고 말하였다면, 그 취지는 종전에 병과 같이 하던 범위의 절도를 다시 계속하면 그 장물은 매수하여 주겠다는 것으로서 절도의 교사가 있었다고 보아야 한다.

③ (○) 교사자가 피교사자에게 피해자를 "정신차릴 정도로 때려 주라"고 교사하였다면 이는 상해에 대한 교사로 봄이 상당하다(대판 1997.6.24, 97도1075).

④ (○) 예비단계에 있어서의 종범의 성립여부 ➡ 형법 제32조 제1항의 타인의 범죄를 방조한 자는 종범으로 처벌한다는 규정의 타인의 범죄란 정범이 범죄를 실현하기 위하여 착수한 경우를 말하는 것이라고 할 것이므로, 종범이 처벌되기 위하여는 정범의 실행의 착수가 있는 경우에만 가능하고 정범이 실행의 착수에 이르지 아니한 예비의 단계에 그친 경우에는 이에 가공하는 행위가 예비의 공동정범이 되는 경우를 제외하고는 이를 종범으로 처벌할 수 없다고 할 것이다. 왜냐하면 범죄의 구성요건 개념상 예비죄의 실행행위는 무정형 무한정한 행위이고 종범의 행위도 무정형 무한정한 것이고, 형법 제28조에 의하면 범죄의 음모 또는 예비행위가 실행의 착수에 이르지 아니한 때에는 법률에 특별한 규정이 없는 한 벌하지 아니한다고 규정하여 예비죄의 처벌이 가져올 범죄의 구성요건을 부당하게 유추 내지 확장해석하는 것을 금지하고 있기 때문에 형법각칙의 예비죄를 처단하는 규정을 바로 독립된 구성요건 개념에 포함시킬 수는 없다고 하는 것이 죄형법정

주의의 원칙에도 합당하는 해석이라 할 것이기 때문이다(대판 1976.5.25, 75도1549).

03 정답 ④

④ (×) 나. 교사의 수단·방법과 범행의 특정 정도 ➡ 막연히 "범죄를 하라"거나 "절도를 하라"고 하는 등의 행위만으로는 교사행위가 되기에 부족하다 하겠으나, 타인으로 하여금 일정한 범죄를 실행할 결의를 생기게 하는 행위를 하면 되는 것으로서 교사의 수단방법에 제한이 없다 할 것이므로, 교사범이 성립하기 위하여는 범행의 일시, 장소, 방법 등의 세부적인 사항까지를 특정하여 교사할 필요는 없는 것이고, 정범으로 하여금 일정한 범죄의 실행을 결의할 정도에 이르게 하면 교사범이 성립된다. 다. 절도범들로부터 19회에 걸쳐 장물을 취득하여 온 자가 절도범들에게 도라이바 1개를 사주면서 "열심히 일을 하라(도둑질을 하라)"고 말한 것이 절도의 교사가 된다. ➡ 피고인이 갑, 을, 병이 절취하여 온 장물을 상습으로 19회에 걸쳐 시가의 3분의1 내지 4분의 1의 가격으로 매수하여 취득하여 오다가, 갑, 을에게 일제 도라이바 1개를 사주면서 "병이 구속되어 도망다니려면 돈도 필요할텐데 열심히 일을 하라(도둑질을 하라)"고 말하였다면, 그 취지는 종전에 병과 같이 하던 범위의 절도를 다시 계속하면 그 장물은 매수하여 주겠다는 것으로서 절도의 교사가 있었다고 보아야 한다(대판 1991.5.14, 91도542). ∴ 교사범이 성립하기 위해서는 교사자가 피교사자에게 범행의 일시, 장소, 방법 등의 세부적인 사항까지를 특정하여 교사할 필요는 없다.

① (○) 교사자가 피교사자에게 피해자를 "정신차릴 정도로 때려주라"고 교사하였다면 이는 상해에 대한 교사로 봄이 상당하다(대판 1997.6.24, 97도1075).

② (○) 범인이 자신을 위하여 타인으로 하여금 허위의 자백을 하게 하여 범인도피죄를 범하게 하는 경우, 범인도피교사죄의 성립 여부(적극) ➡ 범인이 자신을 위하여 타인으로 하여금 허위의 자백을 하게 하여 범인도피죄를 범하게 하는 행위는 방어권의 남용으로 범인도피교사죄에 해당한다(대판 2000.3.24, 2000도20).

③ (○) 치과의사가 기공사에게 진료행위를 하도록 지시한 것이 무면허의료행위의 교사에 해당하는지 여부 ➡ 치과의사가 환자의 대량유치를 위해 치과기공사들에게 내원환자들에게 진료행위를 하도록 지시하여 동인들이 각 단독으로 전항과 같은 진료행위를 하였다면 무면허의료행위의 교사범에 해당한다(의사는 무면허의료행위의 교사범이며 기공사들은 정범에 해당함)(대판 1986.7.8, 86도749).

04 정답 ②

② (×) 제31조 제3항(실패한 교사)∴ 교사를 받은 자가 범죄의 실행을 승낙하지 아니한 때에는 교사한 자는 교사한 범죄의 음모 또는 예비에 준하여 처벌한다.

> 제31조(교사범)
> ② 교사를 받은 자가 범죄의 실행을 승낙하고 실행의 착수에 이르지 아니한 때에는 교사자와 피교사자를 음모 또는 예비에 준하여 처벌한다(효과 없는 교사).
> ③ 교사를 받은 자가 범죄의 실행을 승낙하지 아니한 때에도 교사자에 대하여는 전항과 같다(실패한 교사).

① (○) 교사범이 성립하기 위하여는 정범의 범죄행위가 인정되는 것이 전제요건인지 여부(적극) ➡ 교사범이 성립하기 위해서는 교사자의 교사행위와 정범의 실행행위가 있어야 하는 것이므로, 정범의 성립은 교사범의 구성요건의 일부를 형성하고 교사범이 성립함에는 정범의 범죄행위가 인정되는 것이 그 전제요건이 된다(대판 2000.2.25, 99도1252).

③ (○) 방조범의 성립요건으로서 고의의 의미 및 판단 방법 ➡ 형법상 방조행위는 정범이 범행을 한다는 정을 알면서 그 실행행위를 용이하게 하는 직접·간접의 행위를 말하므로, 방조범은 정범의 실행을 방조한다는 이른바 방조의 고의와 정범의 행위가 구성요건에 해당하는 행위인 점에 대한 정범의 고의가 있어야 하나, 이와 같은 고의는 내심적 사실이므로 피고인이 이를 부정하는 경우에는 사물의 성질상 고의와 상당한 관련성이 있는 간접사실을 증명하는 방법에 의하여 입증할 수밖에 없고, 이때 무엇이 상당한 관련성이 있는 간접사실에 해당할 것인가는 정상적인 경험칙에 바탕을 두고 치밀한 관찰력이나 분석력에 의하여 사실의 연결상태를 합리적으로 판단하는 외에 다른 방법이 없다고 할 것이며, 또한 방조범에 있어서 정범의 고의는 정범에 의하여 실현되는 범죄의 구체적 내용을 인식할 것을 요하는 것은 아니고 미필적 인식 또는 예견으로 족하다(대판 2005.4.29, 2003도6056).

④ (○) 방조자의 인식과 정범의 실행 간에 착오가 있으나 양자의 구성요건이 중첩되는 부분이 있는 경우의 방조자의 죄책 ➡ 방조자의 인식과 정범의 실행 간에 착오가 있고 양자의 구성요건을 달리한 경우에는 원칙적으로 방조자의 고의는 조각되는 것이나, 그 구성요건이 중첩되는 부분이 있는 경우에는 그 중복되는 한도 내에서는 방조자의 죄책을 인정하여야 할 것이다(대판 1985.2.26, 84도2987).

05 정답 ②

② (×) 제34조 제2항 ∴ 자기의 지휘, 감독을 받는 자를 방조하여 범죄의 결과를 발생하게 한 자는 정범의 형으로 처벌한다. [정범에 정한 형의 장기 또는 다액에 그 2분의 1까지 가중한 형으로 처벌 ×]

> 제34조(간접정범, 특수한 교사, 방조에 대한 형의 가중)
> ① 어느 행위로 인하여 처벌되지 아니하는 자 또는 과실범으로 처벌되는 자를 교사 또는 방조하여 범죄행위의 결과를 발생하게 한 자는 교사 또는 방조의 예에 의하여 처벌한다.

> ② 자기의 지휘, 감독을 받는 자를 교사 또는 방조하여 전항의 결과를 발생하게 한 자는 교사인 때에는 정범에 정한 형의 장기 또는 다액에 그 2분의 1까지 가중하고 방조인 때에는 정범의 형으로 처벌한다.

① (○) 공무원 등의 직무상 비밀 누설행위와 대향범 관계에 있는 '비밀을 누설받은 행위'에 대하여 공범에 관한 형법총칙 규정을 적용할 수 있는지 여부(소극) ➡ 2인 이상 서로 대향된 행위의 존재를 필요로 하는 대향범에 대하여는 공범에 관한 형법총칙 규정이 적용될 수 없는데, 형법 제127조는 공무원 또는 공무원이었던 자가 법령에 의한 직무상 비밀을 누설하는 행위만을 처벌하고 있을 뿐 직무상 비밀을 누설받은 상대방을 처벌하는 규정이 없는 점에 비추어, 직무상 비밀을 누설받은 자에 대하여는 공범에 관한 형법총칙 규정이 적용될 수 없다고 보는 것이 타당하다(대판 2011.4.28, 2009도3642).

③ (○) [1] 범인이 자신을 위하여 타인으로 하여금 허위의 자백을 하게 하여 범인도피죄를 범하게 하는 행위는 ➡ 방어권의 남용으로 범인도피교사죄에 해당하는바, 이 경우 그 타인이 형법 제151조 제2항에 의하여 처벌을 받지 아니하는 친족 또는 동거 가족에 해당한다 하여 달리 볼 것은 아니다. [2] 무면허 운전으로 사고를 낸 사람이 동생을 경찰서에 대신 출두시켜 피의자로 조사받도록 한 행위는 범인도피교사죄를 구성한다(대판 2006.12.7, 2005도3707).

④ (○) 제31조 제2항

> 제31조(교사범)
> ① 타인을 교사하여 죄를 범하게 한 자는 죄를 실행한 자와 동일한 형으로 처벌한다.
> ② 교사를 받은 자가 범죄의 실행을 승낙하고 실행의 착수에 이르지 아니한 때에는 교사자와 피교사자를 음모 또는 예비에 준하여 처벌한다(효과 없는 교사).
> ③ 교사를 받은 자가 범죄의 실행을 승낙하지 아니한 때에도 교사자에 대하여는 전항과 같다(실패한 교사).

## 06 정답 ④

④ (×) 대판 2012.11.15, 2012도7407 정범이 교사자의 교사행위에 의하여 범죄 실행을 결의하게 된 경우, 교사행위 외에 다른 원인이 있어 범죄를 실행한 경우에도 교사범이 성립하는지 여부(적극) ➡ 교사범이 그 공범관계로부터 이탈하기 위해서는 피교사자가 범죄의 실행행위에 나아가기 전에 교사범에 의하여 형성된 피교사자의 범죄 실행의 결의를 해소하는 것이 필요하고, 이때 교사범이 피교사자에게 교사행위를 철회한다는 의사를 표시하고 이에 피교사자도 그 의사에 따르기로 하거나 또는 교사범이 명시적으로 교사행위를 철회함과 아울러 피교사자의 범죄 실행을 방지하기 위한 진지한 노력을 다하여 당초 피교사자가 범죄를 결의하게 된 사정을 제거하는 등 제반 사정에 비추어 객관적·실질적으로 보아 교사범에게 교사의 고의가 계속 존재한다고 보기 어렵고 당초의 교사행위에 의하여 형성된 피교사자의 범죄 실행의 결의가 더 이상 유지되지 않는 것으로 평가할 수 있다면, 설사 그 후 피교사자가 범죄를 저지르더라도 이는 당초의 교사행위에 의한 것이 아니라 새로운 범죄 실행의 결의에 따른 것이므로 교사자는 형법 제31조 제2항에 의한 죄책을 부담함은 별론으로 하고 형법 제31조 제1항에 의한 교사범으로서의 죄책을 부담하지는 않는다고 할 수 있다. 한편 교사범이 성립하기 위하여 교사범의 교사가 정범의 범행에 대한 유일한 조건일 필요는 없으므로, <u>교사행위에 의하여 피교사자가 범죄 실행을 결의하게 된 이상</u> 피교사자에게 다른 원인이 있어 범죄를 실행한 경우에도 <u>교사범의 성립</u>에는 영향이 없다(대판 1991.5.14, 91도542 참조). ∴ 교사행위에 의하여 피교사자가 범죄 실행을 결의하게 된 이상 피교사자에게 다른 원인이 있어 범죄를 실행한 경우에도 교사범의 성립에는 영향이 없다.

① (○) [1] 교사범이란 정범인 피교사자로 하여금 범죄를 결의하게 하여 그 죄를 범하게 한 때에 성립하므로, 교사자의 교사행위에도 불구하고 피교사자가 범행을 승낙하지 아니하거나 피교사자의 범행결의가 교사자의 교사행위에 의하여 생긴 것으로 보기 어려운 경우에는 이른바 실패한 교사로서 형법 제31조 제3항에 의하여 교사자를 음모 또는 예비에 준하여 처벌할 수 있을 뿐이다. [2] 피교사자가 교사자의 교사행위 당시에는 일응 범행을 승낙하지 아니한 것으로 보여진다 하더라도 이후 그 교사행위에 의하여 범행을 결의한 것으로 인정되는 이상 교사범의 성립에는 영향이 없다. [3] 피고인이 결혼을 전제로 교제하던 여성 갑의 임신 사실을 알고 수회에 걸쳐 낙태를 권유하였다가 거부당하자, 갑에게 출산 여부는 알아서 하되 더 이상 결혼을 진행하지 않겠다고 통보하고, 이후에도 아이에 대한 친권을 행사할 의사가 없다고 하면서 낙태할 병원을 물색해 주기도 하였는데, 그 후 갑이 피고인에게 알리지 아니한 채 자신이 알아본 병원에서 낙태시술을 받은 사안에서, 피고인은 갑에게 직접 낙태를 권유할 당시뿐만 아니라 출산 여부는 알아서 하라고 통보한 이후에도 계속 낙태를 교사하였고, 갑은 이로 인하여 낙태를 결의·실행하게 되었다고 보는 것이 타당하며, 갑이 당초 아이를 낳을 것처럼 말한 사실이 있다는 사정만으로 피고인의 낙태교사행위와 갑의 낙태결의 사이에 인과관계가 단절되는 것은 아니라는 이유로, 피고인에게 낙태교사죄를 인정한 원심판단을 정당하다(대판 2013.9.12, 2012도2744).

② (○) 가. 형법 제33조 소정의 '신분관계'의 의미 ➡ 형법 제33조 소정의 이른바 신분관계라 함은 ➡ 남녀의 성별, 내·외국인의 구별, 친족관계, 공무원인 자격과 같은 관계뿐만 아니라 널리 일정한 범죄행위에 관련된 범인의 인적관계인 특수한 지위 또는 상태를 지칭하는 것이다. 나. 위증죄와 모해위증죄가 형법 제33조 단서 소정의 '신분관계로 인하여 형의 경중이 있는 경우'에 해당하는지 여부 ➡ 형법 제152조 제1항과 제2항은 위증을 한 범인이 형사사건의 피고인 등을 '모해할 목적'을 가지고 있었는가 아니면 그러한 목적이 없었는가 하는 범인의 특수한 상태의 차이에 따라 범인에게 과할 형의 경중을 구별하고 있으므로, 이는 바로 형법 제33조 단서 소정의 "신

분관계로 인하여 형의 경중이 있는 경우"에 해당한다고 봄이 상당하다(대판 1994.12.23, 93도1002).

③ (○) 자기의 형사 사건에 관한 증거를 인멸하기 위하여 타인을 교사하여 죄를 범하게 한 경우, 증거인멸교사죄의 성립 여부(적극) ➡ 자기의 형사사건에 관한 증거를 인멸하기 위하여 타인을 교사하여 죄를 범하게 한 자에 대하여는 증거인멸교사죄가 성립한다. ▸위 판례는 증거인멸교사죄 관련, 취지상 증거위조교사에 그대로 적용(대판 2000.3.24, 99도5275)

## 07 정답 ④

④ (×) 과실범에 공범은 성립할 수 없고, 다만 제34조 제1항의 간접정범이 성립할 수 있다. ∴ 과실범에 대한 교사범은 성립할 수 없으며 과실범에 대한 방조범도 성립할 수 없다.

① (○) 정범의 실행의 착수 이전에 장래의 실행행위를 예상하고 이를 용이하게 하기 위하여 방조한 경우, 종범이 성립하는지 여부(한정 적극) ➡종범은 정범이 실행행위에 착수하여 범행을 하는 과정에서 이를 방조한 경우뿐 아니라, 정범의 실행의 착수 이전에 장래의 실행행위를 미필적으로나마 예상하고 이를 용이하게 하기 위하여 방조한 경우에도 그 후 정범이 실행행위에 나아갔다면 성립할 수 있다(대판 2013.11.14, 2013도7494).

② (○) 의사인 피고인이 입원치료를 받을 필요가 없는 환자들이 보험금 수령을 위하여 입원치료를 받으려고 하는 사실을 알면서도 입원을 허가하여 형식상으로 입원치료를 받도록 한 후 입원확인서를 발급하여 준 사안에서, 사기방조죄가 성립한다고 한 원심의 판단을 수긍한 사례(대판 2006.1.12, 2004도6557)

③ (○) 피고인들이, 자신들이 개설한 인터넷 사이트를 통해 회원들로 하여금 음란한 동영상을 게시하도록 하고, 다른 회원들로 하여금 이를 다운받을 수 있도록 하는 방법으로 정보통신망을 통한 음란한 영상의 배포, 전시를 방조한 행위가 단일하고 계속된 범의 아래 일정기간 계속하여 이루어졌고 피해법익도 동일한 경우, 포괄일죄의 관계에 있다(대판 2010.11.25, 2010도1588).

## 08 정답 ④

④ (×) [1] 교사범이란 정범인 피교사자로 하여금 범죄를 결의하게 하여 그 죄를 범하게 한 때에 성립하므로, 교사자의 교사행위에도 불구하고 피교사자가 범행을 승낙하지 아니하거나 피교사자의 범행결의가 교사자의 교사행위에 의하여 생긴 것으로 보기 어려운 경우에는 이른바 실패한 교사로서 형법 제31조 제3항에 의하여 교사자를 음모 또는 예비에 준하여 처벌할 수 있을 뿐이다. [2] 피교사자가 교사자의 교사행위 당시에는 일응 범행을 승낙하지 아니한 것으로 보여진다 하더라도 이후 그 교사행위에 의하여 범행을 결의한 것으로 인정되는 이상 교사범의 성립에는 영향이 없다. [3] 피고인이 결혼을 전제로 교제하던 여성 갑의 임신 사실을 알고 수회에 걸쳐 낙태를 권유하였다가 거부당하자, 갑에게 출산 여부는 알아서 하되 더 이상 결혼을 진행하지 않겠다고 통보하고, 이후에도 아이에 대한 친권을 행사할 의사가 없다고 하면서 낙태할 병원을 물색해 주기도 하였는데, 그 후 갑이 피고인에게 알리지 아니한 채 자신이 알아본 병원에서 낙태시술을 받은 사안에서, 피고인은 갑에게 직접 낙태를 권유할 당시뿐만 아니라 출산 여부는 알아서 하라고 통보한 이후에도 계속 낙태를 교사하였고, 갑은 이로 인하여 낙태를 결의・실행하게 되었다고 보는 것이 타당하며, 갑이 당초 아이를 낳을 것처럼 말한 사실이 있다는 사정만으로 피고인의 낙태교사행위와 갑의 낙태결의 사이에 인과관계가 단절되는 것은 아니라는 이유로, 피고인에게 낙태교사죄를 인정한 원심판단을 정당하다(대판 2013.9.12, 2012도2744).

① (○) 대판 2012.11.15, 2012도7407 정범이 교사자의 교사행위에 의하여 범죄 실행을 결의하게 된 경우, 교사행위 외에 다른 원인이 있어 범죄를 실행한 경우에도 교사범이 성립하는지 여부(적극) ➡ 교사범이 그 공범관계로부터 이탈하기 위해서는 피교사자가 범죄의 실행행위에 나아가기 전에 교사범에 의하여 형성된 피교사자의 범죄 실행의 결의를 해소하는 것이 필요하고, 이때 교사범이 피교사자에게 교사행위를 철회한다는 의사를 표시하고 이에 피교사자도 그 의사에 따르기로 하거나 또는 교사범이 명시적으로 교사행위를 철회함과 아울러 피교사자의 범죄 실행을 방지하기 위한 진지한 노력을 다하여 당초 피교사자가 범죄를 결의하게 된 사정을 제거하는 등 제반 사정에 비추어 객관적・실질적으로 보아 교사범에게 교사의 고의가 계속 존재한다고 보기 어렵고 당초의 교사행위에 의하여 형성된 피교사자의 범죄 실행의 결의가 더 이상 유지되지 않는 것으로 평가할 수 있다면, 설사 그 후 피교사자가 범죄를 저지르더라도 이는 당초의 교사행위에 의한 것이 아니라 새로운 범죄 실행의 결의에 따른 것이므로 교사자는 형법 제31조 제2항에 의한 죄책을 부담함은 별론으로 하고 형법 제31조 제1항에 의한 교사범으로서의 죄책을 부담하지는 않는다고 할 수 있다. 한편 교사범이 성립하기 위해 교사범의 교사가 정범의 범행에 대한 유일한 조건일 필요는 없으므로, 교사행위에 의하여 피교사자가 범죄 실행을 결의하게 된 이상 피교사자에게 다른 원인이 있어 범죄를 실행한 경우에도 교사범의 성립에는 영향이 없다(대판 1991.5.14, 91도542 참조).

② (○) 교사범이 성립하기 위하여는 정범의 범죄행위가 인정되는 것이 전제요건인지 여부(적극) ➡ 교사범이 성립하기 위해서는 교사자의 교사행위와 정범의 실행행위가 있어야 하는 것이므로, 정범의 성립은 교사범의 구성요건의 일부를 형성하고 교사범이 성립함에는 정범의 범죄행위가 인정되는 것이 그 전제요건이 된다(대판 2000.2.25, 99도1252).

③ (○) 교사범의 교사가 정범이 죄를 범한 유일한 조건일 필요는 없으므로, 교사행위에 의하여 정범이 실행을 결의하게 된 이상 비록 정범에게 범죄의 습벽이 있어 그 습벽과 함께 교사행위가 원인이 되어 정범이 범죄를 실행한 경우에도 교사범의 성립에 영향이 없다(대판 1991.5.14, 91도542).

## 09 정답 ③

③ (○) 형법 제33조 단서가 형법 제31조 제1항에 우선 적용되어 신분이 있는 교사범이 신분이 없는 정범보다 중하게 처벌되는지 여부 ➡ 형법 제31조 제1항은 협의의 공범의 일종인 교사범이 그 성립과 처벌에 있어서 정범에 종속한다는 일반적인 원칙을 선언한 것에 불과하고, 신분관계로 인하여 형의 경중이 있는 경우에 신분이 있는 자가 신분이 없는 자를 교사하여 죄를 범하게 한 때에는 형법 제33조 단서가 형법 제31조 제1항에 우선하여 적용됨으로써 신분이 있는 교사범이 신분이 없는 정범보다 중하게 처벌된다(대판 1994.12.23, 93도1002).

① (×) 공무원이 아닌 자는 형법 제228조의 경우를 제외하고는 허위공문서작성죄의 간접정범으로 처벌할 수 없으나, 공무원이 아닌 자가 공무원과 공동하여 허위공문서작성죄를 범한 때에는 공무원이 아닌 자도 형법 제33조, 제30조에 의하여 허위공문서작성죄의 공동정범이 된다. ∴ 공무원이 아닌 자는 형법 제228조의 경우를 제외하고는 허위공문서작성죄의 간접정범으로 처벌할 수 없으나, 공무원이 아닌 자가 공무원과 공동하여 허위공문서작성죄를 범한 때에는 허위공문서작성죄의 공동정범으로 처벌할 수 있다(대판 2006.5.11, 2006도1663).

② (×) 공직선거법 제257조 제1항 제1호에서 규정하는 각 기부행위제한 위반죄의 주체 및 각 기부행위의 주체로 인정되지 아니하는 자가 주체자 등과 공모하여 기부행위를 한 경우 주체자에 해당하는 법조 위반죄의 공동정범으로 처벌할 수 있는지 여부(소극) ➡ 공직선거법 제257조 제1항 제1호에서 규정하는 각 기부행위제한위반의 죄는 공직선거법 제113조(후보자 등의 기부행위 제한), 제114조(정당 및 후보자의 가족 등의 기부행위 제한), 제115조(제3자의 기부행위 제한)에 각기 한정적으로 열거되어 규정하고 있는 신분관계가 있어야만 성립하는 범죄이고, 죄형법정주의의 원칙상 유추해석은 할 수 없으므로, 위 각 해당 신분관계가 없는 자의 기부행위는 위 각 해당 법조항 위반의 범죄로는 되지 않는다. 또한, 각 법조항을 구분하여 기부행위의 주체 및 그 주체에 따라 기부행위제한의 요건을 각기 달리 규정한 취지는 각 기부행위의 주체자에 대하여 그 신분에 따라 각 해당법조로 처벌하려는 것이므로, 각 기부행위의 주체로 인정되지 아니하는 자가 기부행위의 주체자 등과 공모하여 기부행위를 하였다 하더라도 그 신분에 따라 각 해당법조로 처벌하여야지 기부행위 주체자에 해당하는 법조 위반의 공동정범으로 처벌할 수는 없다(대판 2008.3.13, 2007도9507). ∴ 공직선거법 제257조 제1항 제1호에서 규정하는 각 기부행위제한위반의 죄와 관련하여 각 기부행위의 주체로 인정되지 아니하는 자가 기부행위의 주체자 등과 공모하여 기부행위를 한 경우, 기부행위 주체자에 해당하는 법조 위반의 공동정범으로 처벌할 수 없다.

④ (×) 비신분자가 신분자와 공모하여 업무상 배임죄를 범한 경우의 처단 방법 ➡ 업무상배임죄는 타인의 사무를 처리하는 지위라는 점에서 보면 신분관계로 인하여 성립될 범죄이고, 업무상 타인의 사무를 처리하는 지위라는 점에서 보면 단순배임죄에 대한 가중규정으로서 신분관계로 인하여 형의 경중이 있는 경우라고 할 것이므로, 그와 같은 신분관계가 없는 자가 그러한 신분관계가 있는 자와 공모하여 업무상배임죄를 저질렀다면 그러한 신분관계가 없는 자에 대하여는 형법 제33조 단서에 의하여 단순배임죄에 정한 형으로 처단하여야 할 것이다(대판 1999.4.27, 99도883). ∴ 업무상 타인의 사무를 처리하는 자가 그러한 신분관계가 없는 자와 공모하여 업무상 배임죄를 저질렀다면 그러한 신분관계가 없는 자에 대하여는 형법 제33조 단서에 의하여 단순 배임죄(업무상 배임죄 ×)의 정한 형으로 처벌한다.

## 10 정답 ②

② (×) 의료인이 의료인이나 의료법인 아닌 자의 의료기관 개설행위에 공모하여 가공하면 의료법 제66조 제3호, 제30조 제1항 위반죄의 공동정범에 해당된다(대판 2001.11.30, 2001도2015).

① (○) 비신분자가 신분자와 공모하여 업무상 배임죄를 범한 경우의 처단 방법 ➡ 업무상배임죄는 타인의 사무를 처리하는 지위라는 점에서 보면 신분관계로 인하여 성립될 범죄이고, 업무상 타인의 사무를 처리하는 지위라는 점에서 보면 단순배임죄에 대한 가중규정으로서 신분관계로 인하여 형의 경중이 있는 경우라고 할 것이므로, 그와 같은 신분관계가 없는 자가 그러한 신분관계가 있는 자와 공모하여 업무상배임죄를 저질렀다면 그러한 신분관계가 없는 자에 대하여는 형법 제33조 단서에 의하여 단순배임죄에 정한 형으로 처단하여야 할 것이다(대판 1999.4.27, 99도883).

③ (○) 변호사 아닌 자가 변호사를 고용하여 법률사무소를 개설·운영하는 행위에 있어서는 변호사 아닌 자는 변호사를 고용하고 변호사는 변호사 아닌 자에게 고용된다는 서로 대향적인 행위의 존재가 반드시 필요하고, 나아가 변호사 아닌 자에게 고용된 변호사가 고용의 취지에 따라 법률사무소의 개설·운영에 어느 정도 관여할 것도 당연히 예상되는바, 이와 같이 변호사가 변호사 아닌 자에게 고용되어 법률사무소의 개설·운영에 관여하는 행위는 위 범죄가 성립하는 데 당연히 예상될 뿐만 아니라 범죄의 성립에 없어서는 아니 되는 것인데도 이를 처벌하는 규정이 없는 이상, 그 입법 취지에 비추어 볼 때 변호사 아닌 자에게 고용되어 법률사무소의 개설·운영에 관여한 변호사의 행위가 일반적인 형법 총칙상의 공모, 교사 또는 방조에 해당된다고 하더라도 변호사를 변호사 아닌 자의 공범으로서 처벌할 수는 없다(대판 2004.10.28, 2004도3994).

④ (○) 형법 제33조 소정의 이른바 신분관계라 함은 남녀의 성별, 내·외국인의 구별, 친족관계, 공무원인 자격과 같은 관계뿐만 아니라 널리 일정한 범죄행위에 관련된 범인의 인적관계인 특수한 지위 또는 상태를 지칭하는 것이다(대판 1994.12.23, 93도1002).

# 형사법 3회 모의고사 정답 및 해설

## 제3회 모의고사 정답

| | | | | | | | | | |
|---|---|---|---|---|---|---|---|---|---|
| 01 | ② | 02 | ④ | 03 | ② | 04 | ③ | 05 | ③ |
| 06 | ② | 07 | ④ | 08 | ④ | 09 | ① | 10 | ② |

## 01 정답 ②

② (×) [3] 공무원이 취급하는 사건에 관하여 청탁 또는 알선을 할 의사와 능력이 없음에도 청탁 또는 알선을 한다고 기망하고 금품을 교부받은 경우, 사기죄와 변호사법 위반죄가 상상적 경합의 관계에 있다. [4] 형법 제40조가 규정하는 1개의 행위가 수개의 죄에 해당하는 경우에는 '가장 중한 죄에 정한 형으로 처벌한다.' 함은 그 수개의 죄명 중 가장 중한 형을 규정한 법조에 의하여 처단한다는 취지와 함께 다른 법조의 최하한의 형보다 가볍게 처단할 수는 없다는 취지 즉, 각 법조의 상한과 하한을 모두 중한 형의 범위 내에서 처단한다는 것을 포함하는 것으로 새겨야 한다. [5] 상상적 경합의 관계에 있는 사기죄와 변호사법 위반죄에 대하여 형이 더 무거운 사기죄에 정한 형으로 처벌하기로 하면서도, 판시의 금품은 공무원이 취급하는 사건에 관하여 청탁을 한다는 명목으로 받은 것으로서 몰수할 수 없으므로 구 변호사법 제116조, 제111조에 의하여 그 상당액을 추징한 것은 옳고, 거기에 상고이유의 주장과 같은 상상적 경합범의 처리에 관한 법리를 오해한 위법도 없다(대판 2006.1.27, 2005도8704). ∴ 상상적 경합의 관계에 있는 사기죄와 변호사법위반죄에 대하여 형이 더 무거운 사기죄에 정한 형으로 처벌하기로 하면서도, 필요적 몰수·추징에 관한 변호사법의 규정을 적용하는 것은 적법하다(전체적 대조주의에 따라 수죄의 법정형 가운데 상한과 하한을 비교하여 모두 중한 형에 의하여 처단하기 때문이다).

① (○) [조개트럭 사건] [1] 강간죄의 성립에 언제나 직접적으로 또 필요한 수단으로서 감금행위를 수반하는 것은 아니므로 감금행위가 강간미수죄의 수단이 되었다 하여 감금행위는 강간미수죄에 흡수되어 범죄를 구성하지 않는다고 할 수는 없는 것이고, 그때에는 감금죄와 강간미수죄는 일개의 행위에 의하여 실현된 경우로서 형법 제40조의 상상적 경합관계에 있다. [3] 상상적 경합관계에 있는 1죄에 관하여 고소취하가 있는 경우 타죄에 대한 처벌 ➡ 형법 제40조의 소위 상상적 경합은 1개의 행위가 수개의 죄에 해당하는 경우에는 과형상 1죄로서 처벌한다는 것이고, 또 가장 중한 죄에 정한 형으로 처벌한다는 것은 경한 죄는 중한 죄에 정한 형으로 처단된다는 것이지, 경한 죄는 그 처벌을 면한다는 것은 아니므로, 이 사건에서 중한 강간미수죄가 친고죄로서 고소가 취소되었다 하더라도 경한 감금죄(폭력행위등처벌에 관한 법률 위반)에 대하여는 아무런 영향을 미치지 않는다(대판 1983.4.26, 83도323).

③ (○) 포괄일죄의 관계에 있는 범행 일부에 관하여 약식명령이 확정된 경우 면소판결의 대상 ➡ 포괄일죄의 관계에 있는 범행일부에 관하여 약식명령이 확정된 경우, 약식명령의 발령시를 기준으로 하여 그 전의 범행에 대하여는 면소의 판결을 하여야 하고, 그 이후의 범행에 대하여서만 일개의 범죄로 처벌하여야 한다(대판 1994.8.9, 94도1318).

④ (○) 공무원인 의사가 공무소의 명의로 허위진단서를 작성한 경우의 죄책 ➡ 형법 제233조 소정의 허위진단서작성죄의 대상은 공무원이 아닌 의사가 사문서로서 진단서를 작성한 경우에 한정되고, 공무원인 의사가 공무소의 명의로 허위진단서를 작성한 경우에는 허위공문서작성죄만이 성립하고 허위진단서작성죄는 별도로 성립하지 않는다(대판 2004.4.9, 2003도7762).

## 02 정답 ④

④ (×) 과거에는 양자간 명의신탁에서 명의수탁자가 부동산을 임의로 처분한 경우 횡령죄 성립을 인정하였는데, 최근 대법원에서는 기존 입장을 변경하여 명의수탁자가 부동산을 처분해도 횡령죄가 성립하지 않는다고 판단하였다. 부동산실명법의 명의신탁관계에 대한 규율 내용 및 태도 등에 비추어 보면, 부동산실명법을 위반하여 명의신탁자가 그 소유인 부동산의 등기명의를 명의수탁자에게 이전하는 이른바 양자간 명의신탁의 경우, 계약인 명의신탁약정과 그에 부수한 위임약정, 명의신탁약정을 전제로 한 명의신탁 부동산 및 그 처분대금 반환약정은 모두 무효이다. 나아가 명의신탁자와 명의수탁자 사이에 무효인 명의신탁약정 등에 기초하여 존재한다고 주장될 수 있는 사실상의 위탁관계라는 것은 부동산실명법에 반하여 범죄를 구성하는 불법적인 관계에 지나지 아니할 뿐 이를 형법상 보호할 만한 가치 있는 신임에 의한 것이라고 할 수 없다. 명의수탁자가 명의신탁자에 대하여 소유권이전등기 말소의무를 부담하게 되나, 위 소유권이전등기는 처음부터 원인무효여서 명의수탁자는 명의신탁자가 소유권에 기한 방해배제청구로 말소를 구하는 것에 대하여 상대방으로서 응할 처지에 있음에 불과하다. 명의수탁자가 제3자와 한 처분행위가 부동산실명법 제4조 제3항에 따라 유효하게 될 가능성이 있다고 하더라도 이는 거래 상대방인 제3자를 보호하기 위하여 명의신탁약정의 무효에 대한 예외를 설정한 취지일 뿐 명의신탁자와 명의수탁자 사이에 위 처분행위를 유효하게 만드는 어떠한 위탁관계가 존재함을 전제한 것이라고는 볼 수 없다. 따라서 말소등기의무의 존재나 명의수탁자에 의한 유효한 처분가능성을 들어 명의수탁자가 명의신탁자에 대한 관계에서 '타인의 재물을 보관하는 자'의 지위에 있다고 볼 수도 없다. 그러므로 부동산실명법을 위반한 양자간 명의신탁의 경우 명의수탁자가 신탁받은 부동산을 임의로 처분하여도 명의신탁자에 대한 관계에서 횡령죄가 성립하지 아니한다(대판(전) 2021.2.18, 2016도18761).

① (○) [1] 장물보관 의뢰를 받은 자가 그 정을 알면서 이를 보관하고 있다가 임의 처분한 경우, 장물보관죄 이외에 횡령죄가 성립하는지 여부(소극)➡ 절도 범인으로부터 장물보관 의뢰를 받은 자가 그 정을 알면서 이를 인도받아 보관하고 있다가 임의 처분하였다 하여도 장물보관죄가 성립하는 때에는 <u>이미 그 소유자의 소유물 추구권을 침해하였으므로</u> 그 후의 횡령행위는 불가벌적 사후행위에 불과하여 별도로 횡령죄가 성립하지 않는다. [2] <u>피고인이 업무상 과실로 장물을 보관하고 있다가 처분한 행위는 업무상과실장물보관죄의 가벌적 평가에 포함되고 별도로 횡령죄를 구성하지 않는다</u>(대판 2004.4.9, 2003도8219).

② (○) "갑"이 "을"과 공동으로 불하받은 부동산을 "병"에게 자의로 매도하여 "을"에 대한 배임행위로 처벌받은 후 "병"에 대한 소유권이전등기 의무를 지닌 채 다시 "병"에 대한 재매도행위는 이미 배임행위로서 이루어진 "갑"의 "병"에 대한 매도행위의 불가벌적 사후행위이다. ➡ 피고인이 <u>(갑)과 공동으로 불하받기로 하되 편의상 그 명의로 불하받은 부동산을 (을)에게 자의로 매도하여 (갑)에 대한 배임행위</u>로 처벌받은 후 (을)에 대한 소유권이전등기의무를 지닌 채 위 부동산을 두고 이해관계인간에 <u>민사소송이 제기되어 화해가 성립됨으로써 결국 피고인이 재매도하는 형식이 되었다 하여도 이는 불가벌적 사후행위</u>로서 특별히 죄가 되지 않는다(대판 1970.11.24, 70도1998).

③ (○) 횡령 교사를 한 후 그 횡령한 물건을 취득한 때에는 횡령교사죄와 장물취득죄의 경합범이 성립된다(대판 1969.6.24, 69도692).

## 03 정답 ②

㉠ (○) 채권자가 수인인 경우, 강제집행면탈죄의 죄수 관계 ➡ 채권자들에 의한 복수의 강제집행이 예상되는 경우 재산을 은닉 또는 허위양도함으로써 채권자들을 해하였다면 채권자별로 각각 강제집행면탈죄가 성립하고, 상호 상상적 경합범의 관계에 있다(대판 2011.12.8, 2010도4129).

㉡ (×) 수인으로부터 각각 같은 종류의 부정한 청탁과 함께 금품을 받은 배임수재행위가 포괄일죄를 구성하는지 여부(소극) ➡ 타인의 사무를 처리하는 자가 동일인으로부터 그 직무에 관하여 부정한 청탁을 받고 여러 차례에 걸쳐 금품을 수수한 경우 ➡ 그것이 단일하고도 계속된 범의 아래 일정기간 반복하여 이루어진 것이고 그 피해법익도 동일한 때에는 이를 포괄일죄로 보아야 한다. 다만, 여러 사람으로부터 각각 부정한 청탁을 받고 그들로부터 각각 금품을 수수한 경우에는 비록 그 청탁이 동종의 것이라고 하더라도 단일하고 계속된 범의 아래 이루어진 범행으로 보기 어려워 그 전체를 포괄일죄로 볼 수 없다(대판 2008.12.11, 2008도6987). ∴ 이는 단일하고 계속된 범의 아래 이루어진 것이 아니고 그 피해법익도 동일하지 아니므로 포괄일죄로 볼 수 없다.

㉢ (○) 여러 개의 위탁관계에 의하여 보관하던 여러 개의 재물을 1개의 행위에 의하여 횡령한 경우, 횡령죄의 죄수 관계(=상상적 경합범) ➡ 피고인은 피해자 공소외 1 회사와 사이에 렌탈(임대차)계약을 체결하고 그로부터 컴퓨터 본체 24대, 모니터 1대를 받아 보관하였고, 피해자 공소외 2 회사와 사이에 리스(임대차)계약을 체결하고 그로부터 컴퓨터 본체 13대, 모니터 41대, 그래픽카드 13개, 마우스 11개를 보관하다가 2011.2.22경 성명불상의 업체에 이를 한꺼번에 처분하여 횡령하였으므로, 이러한 횡령행위는 사회관념상 1개의 행위로 평가함이 상당하고, 피해자들에 대한 각 횡령죄는 상상적 경합의 관계에 있다고 보아야 할 것이다(대판 2013.10.31, 2013도10020).

㉣ (×) 경찰서 생활질서계에 근무하는 피고인 甲이 사행성 게임장 업주인 乙로부터 뇌물을 수수하면서, 乙의 자녀 명의 은행계좌에 관한 현금카드를 받은 뒤 乙이 위 계좌에 돈을 입금하면 甲이 현금카드로 돈을 인출한 경우, 범죄수익규제법 위반죄와 특정범죄 가중처벌 등에 관한 법률 위반(뇌물)죄의 실체적 경합범이 성립한다(대판 2012.9.27, 2012도6079). ∴ '범죄수익은닉의 규제 및 처벌 등에 관한 법률' 위반죄와 '특정범죄 가중처벌 등에 관한 법률' 위반(뇌물)죄가 성립하고 두 죄가 실체적(상상적 ×) 경합범 관계에 있다.

## 04 정답 ③

③ (○) 가. 수탁자가 할인을 위하여 교부받은 약속어음을 자신의 채무변제에 충당한 경우 횡령죄의 성부(적극) ➡ 약속어음을 할인을 위하여 교부받은 수탁자는 위탁의 취지에 따라 보관하는 것에 불과하고 위 약속어음을 교부할 당시에 그 할인의 편의를 위하여 배서양도의 형식을 취하였다 하더라도 다를 바 없다 할 것이므로 배서양도의 형식으로 위탁된 약속어음을 수탁자가 자신의 채무변제에 충당하였다면 이와 같은 수탁자의 행위는 위탁의 취지에 반하는 것으로서 횡령죄를 구성한다. 나. 사취한 어음을 피해자에 대한 피고인의 채권변제에 충당한 경우 별도의 횡령죄의 성부(소극) ➡ 피고인이 당초부터 피해자를 기망하여 약속어음을 교부받은 경우에는 그 교부받은 즉시 사기죄가 성립하고 그 후 이를 피해자에 대한 피고인의 채권의 변제에 충당하였다 하더라도 불가벌적 사후행위가 됨에 그칠 뿐, 별도로 횡령죄를 구성하지 않는다(대판 1983.4.26, 82도3079).

① (×) [1] 허위사실 유포에 의한 업무방해죄와 명예훼손죄의 죄수관계(=상상적 경합관계)➡ 허위사실이 기재된 현수막을 설치하고 허위사실을 기재한 유인물을 불특정 다수인에게 배포함으로써 공연히 허위사실을 적시하여 피해자의 명예를 훼손하고 피해자의 병원 운영업무를 방해한 사실은 명예훼손죄 및 업무방해죄의 상상적 경합관계에 있다. [2] 허위사실을 유포한 1개의 행위가 형법 제314조 제1항의 허위사실 유포에 의한 업무방해죄뿐 아니라 형법 제307조 제2항의 허위사실 적시에 의한 명예훼손죄에도 해당하는 경우 그 2개의 죄는 상상적 경합관계에 있다(대판 2007.11.15, 2007도7140). ∴ 상상적(실체적 ×) 경합관계로 본다.

② (×) 업무방해죄와 폭행죄는 구성요건과 보호법익을 달리하고 있고, 업무방해죄의 성립에 일반적·전형적으로 사람에 대한 폭행행위를 수반하는 것은 아니며, 폭행행위가 업무방해죄에 비하여 별도로 고려되지 않을 만큼 경미한 것이라고 할 수도 없으므로, 설령 피해자에 대한 폭행행위가 동일한 피해자에 대한 업무방해죄의 수단이 되었다고 하더라도 그러한 폭행행위가 이른바 '불가벌적 수반행위'에 해당하여 업무방해죄에 대하여 흡수관계에 있다고 볼 수는 없다(대판 2012.10.11, 2012도1895). ∴ 폭행행위는 업무방해죄의 불가벌적 수반행위에 해당하지 않는다.

④ (×) [1] 장물보관 의뢰를 받은 자가 그 정을 알면서 이를 보관하고 있다가 임의 처분한 경우, 장물보관죄 이외에 횡령죄가 성립하는지 여부(소극) ➡ 절도 범인으로부터 장물보관 의뢰를 받은 자가 그 정을 알면서 이를 인도받아 보관하고 있다가 임의 처분하였다 하여도 장물보관죄가 성립하는 때에는 이미 그 소유자의 소유물 추구권을 침해하였으므로 그 후의 횡령행위는 불가벌적 사후행위에 불과하여 별도로 횡령죄가 성립하지 않는다. [2] 피고인이 업무상 과실로 장물을 보관하고 있다가 처분한 행위는 업무상과실장물보관죄의 가벌적 평가에 포함되고 별도로 횡령죄를 구성하지 않는다(대판 2004.4.9, 2003도8219). ∴ 업무상 과실로 장물을 보관하다가 임의로 처분한 행위는 별도의 횡령죄를 구성하지 않는다.

## 05 정답 ③

③ (○) 업무상배임죄는 타인의 사무를 처리하는 자가 업무상의 임무에 위배하는 행위로써 재산상의 이익을 취득하거나 제3자로 하여금 이를 취득하게 하여 본인에게 손해를 가한 때에 성립하는 범죄이므로 업무상배임죄가 성립하기 위하여는 임무위배행위로 인하여 본인에게 재산상의 손해가 발생하여야 할 것인바, 금융기관이 거래처의 기존 대출금에 대한 원리금 및 연체이자에 충당하기 위하여 위 거래처가 신규대출을 받은 것처럼 서류상 정리하였더라도 금융기관이 실제로 위 거래처에게 대출금을 새로 교부한 것이 아니라면 그로 인하여 금융기관에게 어떤 새로운 손해가 발생하는 것은 아니라고 할 것이므로 따로 업무상배임죄가 성립된다고 볼 수 없다(대판 2000.6.27, 2000도1155). ∴ 1년 동안 12회에 걸쳐 그 사례금 명목으로 합계 1억 2,000만원을 교부받은 경우 각 범행을 포괄일죄로 본다.

① (×) 무면허운전으로 인한 도로교통법위반죄의 죄수 ➡ 무면허운전으로 인한 도로교통법위반죄에 있어서는 어느 날에 운전을 시작하여 다음날까지 동일한 기회에 일련의 과정에서 계속 운전을 한 경우 등 특별한 경우를 제외하고는 사회통념상 운전한 날을 기준으로 운전한 날마다 1개의 운전행위가 있다고 보는 것이 상당하므로 운전한 날마다 무면허운전으로 인한 도로교통법위반의 1죄가 성립한다고 보아야 할 것이고, 비록 계속적으로 무면허운전을 할 의사를 가지고 여러 날에 걸쳐 무면허운전행위를 반복하였다 하더라도 이를 포괄하여 일죄로 볼 수는 없다(대판 2002.7.23, 2001도6281). ∴ (포괄일죄 ×) 운전한 날마다 1죄임

② (×) [2] 타인의 명의를 도용하여 작성한 건의문과 호소문이 중요한 사실을 증명하는 사실증명에 관한 문서에 해당한다. [3] ○○작가협회 회원이 타인의 명의를 도용하여 협회 교육원장을 비방하는 내용의 호소문을 작성한 후 이를 협회 회원들에게 우편으로 송달한 경우, 사문서위조죄와 명예훼손죄가 각 성립하고, 이는 실체적 경합관계에 있다(대판 2009.4.23, 2008도8527). ∴ 이를 작가협회 회원들에게 우편으로 송달한 경우 사문서 위조와 명예훼손죄의 실체적 경합관계에 있다.

④ (×) 히로뽕 완제품을 제조할 때 함께 만든 액체 히로뽕 반제품을 땅에 묻어 두었다가 약 1년 9월 후에 위 반제품으로 그 완제품을 제조한 경우의 죄수(=경합범) ➡ 히로뽕 완제품을 제조할 때 함께 만든 액체 히로뽕 반제품을 땅에 묻어 두었다가 약 1년 9월 후에 앞서 제조시의 공범 아닌 자 등의 요구에 따라 그들과 함께 위 반제품으로 그 완제품을 제조한 경우 포괄일죄를 이룬다고 할 수 없으므로 형법 제37조 전단의 경합범으로 의율처단하여야 한다(대판 1991.2.26, 90도2900). ∴ 제조를 요구했던 사람이 아닌 다른 사람들의 요구에 따라 그들과 함께 위 반제품을 완제품으로 제조한 경우 ➡ 제37조 전단의 실체적 경합범임

## 06 정답 ②

② (○) 대판 1996.3.8, 95도2114 형법 제37조 후단의 경합범이 되는 전과가 사면된 경우 동조 후단 경합범으로의 처벌 가부 ➡ 형법 제37조 후단의 경합범에 있어서 '(금고 이상의 형에 처한)판결이 확정된 죄'라 함은 수개의 독립된 죄 중의 어느 죄에 대하여 확정판결이 있었던 사실 자체를 의미하고 일반사면으로 형의 선고의 효력이 상실된 여부는 묻지 않으므로, 1995.12.2. 대통령령 제14818호로 일반사면령에 의하여 제1심 판시의 확정된 도로교통법위반의 죄가 사면됨으로써 사면법 제5조 제1항 제1호에 따라 형의 선고의 효력이 상실되었다고 하더라도 확정판결을 받은 죄의 존재가 이에 의하여 소멸되지 않는 이상 형법 제37조 후단의 판결이 확정된 죄에 해당한다(즉, 판결이 확정된 죄는 어느 죄에 대하여 확정판결이 있었던 사실 그 자체를 의미하므로 형의 실효여부, 집행유예의 실효여부는 불문한다).

① (×) 제37조【경합범】판결이 확정되지 아니한 수개의 죄 또는 금고 이상의 형에 처한 판결이 확정된 죄와 그 판결확정 전에 범한 죄를 경합범으로 한다. ∴ 사후적 경합범은 동일인이 범한 수죄 중에서 일부의 죄에 관하여 금고 이상(벌금 이상 ×)의 형에 처한 확정판결이 있는 경우에, 판결이 확정된 범죄와 그 판결이 확정되기 전에 범한 죄 사이의 경합관계를 말한다.

③ (×) 동시적 경합범 ㉮ 수죄는 모두 기소되어 병합심리되어야 한다(=수죄가 하나의 재판에서 같이 판결될 가능성이 있어야 한다). ㉯ 1심에서는 별도로 판결된 수죄일지라도 항소심에서 병합심리된 때에는 동시적 경합범이 됨.

두개의 공소사실들이 형법 제37조 전단 소정의 경합범 관계에 있는 경우 그 사실들에 대하여 병합심리를 하고 한 판결로서 처단하는 이상 형법 제38조 제1항(동시적 경합범) 소정의 예에 따라 경합 가중한 형기 범위 내에서 피고인을 단일한 선고형으로 처단하여야 한다(대판 1972.5.9, 72도597). ∴ 동시적 경합범은 원칙적으로 수죄 전부가 병합 심리될 것을 요한다.

④ (×) 제38조 제2항 ∴ 동시적 경합범에서 각 죄에 정한 형이 징역과 금고인 때에는 징역과 금고는 동종의 형으로 간주하여 징역형으로 처벌한다.

> 제38조【경합범과 처벌례】
> ① 1. 가장 중한 죄에 정한 형이 사형 또는 무기징역이나 무기금고인 때에는 가장 중한 죄에 정한 형으로 처벌한다.
> 2. 각죄에 정한 형이 사형 또는 무기징역이나 무기금고 이외의 동종의 형인 때에는 가장 중한 죄에 정한 장기 또는 다액에 그 2분의 1까지 가중하되 각죄에 정한 형의 장기 또는 다액을 합산한 형기 또는 액수를 초과할 수 없다. 단 과료와 과료, 몰수와 몰수는 병과할 수 있다.
> ② 전항 각 호의 경우에 있어서 징역과 금고는 동종의 형으로 간주하여 징역형으로 처벌한다.

## 07 정답 ④

④ (×) 대판 2005.9.30, 2005도5236 피고인이 어음을 편취한 후 이를 숨기고 제3자로부터 할인받은 경우, 그 어음할인행위가 별도의 사기죄를 구성하는지 여부(적극) ➡ 편취한 약속어음을 그와 같은 사실을 모르는 제3자에게 편취사실을 숨기고 할인받는 행위는 당초의 어음 편취와는 별개의 새로운 법익을 침해하는 행위로서 기망행위와 할인금의 교부행위 사이에 상당인과관계가 있어 새로운 사기죄를 구성한다 할 것이고, 설령 그 약속어음을 취득한 제3자가 선의이고 약속어음의 발행인이나 배서인이 어음금을 지급할 의사와 능력이 있었다 하더라도 이러한 사정은 사기죄의 성립에 영향이 없다(대판 2000.9.5, 99도3590 참조). ∴ 그 약속어음을 취득한 제3자가 선의이고 약속어음의 발행인이나 배서인이 어음금을 지급할 의사와 능력이 있다 하더라도 제3자에 대한 별도의 사기죄는 성립한다. (별개의 새로운 법익을 침해하였음)

① (○) 채권자가 수인인 경우, 강제집행면탈죄의 죄수 관계 ➡ 채권자들에 의한 복수의 강제집행이 예상되는 경우 재산을 은닉 또는 허위양도함으로써 채권자들을 해하였다면 채권자별로 각각 강제집행면탈죄가 성립하고, 상호 상상적 경합범의 관계에 있다(대판 2011.12.8, 2010도4129).

② (○) 경찰관이 압수물을 범죄 혐의의 입증에 사용하도록 하는 등의 적절한 조치를 취하지 아니하고 피압수자에게 돌려주어 증거인멸죄를 범한 경우에 별도로 부작위범인 직무유기죄가 성립하는지 여부(소극) ➡ (명칭 생략)경찰서 방범과장이던 피고인이 부하직원으로부터 (상호 생략)오락실을 음반・비디오물 및 게임물에 관한 법률 위반 혐의로 단속하여 범죄행위에 제공된 증거물로 오락기의 변조 기판을 압수하여 위 방범과 사무실에 보관중임을 보고받아 알고 있었음에도 그 직무상의 의무에 따라 위 압수물을 같은 경찰서 수사계에 인계하고 검찰에 송치하여 범죄 혐의의 입증에 사용하도록 하는 등의 적절한 조치를 취하지 않고, 오히려 부하직원에게 위와 같이 압수한 변조 기판을 돌려주라고 지시하여 (상호 생략)오락실 업주에게 이를 돌려주었다면, <u>직무위배의 위법상태가 증거인멸행위 속에 포함되어 있는 것으로 보아야 할 것이므로</u> 이와 같은 경우에는 작위범인 증거인멸죄만이 성립하고 부작위범인 직무유기(거부)죄는 따로 성립하지 아니한다고 봄이 상당하다고 할 것이다(대판(전) 2006.10.19, 2005도3909).

③ (○) [2] 동일한 공무를 집행하는 여러 공무원의 공무집행을 방해한 경우의 죄수관계(=상상적 경합) ➡ <u>동일한 공무를 집행하는 여럿의 공무원에 대하여 폭행・협박 행위를 한 경우에는 공무를 집행하는 공무원의 수에 따라</u> 여럿의 공무집행방해죄가 성립하고, 위와 같은 폭행・협박 행위가 동일한 장소에서 동일한 기회에 이루어진 것으로서 사회관념상 1개의 행위로 평가되는 경우에는 <u>여럿의 공무집행방해죄는 상상적 경합의 관계에 있다.</u> [3] 범죄 피해 신고를 받고 출동한 두 명의 경찰관에게 욕설을 하면서 차례로 폭행을 하여 신고 처리 및 수사 업무에 관한 정당한 직무집행을 방해한 사안에서, 동일한 장소에서 동일한 기회에 이루어진 폭행 행위는 사회관념상 1개의 행위로 평가하는 것이 상당하다는 이유로, 위 공무집행방해죄는 형법 제40조에 정한 상상적 경합의 관계에 있다(대판 2009.6.25, 2009도3505).

## 08 정답 ④

④ (○) 음주로 인한 특정범죄가중처벌 등에 관한 법률 위반(위험운전치사상)죄와 도로교통법 위반(음주운전)죄는 입법 취지와 보호법익 및 적용영역을 달리하는 별개의 범죄이므로, 양 죄가 모두 성립하는 경우 두 죄는 실체적 경합관계에 있다(대판 2008.11.13, 2008도7143).

① (×) 무면허운전으로 인한 도로교통법위반죄의 죄수 ➡ 무면허운전으로 인한 도로교통법위반죄에 있어서는 어느 날에 운전을 시작하여 다음날까지 동일한 기회에 일련의 과정에서 계속 운전을 한 경우 등 특별한 경우를 제외하고는 사회통념상 운전한 날을 기준으로 운전한 날마다 1개의 운전행위가 있다고 보는 것이 상당하므로 운전한 날마다 무면허운전으로 인한 도로교통법위반의 1죄가 성립한다고 보아야 할 것이고, 비록 계속적으로 무면허운전을 할 의사를 가지고 여러 날에 걸쳐 무면허운전행위를 반복하였다 하더라도 이를 포괄하여 일죄로 볼 수는 없다(대판 2002.7.23, 2001도6281). ∴ (포괄일죄 ×) 운전한 날마다 1죄임

② (×) 절도범인이 체포를 면탈할 목적으로 경찰관에게 폭행 협박을 가한 때에는 준강도죄와 공무집행방해죄를 구성하고 양 죄는 상상적 경합관계에 있으나, 강도범인이 체포를 면탈할 목적으로 경찰관에게 폭행을 가한 때에는 강도죄와 공무집행

방해죄는 실체적 경합관계에 있고 상상적 경합관계에 있는 것이 아니다(대판 1992.7.28, 92도917). ∴ 강도죄와 공무집행방해죄의 실체적 경합

③ (×) [2] 동일한 공무를 집행하는 여러 공무원의 공무집행을 방해한 경우의 죄수관계(=상상적 경합) ➡ 동일한 공무를 집행하는 여럿의 공무원에 대하여 폭행·협박 행위를 한 경우에는 공무를 집행하는 공무원의 수에 따라 여럿의 공무집행방해죄가 성립하고, 위와 같은 폭행·협박 행위가 동일한 장소에서 동일한 기회에 이루어진 것으로서 사회관념상 1개의 행위로 평가되는 경우에는 여럿의 공무집행방해죄는 상상적 경합의 관계에 있다. [3] 범죄 피해 신고를 받고 출동한 두 명의 경찰관에게 욕설을 하면서 차례로 폭행을 하여 신고 처리 및 수사 업무에 관한 정당한 직무집행을 방해한 사안에서, 동일한 장소에서 동일한 기회에 이루어진 폭행 행위는 사회관념상 1개의 행위로 평가하는 것이 상당하다는 이유로, 위 공무집행방해죄는 형법 제40조에 정한 상상적 경합의 관계에 있다(대판 2009.6.25 2009도3505). ∴ 범죄 피해신고를 받고 출동한 두 명의 경찰관에게 욕설을 하면서 순차로 폭행을 하여 신고 처리 및 수사 업무에 관한 정당한 직무집행을 방해한 경우 두 경찰관에 대한 공무집행방해죄는 상상적 경합관계에 있다.

## 09 정답 ①

㉠ (○) [다수의견] 송금의뢰인이 다른 사람의 예금계좌에 자금을 송금·이체한 경우 특별한 사정이 없는 한 송금의뢰인과 계좌명의인 사이에 그 원인이 되는 법률관계가 존재하는지 여부에 관계없이 계좌명의인(수취인)과 수취은행 사이에는 그 자금에 대하여 예금계약이 성립하고, 계좌명의인은 수취은행에 대하여 그 금액 상당의 예금채권을 취득한다. 이때 송금의뢰인과 계좌명의인 사이에 송금·이체의 원인이 된 법률관계가 존재하지 않음에도 송금·이체에 의하여 계좌명의인이 그 금액 상당의 예금채권을 취득한 경우 계좌명의인은 송금의뢰인에게 그 금액 상당의 돈을 반환하여야 한다. 이와 같이 계좌명의인이 송금·이체의 원인이 되는 법률관계가 존재하지 않음에도 계좌이체에 의하여 취득한 예금채권 상당의 돈은 송금의뢰인에게 반환하여야 할 성격의 것이므로, 계좌명의인은 그와 같이 송금·이체된 돈에 대하여 송금의뢰인을 위하여 보관하는 지위에 있다고 보아야 한다. 따라서 계좌명의인이 그와 같이 송금·이체된 돈을 그대로 보관하지 않고 영득할 의사로 인출하면 횡령죄가 성립한다. / 이러한 법리는 계좌명의인이 개설한 예금계좌가 전기통신금융사기 범행에 이용되어 그 계좌에 피해자가 사기피해금을 송금·이체한 경우에도 마찬가지로 적용된다. ㉠ 계좌명의인은 피해자와 사이에 아무런 법률관계 없이 송금·이체된 사기피해금 상당의 돈을 피해자에게 반환하여야 하므로, 피해자를 위하여 사기피해금을 보관하는 지위에 있다고 보아야 하고, 만약 계좌명의인이 그 돈을 영득할 의사로 인출하면 피해자에 대한 횡령죄가 성립한다. ㉡ 이때 계좌명의인이 사기의 공범이라면 자신이 가담한 범행의 결과 피해금을 보관하게 된 것일 뿐이어서 피해자와 사이에 위탁관계가 없고, 그가 송금·이체된 돈을 인출하더라도 이는 자신이 저지른 사기범행의 실행행위에 지나지 아니하여 새로운 법익을 침해한다고 볼 수 없으므로 사기죄 외에 별도로 횡령죄를 구성하지 않는다. ㉢ 한편 계좌명의인의 인출행위는 전기통신금융사기의 범인에 대한 관계에서는 횡령죄가 되지 않는다(대판(전) 2018.7.19, 2017도17494). ∴ ~ 계좌명의인이 사기 범행의 공범이 아닌 경우는 횡령죄, 공범인 경우는 전기통신금융사기 피해자에 대한 횡령죄에 해당하지 않는다.

㉡ (○) [1] 장물보관 의뢰를 받은 자가 그 정을 알면서 이를 보관하고 있다가 임의 처분한 경우, 장물보관죄 이외에 횡령죄가 성립하는지 여부(소극) ➡ 절도 범인으로부터 장물보관 의뢰를 받은 자가 그 정을 알면서 이를 인도받아 보관하고 있다가 임의 처분하였다 하여도 장물보관죄가 성립하는 때에는 이미 그 소유자의 소유물 추구권을 침해하였으므로 그 후의 횡령행위는 불가벌적 사후행위에 불과하여 별도로 횡령죄가 성립하지 않는다. [2] 피고인이 업무상 과실로 장물을 보관하고 있다가 처분한 행위는 업무상과실장물보관죄의 가벌적 평가에 포함되고 별도로 횡령죄를 구성하지 않는다(대판 2004.4.9, 2003도8219).

㉢ (×) 동일 죄명에 해당하는 수개의 행위 혹은 연속된 행위를 단일하고 계속된 범의하에 일정 기간 계속하여 행하고 그 피해법익도 동일한 경우에는 이들 각 행위를 통틀어 포괄일죄로 처단하여야 할 것이나, 범의의 단일성과 계속성이 인정되지 아니하거나 범행방법이 동일하지 않은 경우에는 각 범행은 실체적 경합범에 해당한다. ➡ 컴퓨터로 음란 동영상을 제공한 제1범죄행위로 서버컴퓨터가 압수된 이후 다시 장비를 갖추어 동종의 제2범죄행위를 하고 제2범죄행위로 인하여 약식명령을 받아 확정된 사안에서, 피고인에게 범의의 갱신이 있어 제1범죄행위는 약식명령이 확정된 제2범죄행위와 실체적 경합관계에 있다고 보아야 할 것이라는 이유로, 포괄일죄를 구성한다고 판단한 원심판결을 파기한 사례(대판 2005.9.30, 2005도4051)

㉣ (○) 열차승차권은 그 자체에 권리가 화체되어 있는 무기명증권이므로 이를 곧 사용하여 승차하거나 권면가액으로 양도할 수 있고 매입금액의 환불을 받을 수 있는 것으로서 열차승차권을 절취한 자가 환불을 받음에 있어 비록 기망행위가 수반한다 하더라도 절도죄 외에 따로이 사기죄가 성립하지 아니한다(대판 1975.8.29, 75도1996).

## 10 정답 ②

㉠ (×) 뇌물을 수수한 공무원에 대하여는 기망 한 개의 행위가 뇌물죄와 사기죄의 각 구성요건에 해당하므로 형법 제40조에 의하여 상상적 경합으로 처단하여야 할 것이다(대판 2015.10.29, 2015도12838).

㉡ (O) 공무원이 취급하는 사건에 관하여 청탁 또는 알선을 할 의사와 능력이 없음에도 청탁 또는 알선을 한다고 기망하고 금품을 교부받은 경우, 사기죄와 변호사법 위반죄가 상상적 경합의 관계에 있다(대판 2006.1.27, 2005도8704).

㉢ (×) 수수한 메스암페타민을 장소를 이동하여 투약하고서 잔량을 은닉하는 방법으로 소지한 행위는 그 소지의 경위나 태양에 비추어 볼 때 당초의 수수행위에 수반되는 필연적 결과로 볼 수는 없고, 사회통념상 수수행위와는 독립한 별개의 행위를 구성한다고 보아야 한다(대판 1999.8.20, 99도1744).

㉣ (×) 음주 또는 약물의 영향으로 정상적인 운전이 곤란한 상태에서 자동차를 운전하여 사람을 상해에 이르게 함과 동시에 다른 사람의 재물을 손괴한 때에는 특정범죄가중처벌 등에 관한 법률 위반(위험운전치사상)죄 외에 업무상과실 재물손괴로 인한 도로교통법 위반죄가 성립하고, 위 두 죄는 1개의 운전행위로 인한 것으로서 상상적 경합관계에 있다(대판 2010.1.14, 2009도10845).

㉤ (O) 대판 2007.7.26, 2007도4404 [1] 음주운전으로 인한 도로교통법 위반죄의 보호법익과 처벌방법을 고려할 때, 혈중알콜농도 0.05% 이상의 음주상태로 동일한 차량을 일정기간 계속하여 운전하다가 1회 음주측정을 받았다면 이러한 음주운전행위는 동일 죄명에 해당하는 연속된 행위로서 단일하고 계속된 범의하에 일정기간 계속하여 행하고 그 피해법익도 동일한 경우이므로 포괄일죄에 해당한다. [2] 음주상태로 자동차를 운전하다가 제1차 사고를 내고 그대로 진행하여 제2차 사고를 낸 후 음주측정을 받아 도로교통법 위반(음주운전)죄로 약식명령을 받아 확정되었는데, 그 후 제1차사고 당시의 음주운전으로 기소된 사안에서 위 공소사실이 약식명령이 확정된 도로교통법 위반(음주운전)죄와 포괄일죄 관계에 있다.

# 형사법 4회 모의고사 정답 및 해설

제4회 모의고사 정답

| | | | | | | | | | |
|---|---|---|---|---|---|---|---|---|---|
| 01 | ④ | 02 | ② | 03 | ② | 04 | ① | 05 | ③ |
| 06 | ② | 07 | ④ | 08 | ② | 09 | ① | 10 | ② |

## 01 정답 ④

④ (×) 조세포탈의 죄수는 위반사실의 구성요건 충족회수를 기준으로 하여 정하는 것인데, 관세법 제4조는 제137조의 규정에 의한 수입신고를 할 때의 물품의 성질과 그 수량에 의하여 관세를 부과하도록 규정하고 있고, 같은 법 제17조는 물품을 수입하고자 하는 자는 수입신고를 할 때에 관세법 시행령 제5조가 규정하는 바에 의하여 세관장에게 납세신고를 하여야 하고, 세관장은 납세신고를 받은 때에는 수입신고서상의 기재사항 등을 심사하도록 규정하고 있으므로, 관세는 신고납부방식의 조세로서 납부의무자가 수입물품의 수입신고를 할 때마다 1개의 납세의무가 확정된다 할 것인바, 같은 법 제180조 제1항 제1호 소정의 관세포탈죄는 수입물품에 대한 정당한 관세의 확보를 그 보호법익으로 하는 것이므로, 수입물품의 수입신고를 하면서 과세가격 또는 관세율 등을 허위로 신고하여 수입하는 경우에는 그 수입신고 시마다 당해 수입물품에 대한 정당한 관세의 확보라는 법익이 침해되어 별도로 구성요건이 충족되는 것이므로 각각의 허위 수입신고 시마다 1개의 죄가 성립한다(대판 2000.11.10, 99도782).

① (○) 업무상배임행위에 사기행위가 수반된 때의 죄수 관계에 관하여 보면, 사기죄는 사람을 기망하여 재물의 교부를 받거나 재산상의 이익을 취득하는 것을 구성요건으로 하는 범죄로서 임무위배를 그 구성요소로 하지 아니하고 사기죄의 관념에 임무위배 행위가 당연히 포함된다고 할 수도 없으며, 업무상배임죄는 업무상 타인의 사무를 처리하는 자가 그 업무상의 임무에 위배하는 행위로써 재산상의 이익을 취득하거나 제3자로 하여금 이를 취득하게 하여 본인에게 손해를 가하는 것을 구성요건으로 하는 범죄로서 기망적 요소를 구성요건의 일부로 하는 것이 아니어서 양 죄는 그 구성요건을 달리하는 별개의 범죄이고 형법상으로도 각각 별개의 장에 규정되어 있어, 1개의 행위에 관하여 사기죄와 업무상배임죄의 각 구성요건이 모두 구비된 때에는 양 죄를 법조경합 관계로 볼 것이 아니라 상상적 경합관계로 봄이 상당하다 할 것이고, 나아가 업무상배임죄가 아닌 단순배임죄라고 하여 양 죄의 관계를 달리 보아야 할 이유도 없다(대판(전) 2002.7.18, 2002도669).

② (○) 절도범인이 체포를 면탈할 목적으로 경찰관에게 폭행 협박을 가한 때에는 준강도죄와 공무집행방해죄를 구성하고 양 죄는 상상적 경합관계에 있으나, 강도범인이 체포를 면탈할 목적으로 경찰관에게 폭행을 가한 때에는 강도죄와 공무집행방해죄는 실체적 경합관계에 있고 상상적 경합관계에 있는 것이 아니다(대판 1992.7.28, 92도917).

③ (○) 수수한 메스암페타민을 장소를 이동하여 투약하고서 잔량을 은닉하는 방법으로 소지한 행위는 그 소지의 경위나 태양에 비추어 볼 때 당초의 수수행위에 수반되는 필연적 결과로 볼 수는 없고, 사회통념상 수수행위와는 독립한 별개의 행위를 구성한다고 보아야 한다(대판 1999.8.20, 99도1744).

## 02 정답 ②

가. (○) 미성년자의제강간죄 또는 미성년자의제강제추행죄는 행위시마다 1개의 범죄가 성립한다(대판 1982.12.14, 82도2442).

나. (○) 음주 또는 약물의 영향으로 정상적인 운전이 곤란한 상태에서 자동차를 운전하여 사람을 상해에 이르게 함과 동시에 다른 사람의 재물을 손괴한 때에는 특정범죄가중처벌 등에 관한 법률 위반(위험운전치사상)죄 외에 업무상과실 재물손괴로 인한 도로교통법 위반죄가 성립하고, 위 두 죄는 1개의 운전행위로 인한 것으로서 상상적 경합관계에 있다(대판 2010.1.14, 2009도10845).

다. (×) [1] 형법 제37조 후단 및 제39조 제1항의 문언, 입법취지 등에 비추어 보면, 아직 판결을 받지 아니한 죄가 이미 판결이 확정된 죄와 동시에 판결할 수 없었던 경우에는 형법 제39조 제1항에 따라 동시에 판결할 경우와 형평을 고려하여 형을 선고하거나 그 형을 감경 또는 면제할 수 없다고 해석함이 상당하다.

[2] 피고인을 금고 이상의 형에 처한 갑죄에 대한 판결이 확정되고, 그 후에 갑죄 판결확정일 이전에 저질러진 을죄에 대하여 금고 이상의 형에 처하는 판결이 확정되었는데, 피고인의 정보통신망 이용촉진 및 정보보호 등에 관한 법률(이하 '정보통신망법'이라고 한다) 위반 범행이 갑죄 판결확정일과 을죄 판결확정일 사이에 저질러진 사안에서, 정보통신망법 위반죄와 판결이 확정된 을죄는 처음부터 동시에 판결을 선고할 수 없었으므로 제1심이 정보통신망법 위반죄에 대하여 형법 제39조 제1항에 따라 을죄와 동시에 판결할 경우와 형평을 고려하여 형을 선고한 것은 위법한데도, 이와 달리 보아 제1심판결을 그대로 유지한 원심판결에 형법 제39조 제1항에 관한 법리오해의 위법이 있다(대판 2012.9.27, 2012도9295).

라. (×) 업무방해죄와 폭행죄는 구성요건과 보호법익을 달리하고 있고, 업무방해죄의 성립에 일반적·전형적으로 사람에 대한 폭행행위를 수반하는 것은 아니며, 폭행행위가 업무방해죄에 비하여 별도로 고려되지 않을 만큼 경미한 것이라고 할 수도 없으므로, 설령 피해자에 대한 폭행행위가 동일한 피해자에 대한 업무방해죄의 수단이 되었다고 하더라도 그러한 폭행행위가 이른바 '불가벌적 수반행위'에 해당하여 업무방해죄에 대하여 흡수관계에 있다고 볼 수는 없다(대판 2012.10.11, 2012도1895).

## 03 정답 ②

② (○) 상습범이란 어느 기본적 구성요건에 해당하는 행위를 한 자가 범죄행위를 반복하여 저지르는 습벽, 즉 상습성이라는 행위자적 속성을 갖추었다고 인정되는 경우에 이를 가중처벌 사유로 삼고 있는 범죄유형을 가리키므로, 상습성이 있는 자가 같은 종류의 죄를 반복하여 저질렀다 하더라도 상습범을 별도의 범죄유형으로 처벌하는 규정이 없는 한 각 죄는 원칙적으로 별개의 범죄로서 경합범으로 처단할 것이다. 저작권법은 제140조 본문에서 저작재산권 침해로 인한 제136조 제1항의 죄를 친고죄로 규정하면서, 제140조 단서 제1호에서 영리를 위하여 상습적으로 위와 같은 범행을 한 경우에는 고소가 없어도 공소를 제기할 수 있다고 규정하고 있으나, 상습으로 제136조 제1항의 죄를 저지른 경우를 가중처벌한다는 규정은 따로 두고 있지 않다. 따라서 수회에 걸쳐 저작권법 제136조 제1항의 죄를 범한 것이 상습성의 발현에 따른 것이라고 하더라도, 이는 원칙적으로 경합범으로 보아야 하는 것이지 하나의 죄로 처단되는 상습범으로 볼 것은 아니다. 그것이 법규정의 표현에 부합하고, 상습범을 포괄일죄로 처단하는 것은 그것을 가중처벌하는 규정이 있기 때문이라는 법리적 구조에도 맞다(대판 2012.5.10, 2011도12131).

① (×) 1개의 기망행위에 의하여 다수의 피해자로부터 각각 재산상 이익을 편취한 경우에는 피해자별로 수 개의 사기죄가 성립하고, 그 사이에는 상상적 경합의 관계에 있는 것으로 보아야 한다(대판 2015.4.23, 2014도16980).

③ (×) 업무방해죄와 폭행죄는 구성요건과 보호법익을 달리하고 있고, 업무방해죄의 성립에 일반적·전형적으로 사람에 대한 폭행행위를 수반하는 것은 아니며, 폭행행위가 업무방해죄에 비하여 별도로 고려되지 않을 만큼 경미한 것이라고 할 수도 없으므로, 설령 피해자에 대한 폭행행위가 동일한 피해자에 대한 업무방해죄의 수단이 되었다고 하더라도 그러한 폭행행위가 이른바 '불가벌적 수반행위'에 해당하여 업무방해죄에 대하여 흡수관계에 있다고 볼 수는 없다(대판 2012.10.11, 2012도1895).

④ (×) 공동상속인 중 1인이 상속재산인 임야를 보관 중 다른 상속인들로 부터 매도 후 분배 또는 소유권이전등기를 요구받고도 그 반환을 거부한 경우 이때 이미 횡령죄가 성립하고, 그 후 그 임야에 관하여 다시 제3 자 앞으로 근저당권설정등기를 경료해 준 행위는 불가벌적 사후행위로서 별도의 횡령죄를 구성하지 않는다(대판 2010.2.25, 2010 도93).

## 04 정답 ①

가. (○) [1] 동일한 공무를 집행하는 여럿의 공무원에 대하여 폭행·협박 행위를 한 경우에는 공무를 집행하는 공무원의 수에 따라 여럿의 공무집행방해죄가 성립하고, 위와 같은 폭행·협박 행위가 동일한 장소에서 동일한 기회에 이루어진 것으로서 사회관념상 1개의 행위로 평가되는 경우에는 여럿의 공무집행방해죄는 상상적 경합의 관계에 있다.

[2] 범죄 피해 신고를 받고 출동한 두 명의 경찰관에게 욕설을 하면서 차례로 폭행을 하여 신고 처리 및 수사 업무에 관한 정당한 직무집행을 방해한 사안에서, 동일한 장소에서 동일한 기회에 이루어진 폭행 행위는 사회관념상 1개의 행위로 평가하는 것이 상당하다는 이유로, 위 공무집행방해죄는 형법 제40조에 정한 상상적 경합의 관계에 있다(대판 2009.6.25, 2009도3505).

나. (○) 통화위조죄에 관한 규정은 공공의 거래상의 신용 및 안전을 보호하는 공공적인 법익을 보호함을 목적으로 하고 있고, 사기죄는 개인의 재산법익에 대한 죄이어서 양죄는 그 보호법익을 달리하고 있으므로 위조통화를 행사하여 재물을 불법영득한 때에는 위조통화행사죄와 사기죄의 양죄가 성립된다(대판 1979.7.10, 79도840).

다. (○) 피고인들이 절취한 쏘나타 승용차의 번호판을 떼어낸 후 미리 절취하여 소지하고 있던 포텐샤 승용차의 번호판을 임의로 부착하여 운행한 행위에 대하여, 피고인들의 절취행위를 특정범죄 가중처벌 등에 관한 법률 제5조의4 제1항, 형법 제331조 제2항에, 자동차등록번호판을 떼어낸 행위를 자동차관리법 제81조 제1호, 제10조 제2항에, 포텐샤 승용차의 번호판을 쏘나타 승용차에 부착함으로써 부정사용한 행위를 형법 제238조 제1항에, 위와 같이 번호판을 부정사용한 자동차를 운행한 행위를 형법 제238조 제2항, 제1항에 각 의율한 다음 이를 실체적 경합범으로 처리하였는바, 자동차를 절취한 후 자동차등록번호판을 떼어내는 행위는 새로운 법익의 침해로 보아야 하므로 위와 같은 번호판을 떼어내는 행위가 절도범행의 불가벌적 사후행위가 되는 것은 아니어서, 이 점에 관한 상고이유의 주장 역시 받아들일 수 없다(대판 2007.9.6, 2007도4739).

라. (○) 피고인이 그 직무상 지득한 구술시험 문제 중에서 소론 사항을 "병"에게 알린 것은 공무상 비밀의 누설인 동시에 형법 제131조 제1항의 부정한 행위를 한 때에 해당한다(대판 1970.6.30, 70도562). 상상적 경합관계이다.

## 05 정답 ③

③ (○) 형법 제37조 후단의 경합범에 있어서 '판결이 확정된 죄'라 함은 수개의 독립된 죄 중의 어느 죄에 대하여 확정판결이 있었던 사실 자체를 의미하고 일반사면으로 형의 선고의 효력이 상실된 여부는 묻지 않으므로 1995.12.2. 대통령령 제14818호로 일반사면령에 의하여 제1심 판시의 확정된 도로교통법위반의 죄가 사면됨으로써 사면법 제5조 제1항 제1호에 따라 형의 선고의 효력이 상실되었다고 하더라도 확정판결을 받은 죄의 존재가 이에 의하여 소멸되지 않는 이상 형법 제37조 후단의 판결이 확정된 죄에 해당한다(대판 1996.3.8, 95도2114).

① (×) 2004.1.20. 법률 제7077호로 공포·시행된 형법 중 개정 법률에 의해 형법 제37조 후단의 '판결이 확정된 죄'가 '금고 이상의 형에 처한 판결이 확정된 죄'로 개정되었는바, 위 개정 법률은 특별한 경과규정을 두고 있지 않으나, 형법 제37

조는 경합범의 처벌에 관하여 형을 가중하는 규정으로서 일반적으로는 두 개의 형을 선고하는 것보다는 하나의 형을 선고하는 것이 피고인에게 유리하므로 위 개정 법률을 적용하는 것이 오히려 피고인에게 불리하게 되는 등의 특별한 사정이 없는 한 형법 제1조 제2항을 유추 적용하여 위 개정 법률 시행 당시 법원에 계속중인 사건 중 위 개정 법률 시행 전에 벌금형 및 그보다 가벼운 형에 처한 판결이 확정된 경우에도 적용되는 것으로 보아야 할 것이다(대판 2005.7.14, 2003도1166).

② (×) 제39조(판결을 받지 아니한 경합범, 수개의 판결과 경합범, 형의 집행과 경합범) ① 경합범 중 판결을 받지 아니한 죄가 있는 때에는 그 죄와 판결이 확정된 죄를 동시에 판결할 경우와 형평을 고려하여 그 죄에 대하여 형을 선고한다. 이 경우 그 형을 감경 또는 면제할 수 있다.

④ (×) 수개의 마약류관리에 관한 법률 위반(향정)으로 기소된 피고인에 대한 제1심판결의 유죄 부분에 대해서 피고인은 항소하지 아니하고 무죄 부분에 대한 검사의 항소만 있는 사안에서, 위 유죄 부분은 확정되고 무죄 부분만이 원심에 계속되게 되었으므로 위 무죄 부분만을 심리・판단하여야 함에도, 이미 유죄로 확정된 부분까지 다시 심리하여 위 무죄 부분과 함께 형을 선고한 원심판결에 심리의 범위에 관한 법리오해의 위법이 있다(대판 2010.11.25, 2010도10985).

## 06 정답 ②

ㄱ. (○) 포괄일죄로 되는 개개의 범죄행위가 다른 종류의 죄의 확정판결의 전후에 걸쳐서 행하여진 경우에는 그 죄는 2죄로 분리되지 않고 확정판결 후인 최종의 범죄행위시에 완성되는 것이다(대판 2003.8.22, 2002도5341).

ㄴ. (×) 무죄나 면소의 확정판결, 벌금이나 자격정지를 선고한 판결의 확정, 약식명령이나 즉결심판의 확정판결이 있는 경우는 '금고 이상의 형에 처한 확정판결'이 아니므로 이를 확정판결 전후에 범한 죄의 상호간에도 동시적 경합범의 성립이 가능하다. 예컨대 甲이 A, B, C죄를 범한 후에 C죄에 대한 확정판결이 있고 다시 D, E죄를 범한 경우, C죄의 판결이 금고 미만의 형에 해당할 때에는 A, B, D, E의 4죄는 모두 동시적 경합의 관계가 성립한다.

ㄷ. (×) 형법 제39조 제1항은 "경합범 중 판결을 받지 아니한 죄가 있는 때에는 그 죄와 판결이 확정된 죄를 동시에 판결할 경우와 형평을 고려하여 그 죄에 대하여 형을 선고한다. 이 경우 그 형을 감경 또는 면제할 수 있다."고 정하고 있으므로, 형법 제37조의 후단 경합범(이하 '후단 경합범'이라 한다)에 대하여 형을 감경 또는 면제할 것인지는 원칙적으로 그 죄에 대하여 심판하는 법원이 재량에 따라 판단할 수 있고, 판결이 확정된 죄와 후단 경합범의 죄에 대한 선고형의 총합이 두 죄에 대하여 형법 제38조를 적용하여 산출한 처단형의 범위 내에 속하도록 후단 경합범에 대한 형을 정하여야 하는 제한을 받는 것은 아니다(대판 2011.9.29, 2008도9109).

ㄹ. (○) 금고 이상의 형에 처한 확정판결 전에 범한 A죄와 그 확정판결 후에 범한 B죄에 대하여는 별개의 주문으로 형을 선고해야 한다. 판결 확정 전, 후는 경합되지 않으므로(기판력 때문에) 두 개의 주문으로 따로 처벌한다.

## 07 정답 ④

ㄱ. (×), ㄴ. (×), ㄷ. (○)

[1] 상습범이란 어느 기본적 구성요건에 해당하는 행위를 한 자가 범죄행위를 반복하여 저지르는 습벽, 즉 상습성이라는 행위자적 속성을 갖추었다고 인정되는 경우에 이를 가중처벌 사유로 삼고 있는 범죄유형을 가리키므로, 상습성이 있는 자가 같은 종류의 죄를 반복하여 저질렀다 하더라도 상습범을 별도의 범죄유형으로 처벌하는 규정이 없는 한 각 죄는 원칙적으로 별개의 범죄로서 경합범으로 처단할 것이다. 저작권법은 제140조 본문에서 저작재산권 침해로 인한 제136조 제1항의 죄를 친고죄로 규정하면서, 제140조 단서 제1호에서 영리를 위하여 상습적으로 위와 같은 범행을 한 경우에는 고소가 없어도 공소를 제기할 수 있다고 규정하고 있으나, 상습으로 제136조 제1항의 죄를 저지른 경우를 가중처벌한다는 규정은 따로 두고 있지 않다. 따라서 수회에 걸쳐 저작권법 제136조 제1항의 죄를 범한 것이 상습성의 발현에 따른 것이라고 하더라도, 이는 원칙적으로 경합범으로 보아야 하는 것이지 하나의 죄로 처단되는 상습범으로 볼 것은 아니다. 그것이 법규정의 표현에 부합하고, 상습범을 포괄일죄로 처단하는 것은 그것을 가중처벌하는 규정이 있기 때문이라는 법리적 구조에도 맞다.

[2] 저작재산권 침해행위는 저작권자가 같더라도 저작물별로 침해되는 법익이 다르므로, 각각의 저작물에 대한 침해행위는 원칙적으로 각 별개의 죄를 구성한다. 다만 단일하고도 계속된 범의 아래 동일한 저작물에 대한 침해행위가 일정기간 반복하여 행하여진 경우에는 포괄하여 하나의 범죄가 성립한다고 볼 수 있다.

[3] 2개의 인터넷 파일공유 웹스토리지 사이트를 운영하는 피고인들이 이를 통해 저작재산권 대상인 디지털 콘텐츠가 불법 유통되고 있음을 알면서도 다수의 회원들로 하여금 수만 건에 이르는 불법 디지털 콘텐츠를 업로드하게 한 후 이를 수십만 회에 걸쳐 다운로드하게 함으로써 저작재산권 침해를 방조하였다는 내용으로 기소된 사안에서, 피고인들에게 '영리목적의 상습성'이 인정된다고 하더라도 이는 고소 없이도 처벌할 수 있는 근거가 될 뿐 피고인들의 각 방조행위는 원칙적으로 서로 경합범 관계에 있고, 다만 동일한 저작물에 대한 수회의 침해행위에 대한 각 방조행위가 포괄하여 하나의 범죄가 성립할 여지가 있을 뿐인데도, 이와 달리 위 사이트를 통해 유통된 다수 저작권자의 다수 저작물에 대한 피고인들의 범행 전체가 하나의 포괄일죄를 구성한다고 본 원심판결에 저작권법 위반죄의 죄수에 관한 법리오해의 위법이 있다고 한 사례(대판 2012.5.10, 2011도12131).

ㄹ. (×) 상습범의 중간에 동종의 상습범의 확정판결이 있는 경우, 확정판결 전후의 범행은 두 개의 죄로 분단된다(대판 2000.3.10, 99도2744).

## 08 정답 ②

[1] 기본범죄를 통하여 고의로 중한 결과를 발생하게 한 경우에 가중 처벌하는 부진정결과적가중범에서, 고의로 중한 결과를 발생하게 한 행위가 별도의 구성요건에 해당하고 그 고의범에 대하여 결과적가중범에 정한 형보다 더 무겁게 처벌하는 규정이 있는 경우에는 그 고의범과 결과적가중범이 상상적 경합관계에 있지만, 위와 같이 고의범에 대하여 더 무겁게 처벌하는 규정이 없는 경우에는 결과적가중범이 고의범에 대하여 특별관계에 있으므로 결과적가중범만 성립하고 이와 법조경합의 관계에 있는 고의범에 대하여는 별도로 죄를 구성하지 않는다.

[2] 직무를 집행하는 공무원에 대하여 위험한 물건을 휴대하여 고의로 상해를 가한 경우에는 특수공무집행방해치상죄만 성립할 뿐, 이와는 별도로 폭력행위 등 처벌에 관한 법률 위반(집단・흉기 등 상해)죄를 구성하지 않는다(대판 2008.11.27, 2008도7311).

## 09 정답 ①

가. (○) 통화위조죄에 관한 규정은 공공의 거래상의 신용 및 안전을 보호하는 공공적인 법익을 보호함을 목적으로 하고 있고, 사기죄는 개인의 재산법익에 대한 죄이어서 양죄는 그 보호법익을 달리하고 있으므로 위조통화를 행사하여 재물을 불법영득한 때에는 위조통화행사죄와 사기죄의 실체적 경합범이 성립된다(대판 1979.7.10, 79도840).

나. (○) 음주로 인한 특정범죄가중처벌 등에 관한 법률 위반(위험운전치사상)죄와 도로교통법 위반(음주운전)죄는 입법 취지와 보호법익 및 적용영역을 달리하는 별개의 범죄이므로, 양 죄가 모두 성립하는 경우 두 죄는 실체적 경합관계에 있다(대판 2008.11.13, 2008도7143).

다. (×) 업무상배임행위에 사기행위가 수반된 때의 죄수 관계에 관하여 보면, 사기죄는 사람을 기망하여 재물의 교부를 받거나 재산상의 이익을 취득하는 것을 구성요건으로 하는 범죄로서 임무위배를 그 구성요소로 하지 아니하고 사기죄의 관념에 임무위배 행위가 당연히 포함된다고 할 수도 없으며, 업무상배임죄는 업무상 타인의 사무를 처리하는 자가 그 업무상의 임무에 위배하는 행위로써 재산상의 이익을 취득하거나 제3자로 하여금 이를 취득하게 하여 본인에게 손해를 가하는 것을 구성요건으로 하는 범죄로서 기망적 요소를 구성요건의 일부로 하는 것이 아니어서 양 죄는 그 구성요건을 달리하는 별개의 범죄이고 형법상으로도 각각 별개의 장(장)에 규정되어 있어, 1개의 행위에 관하여 사기죄와 업무상배임죄의 각 구성요건이 모두 구비된 때에는 양 죄를 법조경합 관계로 볼 것이 아니라 상상적 경합관계로 봄이 상당하다 할 것이고, 나아가 업무상배임죄가 아닌 단순배임죄라고 하여 양 죄의 관계를 달리 보아야 할 이유도 없다(대판(전) 2002.7.18, 2002도669).

라. (×) 형법이 제225조 내지 제230조에서 공문서에 관한 범죄를 규정하고, 이어 제231조 내지 제236조에서 사문서에 관한 범죄를 규정하고 있는 점 등에 비추어 볼 때 형법 제233조 소정의 허위진단서작성죄의 대상은 공무원이 아닌 의사가 사문서로서 진단서를 작성한 경우에 한정되고, 공무원인 의사가 공무소의 명의로 허위진단서를 작성한 경우에는 허위공문서작성죄만이 성립하고 허위진단서작성죄는 별도로 성립하지 않는다(대판 2004.4.9, 2003도7762).

마. (○) 공무원이 직무집행을 빙자하여 타인을 공갈하여 재산을 교부케한 경우에는 공갈죄만이 성립하고 금품제공자에 대하여 증뢰죄가 성립될 수 없다(대판 1969.7.22, 65도1166).

## 10 정답 ②

② (×) 피고인은 허위의 금전채권에 기하여 이를 담보하는 양 설정한 이 사건 소유권이전등기청구권 보전을 위한 가등기를 원심 공동피고인 2에게 양도해 주고, 피고인 2로 하여금 본등기를 경료하게 함으로써 이 사건 건물이 허위로 양도되게 하였음을 알 수 있는바, 위와 같은 담보가등기 설정행위를 강제집행면탈행위로 본다고 하더라도 그 가등기를 양도하여 본등기를 경료하게 함으로써 소유권을 상실하게 하는 행위는 면탈의 방법과 법익침해의 정도가 훨씬 중하다는 점을 고려할 때 이를 불가벌적 사후행위로 볼 수는 없다고 할 것이다(대판 2008.5.8, 2008도198).

① (○) 甲종친회 회장인 피고인이 위조한 종친회 규약 등을 공탁관에게 제출하는 방법으로 甲종친회를 피공탁자로 하여 공탁된 수용보상금을 출급받아 편취하고, 이를 종친회를 위하여 업무상 보관하던 중 반환을 거부하여 횡령하였다는 내용으로 기소된 사안에서 피고인이 공탁관을 기망하여 공탁금을 출급받음으로써 甲종친회를 피해자로 한 사기죄가 성립하고, 그 후 甲종친회에 대하여 공탁금 반환을 거부한 행위는 새로운 법익의 침해를 수반하지 않는 불가벌적 사후행위에 해당할 뿐 별도의 횡령죄가 성립하지 않는다(대판 2015.9.10, 2015도8592).

③ (○) 부정한 이익을 얻거나 기업에 손해를 가할 목적으로 그 기업에 유용한 영업비밀이 담겨 있는 타인의 재물을 절취한 후 그 영업비밀을 사용하는 경우, 영업비밀의 부정사용행위는 새로운 법익의 침해로 보아야 하므로 위와 같은 부정사용행위가 절도 범행의 불가벌적 사후행위가 되는 것은 아니다(대판 2008.9.11, 2008도5364).

④ (○) 자동차를 절취한 후 자동차등록번호판을 떼어내는 행위는 새로운 법익의 침해로 보아야 하므로 번호판을 떼어내는 행위가 절도 범행의 불가벌적 사후행위가 되는 것은 아니다(대판 2007.9.6, 2007도4739). 실체적 경합범에 해당한다.

# 형사법 5회 모의고사 정답 및 해설

## 제5회 모의고사 정답

| | | | | | | | | | |
|---|---|---|---|---|---|---|---|---|---|
| 01 | ④ | 02 | ④ | 03 | ① | 04 | ④ | 05 | ② |
| 06 | ④ | 07 | ④ | 08 | ④ | 09 | ① | 10 | ② |

## 01 정답 ④

④ (○) 임의적 몰수가 원칙이다.
① (×) 형법 제134조
② (×) 형법 제357조 제3항
③ (×) 형법 제206조에 의한 필요적 몰수의 대상이다.

## 02 정답 ④

④ (×) 지문처럼 매각하여 보관한 현금은 몰수할 수 있다(대판 1996.11.12, 96도2477).
① (○) 대판 1984.12.11, 84도1502
② (○) 옳은 지문이다.
③ (○) 몰수의 대상이 압수되어 있는가, 적법한 절차에 의하여 압수되었는가는 몰수의 요건이 아니다(대판 2003.5.30, 2003도705).

## 03 정답 ①

① (×) 관세법 제282조 제1항, 제2항의 몰수는 징벌적 성격을 가진 것이므로 각 범칙자 전원에 대하여 그 취득한 외국환 등의 가액 전부의 추징을 명하여야 하고, 그중 한 사람이 추징금 전액을 납부하였을 때에는 다른 사람은 추징의 집행을 면할 것이나, 그 일부라도 납부되지 아니하였을 때에는 그 범위 내에서 각 범칙자는 추징의 집행을 면할 수 없다(대판 1998.5.21, 95도2002).
② (○) 대판 2002.6.14, 2002도1283
③ (○) 대판 2001.12.28, 2001도5158
④ (○) 대판 1999.4.9, 98도4374

## 04 정답 ④

④ (○) 甲은 당연히 수뢰죄가 성립하고 그에 대한 몰수 내지 추징과 관련해서 "뇌물로 받은 돈을 은행에 예금한 경우 그 예금행위는 뇌물의 처분행위에 해당하므로 그 후 수뢰자가 같은 액수의 돈을 증뢰자에게 반환하였다 하더라도 이를 뇌물 그 자체의 반환으로 볼 수 없으니 이러한 경우에는 수뢰자로부터 그 가액을 추징하여야 한다(대판 1995.10.25, 96도2022)"라는 판례와 "피고인들이 뇌물로 받은 돈을 그 후 다른 사람에게 다시 뇌물로 공여하였다 하더라도 그 수뢰의 주체는 어디까지나 피고인들이고 그 수뢰한 돈을 다른 사람에게 공여한 것은 수뢰한 돈을 소비하는 방법에 지나지 아니하므로 피고인들로부터 그 수뢰액 전부를 각 추징하여야 한다(대판 1986.11.25, 85도1951)"라는 판례를 종합해 보면 甲이 乙로부터 받은 돈 800만원 전부를 甲으로부터 추징하여야 한다. 한편, 丙 역시 甲으로부터 돈을 받은 부분에 대해서 수뢰죄가 성립하고 그에 대한 몰수 내지 추징과 관련해서 "수뢰자가 자기앞수표를 뇌물로 받아 이를 소비한 후 자기앞수표 상당액을 증뢰자에게 반환하였다 하더라도 뇌물 그 자체를 반환한 것은 아니므로 이를 몰수할 수 없고 수뢰자로부터 그 가액을 추징하여야 할 것이다(대판 1999.1.29, 98도3584)"라는 판례에 따라 丙으로부터는 200만원을 추징하여야 한다.

## 05 정답 ②

② (○) 도로교통법 위반(무면허운전) 범행의 방조행위에 해당하므로(대판 2000.8.18, 2000도1914) 형법 제32조에 의해 필요적 감경에 해당한다.
① (×) 장애미수로 임의적 감경사유이다(대판 1999.4.13, 99도640).
③ (×) 무고죄의 자수・자백의 특례는 필요적 감면사유이다(제157조).
④ (×) A는 본범인 B와 형법 제328조 제1항의 신분관계가 있기 때문에 그 형이 필요적으로 감면된다(제365조 제2항). 그러나 신분관계가 없는 甲에게는 친족상도례가 적용되지 않는다.

## 06 정답 ④

④ (○) 상습범은 대부분 1/2까지 가중처벌하나 강도죄, 장물죄, 도박죄는 별도의 법정형으로 규정되어 있다.

## 07 정답 ④

④ (×) 자수란 범인이 자발적으로 자신의 범죄사실을 수사기관에 신고하여 그 소추를 구하는 의사표시를 함으로써 성립하며, 일단 자수가 성립한 이상 그 후에 범인이 번복하여 수사기관이나 법정에서 범행을 부인한다 하더라도 일단 발생한 자수의 효력이 소멸하는 것은 아니다(대판 1999.7.9, 99도1695).
① (○) 대판 1992.8.14, 92도962
② (○) 자수라 함은 범인이 스스로 수사책임이 있는 관서에 자기의 범행을 고하고 그 처분을 구하는 의사표시를 하는 것을 말하고, 가령 수사기관의 직무상의 질문 또는 조사에 응하여 범죄사실을 진술하는 것은 자백일 뿐 자수로는 되지 않는다(대판 1982.9.28, 82도1965).

③ (O) 수개의 범죄사실 중 일부에 관하여만 자수한 경우에는 그 부분 범죄사실에 대하여만 자백의 효력이 있다(대판 1994.10.14, 94도2130).

## 08 정답 ④

1. 甲은 형법 제35조의 누범에 해당하므로 그 죄에 정한 형의 장기의 2배 가중하면(다만 형법 제42조에 의해서 유기징역은 50년을 초과할 수 없다) ⇨ 3년 이상 50년 이하의 유기징역이 된다.
2. 심신미약자의 필요적 감경사유를 적용하면 ⇨ 1년 6월 이상 25년 이하의 유기징역이 된다.
3. 자수의 임의적 감면사유(제52조)를 적용하면 ⇨ 9월 이상 12년 6월 이하의 유기징역 또는 형의 면제가 된다.
4. 마지막으로 작량감경(제53조)하면 ⇨ 4월 15일 이상 6년 3월 이하의 유기징역 또는 형의 면제가 된다.

## 09 정답 ①

① (×) 형법 제35조 제1항에 규정된 '금고 이상에 해당하는 죄'라 함은 유기금고형이나 유기징역형으로 처단할 경우에 해당하는 죄를 의미하는 것으로서 법정형 중 벌금형을 선택한 경우에는 누범가중을 할 수 없다(대판 1982.9.14, 82도1702).
② (O) 대결 1996.5.14, 96모14
③ (O) 대판 1986.11.11, 86도2004
④ (O) 대판 1982.5.25, 82도600.

## 10 정답 ②

② (×) 사회보호법상 보안처분 가운데 하나인 보호감호처분의 대상자는 누범 또는 누범적 상습범으로서 재범의 위험성이 있다고 판단되는 자이다(같은 법 제3조).

# 형사법 6회 모의고사 정답 및 해설

## 제6회 모의고사 정답

| 01 | ④ | 02 | ② | 03 | ④ | 04 | ③ | 05 | ④ |
|---|---|---|---|---|---|---|---|---|---|
| 06 | ① | 07 | ④ | 08 | ② | 09 | ③ | 10 | ② |

### 01 정답 ④

④ (×) 선고유예가 주로 범정이 경미한 초범자에 대하여 형을 부과하지 않고 자발적인 개선과 갱생을 촉진시키고자 하는 제도인 점, 형법은 선고유예의 예외사유를 '자격정지 이상의 형을 받은 전과'라고만 규정하고 있을 뿐 그 전과를 범행 이전의 것으로 제한하거나 형법 제37조 후단 경합범 규정상의 금고 이상의 형에 처한 판결에 의한 전과를 제외하고 있지 아니한 점, 형법 제39조 제1항은 경합범 중 판결을 받지 아니한 죄가 있는 때에는 그 죄와 판결이 확정된 죄를 동시에 판결할 경우와 형평을 고려하여 그 죄에 대하여 형을 선고하여야 하는데 이미 판결이 확정된 죄에 대하여 금고 이상의 형이 선고되었다면 나머지 죄가 위 판결이 확정된 죄와 동시에 판결되었다고 하더라도 선고유예가 선고되었을 수 없을 것인데 나중에 별도로 판결이 선고된다는 이유만으로 선고유예가 가능하다고 하는 것은 불합리한 점 등을 종합하여 보면, 형법 제39조 제1항에 의하여 형법 제37조 후단 경합범 중 판결을 받지 아니한 죄에 대하여 형을 선고하는 경우에 있어서 형법 제37조 후단에 규정된 금고 이상의 형에 처한 판결이 확정된 죄의 형도 형법 제59조 제1항 단서에서 정한 '자격정지 이상의 형을 받은 전과'에 포함된다고 봄이 상당하다(대판 2010.7.8, 2010도931).

① (O) 형법 제62조의2

② (O) 대판 2008.4.11, 2007도8373

③ (O) 대판 1979.4.10, 78도3098

### 02 정답 ②

② (×) 우리 형법이 집행유예기간의 시기(시기)에 관하여 명문의 규정을 두고 있지는 않지만 형사소송법 제459조가 "재판은 이 법률에 특별한 규정이 없으면 확정한 후에 집행한다." 고 규정한 취지나 집행유예 제도의 본질 등에 비추어 보면 집행유예를 함에 있어 그 집행유예기간의 시기는 집행유예를 선고한 판결 확정일로 하여야 하고 법원이 판결 확정일 이후의 시점을 임의로 선택할 수는 없다(대판 2002.2.26, 2000도4637).

① (O) 형법 제63조

③ (O) 형법 제59조의2

④ (O) 형법 제60조

### 03 정답 ④

④ (×) 대판 2008.4.11, 2007도8373

① (O) 형의 선고유예를 받은 날로부터 "2년"을 경과한 때에는 면소된 것으로 간주한다(형법 제60조).

② (O) 선고유예 판결에서도 그 판결이유에서는 선고할 형의 종류와 양 즉 선고형을 정해 놓아야 하고 그 선고를 유예하는 형이 벌금형일 경우에는 그 벌금액뿐만 아니라 환형유치처분까지 해 두어야 한다(대판 1988.1.19, 86도2654).

③ (O) 대판 2007.2.22, 2006도8555

### 04 정답 ③

③ (×) 형법 제61조 제1항에서 말하는 '형의 선고유예를 받은 자가 자격정지 이상의 형에 처한 전과가 발견된 때'란 형의 선고유예의 판결이 확정된 후에 비로소 위와 같은 전과가 발견된 경우를 말하고 그 판결확정 전에 이러한 전과가 발견된 경우에는 이를 취소할 수 없으며, 이때 판결확정 전에 발견되었다고 함은 검사가 명확하게 그 결격사유를 안 경우만을 말하는 것이 아니라 당연히 그 결격사유를 알 수 있는 객관적 상황이 존재함에도 부주의로 알지 못한 경우도 포함한다(대결 2008.2.4, 2007모845).

① (O) 형법 제59조의 2

② (O) 대판 2014.11.13, 2014도3564

④ (O) 대판 1988.1.19, 86도2654

### 05 정답 ④

④ (×) 선고유예가 주로 범정이 경미한 초범자에 대하여 형을 부과하지 않고 자발적인 개선과 갱생을 촉진시키고자 하는 제도인 점, 형법은 선고유예의 예외사유를 '자격정지 이상의 형을 받은 전과'라고만 규정하고 있을 뿐 그 전과를 범행 이전의 것으로 제한하거나 형법 제37조 후단 경합범 규정상의 금고 이상의 형에 처한 판결에 의한 전과를 제외하고 있지 아니한 점, 형법 제39조 제1항은 경합범 중 판결을 받지 아니한 죄가 있는 때에는 그 죄와 판결이 확정된 죄를 동시에 판결할 경우와 형평을 고려하여 그 죄에 대하여 형을 선고하여야 하는데 이미 판결이 확정된 죄에 대하여 금고 이상의 형이 선고되었다면 나머지 죄가 위 판결이 확정된 죄와 동시에 판결되었다고 하더라도 선고유예가 선고되었을 수 없을 것인데 나중에 별도로 판결이 선고된다는 이유만으로 선고유예가 가능하다고 하는 것은 불합리한 점 등을 종합하여 보면, 형법 제39조 제1항에 의하여 형법 제37조 후단 경합범 중 판결을 받지 아니한 죄에 대하여 형을 선고하는 경우에 있어서 형법 제37조 후단에 규정된 금고 이상의 형에 처한 판결이 확정된 죄의 형도 형법 제59조 제1항 단서에서 정한 '자격정지 이상의 형을 받은 전과'에 포함된다고 봄이 상당하다(대판 2010.7.8, 2010도931).

① (O) 대판 2003.12.26, 2003도3768

② (O) [1] 관련 규정에 비춰 법원이 특정범죄를 범한 자에 대하여 형의 집행을 유예하는 경우에는 보호관찰을 받을 것을 명하는 때에만 전자장치를 부착할 것을 명할 수 있다. [2] 현역 군인인 성폭력범죄 피고인에게 집행유예를 선고하는 경우 보호관찰 등에 관한 법률 제56조가 정한 군법 적용 대상자에 대한 특례 규정상 보호관찰을 받을 것을 명할 수 없어 보호관찰의 부과를 전제로 한 위치추적 전자장치의 부착명령 역시 명할 수 없는데도, 원심이 피고인에 대하여 전자장치의 부착을 명한 것은 위법하다고 한 사례(대판 2012.2.23, 2011도8124).

③ (O) 대판 2012.1.27, 2011도15914

## 06 정답 ①

㉠ (×) 재벌그룹 회장의 횡령행위 등에 대하여 집행유예를 선고하면서 사회봉사명령으로서 일정액의 금전출연을 주된 내용으로 하는 사회공헌계획의 성실한 이행을 명하는 것은 시간 단위로 부과될 수 있는 일 또는 근로활동이 아닌 것을 명하는 것이어서 허용될 수 없고, 준법경영을 주제로 하는 강연과 기고를 명하는 것은 헌법상 양심의 자유 등에 대한 심각하고 중대한 침해가능성, 사회봉사명령의 의미나 내용에 대한 다툼의 여지 등의 문제가 있어 허용될 수 없다(대판 2008.4.11, 2007도8373).

㉡ (O) 형법 제63조

㉢ (×) 형법 제62조 제1항

㉣ (O) 집행유예의 선고를 받은 후 그 선고의 실효 또는 취소됨이 없이 유예기간을 경과한 때에는 형법 제65조가 정하는 바에 따라 형의 선고는 효력을 잃는 것이고, 그와 같이 유예기간이 경과함으로써 형의 선고가 효력을 잃은 후에는 형법 제62조 단행의 사유가 발각되었다고 하더라도 그와 같은 이유로 집행유예를 취소할 수 없고 그대로 유예기간경과의 효과가 발생한다(대판 1999.1.12, 98모151).

## 07 정답 ④

④ (×) 형법 제64조 제1항에 의하면 집행유예의 선고를 받은 후 형법 제62조 단행의 사유가 발각된 때에는 집행유예의 선고를 취소한다고 규정되어 있는바, 여기에서 집행유예를 선고받은 후 형법 제62조 단행의 사유 즉 금고 이상의 형을 선고받아 집행을 종료한 후 또는 집행이 면제된 후로부터 5년을 경과하지 아니한 자인 것이 발각된 때라 함은 집행유예 선고의 판결이 확정된 후에 비로소 위와 같은 사유가 발각된 경우를 말하고 그 판결확정 전에 결격사유가 발각된 경우에는 이를 취소할 수 없으며(대결 1976.4.14, 76모12 등 참조), 이때 판결확정 전에 발각되었다고 함은 검사가 명확하게 그 결격사유를 안 경우만을 말하는 것이 아니라 당연히 그 결격사유를 알 수 있는 객관적 상황이 존재함에도 부주의로 알지 못한 경우도 포함된다고 할 것이다(대결 2001.6.27, 2001모135).

① (O) 집행유예 기간 중에 범한 죄에 대하여 형을 선고할 때에 위 단서 소정의 요건에 해당하는 경우란, 이미 집행유예가 실효 또는 취소된 경우와, 그 선고 시점에 미처 유예기간이 경과하지 아니하여 형 선고의 효력이 실효되지 아니한 채로 남아 있는 경우로 국한된다고 해석할 수 밖에 없다. 이에 반하여 집행유예가 실효 또는 취소됨이 없이 유예기간을 경과한 때에는, 형의 선고가 이미 그 효력을 잃게 되어 '금고 이상의 형을 선고'한 경우에 해당한다고 보기 어려울 뿐 아니라, 집행의 가능성이 더 이상 존재하지 아니하여 집행종료나 집행면제의 개념도 상정하기 어려우므로 위 단서 소정의 요건에의 해당 여부를 논할 수 없다 할 것이다. 이 점은 이 사건과 같이 집행유예 기간 중에 범한 죄에 대한 기소 후 그 재판 도중에 유예기간이 경과한 경우라 하여 달리 볼 것은 아니다(대판 2007.2.8, 2006도6196).

② (O) 형의 집행유예를 선고받은 자는 형법 제65조에 의하여 그 선고가 실효 또는 취소됨이 없이 정해진 유예기간을 무사히 경과하여 형의 선고가 효력을 잃게 되었다고 하더라도 형의 선고의 법률적 효과가 없어진다는 것일 뿐, 형의 선고가 있었다는 기왕의 사실 자체까지 없어지는 것은 아니므로, 형법 제59조 제1항 단행에서 정한 선고유예 결격사유인 "자격정지 이상의 형을 받은 전과가 있는 자"에 해당한다고 보아야 한다(대판 2012.6.28, 2011도10570 / 대판 2003.12.26, 2003도3768).

③ (O) [1] 형법과 보호관찰 등에 관한 법률의 관계 규정을 종합하면, 사회봉사는 형의 집행을 유예하면서 부가적으로 명하는 것이고 집행유예 되는 형은 자유형에 한정되고 있는 점 등에 비추어, 법원이 형의 집행을 유예하는 경우 명할 수 있는 사회봉사는 자유형의 집행을 대체하기 위한 것으로서 500시간 내에서 시간 단위로 부과될 수 있는 일 또는 근로활동을 의미하는 것으로 해석되므로, 법원이 형법 제62조의2의 규정에 의한 사회봉사명령으로 피고인에게 일정한 금원을 출연하거나 이와 동일시할 수 있는 행위를 명하는 것은 허용될 수 없다. [2] 법원이 피고인에게 유죄로 인정된 범죄행위를 뉘우치거나 그 범죄행위를 공개하는 취지의 말이나 글을 발표하도록 하는 내용의 사회봉사를 명하고 이를 위반할 경우 형법 제64조 제2항에 의하여 집행유예의 선고를 취소할 수 있도록 함으로써 그 이행을 강제하는 것은, 헌법이 보호하는 피고인의 양심의 자유, 명예 및 인격에 대한 심각하고 중대한 침해에 해당하므로 허용될 수 없으므로 이러한 사회봉사명령은 위법하다(대판 2008.4.11, 2007도8373).

## 08 정답 ②

② (×) 형법 제62조에 의하여 집행유예를 선고할 경우에 같은 법 제62조의2 제1항에 규정된 보호관찰과 사회봉사명령 또는 수강을 동시에 명할 수 있다(대판 1998.4.28, 98도98).

① (O) 형법 제63조

③ (O) 집행유예기간 중에 범한 죄에 대하여 형을 선고할 때에, 집행유예의 결격사유를 정하는 현행 형법 제62조 제1항 단서

소정의 요건에 해당하는 경우란, 이미 집행유예가 실효 또는 취소된 경우와 그 선고 시점에 미처 유예기간이 경과하지 아니하여 형 선고의 효력이 실효되지 아니한 채로 남아 있는 경우로 국한되고, 집행유예가 실효 또는 취소됨이 없이 유예기간을 경과한 때에는 위 단서 소정의 요건에 해당하지 않으므로, 집행유예기간 중에 범한 범죄라고 할지라도 집행유예가 실효 또는 취소됨이 없이 그 유예기간이 경과한 경우에는 이에 대해 다시 집행유예의 선고가 가능하다(대판 2007.7.27, 2007도768).

④ (○) 형의 집행유예를 선고받은 자는 형법 제65조에 의하여 그 선고가 실효 또는 취소됨이 없이 정해진 유예기간을 무사히 경과하여 형의 선고가 효력을 잃게 되었다고 하더라도 형의 선고의 법률적 효과가 없어진다는 것일 뿐, 형의 선고가 있었다는 기왕의 사실 자체까지 없어지는 것은 아니므로, 형법 제59조 제1항 단행에서 정한 선고유예 결격사유인 "자격정지 이상의 형을 받은 전과가 있는 자"에 해당한다고 보아야 한다(대판 2012.6.28, 2011도10570 / 대판 2003.12.26, 2003도3768).

## 09 정답 ③

가. (×) 형의 집행유예를 선고받은 자는 형법 제65조에 의하여 그 선고가 실효 또는 취소됨이 없이 정해진 유예기간을 무사히 경과하여 형의 선고가 효력을 잃게 되었다고 하더라도 형의 선고의 법률적 효과가 없어진다는 것일 뿐, 형의 선고가 있었다는 기왕의 사실 자체까지 없어지는 것은 아니므로, 형법 제59조 제1항 단행에서 정한 선고유예 결격사유인 "자격정지 이상의 형을 받은 전과가 있는 자"에 해당한다고 보아야 한다(대판 2012.6.28, 2011도10570 / 대판 2003.12.26, 2003도3768).

나. (○) 집행유예기간 중에 범한 죄에 대하여 형을 선고할 때에, 집행유예의 결격사유를 정하는 현행 형법 제62조 제1항 단서 소정의 요건에 해당하는 경우란, 이미 집행유예가 실효 또는 취소된 경우와 그 선고 시점에 미처 유예기간이 경과하지 아니하여 형 선고의 효력이 실효되지 아니한 채로 남아 있는 경우로 국한되고, 집행유예가 실효 또는 취소됨이 없이 유예기간을 경과한 때에는 위 단서 소정의 요건에 해당하지 않으므로, 집행유예기간 중에 범한 범죄라고 할지라도 집행유예가 실효 또는 취소됨이 없이 그 유예기간이 경과한 경우에는 이에 대해 다시 집행유예의 선고가 가능하다(대판 2007.2.8, 2006도6196 / 대판 2007.7.27, 07도768).

다. (×) 형법 제63조에 따르면 집행유예의 실효는 고의로 범한 죄로 금고 이상의 형을 선고받아야하고 과실범의 경우는 실효의 대상이 되지 않는다. 지문의 업무상과실치사죄는 과실범이므로 실효대상이 되지 않는다.

라. (○) 집행유예의 요건에 관한 형법 제62조 제1항이 '형'의 집행을 유예할 수 있다고만 규정하고 있다고 하더라도, 이는 같은 조 제2항이 그 형의 '일부'에 대하여 집행을 유예할 수 있는 때를 형을 '병과'할 경우로 한정하고 있는 점에 비추어 보면, 조문의 체계적 해석상 하나의 형의 전부에 대한 집행유예에 관한 규정이라 할 것이고, 또한 하나의 자유형에 대한 일부집행유예에 관하여는 그 인정을 위해서는 별도의 근거 규정이 필요하므로 하나의 자유형 중 일부에 대해서는 실형을, 나머지에 대해서는 집행유예를 선고하는 것은 허용되지 않는다(대판 2007.2.22, 2006도8555).

마. (○) 집행유예의 요건중 '죄를 범한 시기'와 관련해 "금고 이상의 형을 선고한 판결이 확정된 때부터 그 집행을 종료하거나 면제된 후 3년까지의 기간에 범한 죄에 대하여 형을 선고하는 경우에는 그러하지 아니하다" (형법 제62조 제1항 참조)라고 규정되어 있는바 출소한 날은 집행을 종료한 날이 되므로 다음 날은 3년이 기간이 지나지 않은바 집행유예를 선고할 수 없다.

## 10 정답 ②

㉠ (×) 형법 제60조 선고유예는 집행유예와 달리 유예기간을 정할 필요가 없고 2년을 경과한 때에는 면소된 것으로 간주한다.

㉡ (○) 형법 제59조에 의하더라도 몰수는 선고유예의 대상으로 규정되어 있지 아니하고 다만 몰수 또는 이에 갈음하는 추징은 부가형적 성질을 띄고 있어 그 주형에 대하여 선고를 유예하는 경우에는 그 부가할 몰수 추징에 대하여도 선고를 유예할 수 있으나, 그 주형에 대하여 선고를 유예하지 아니하면서 이에 부가할 몰수 추징에 대하여서만 선고를 유예할 수는 없다(대판 1988.6.21, 88도551).

㉢ (×) 선고유예의 요건 중 '개전의 정상이 현저한 때'라고 함은, 반성의 정도를 포함하여 널리 형법 제51조가 규정하는 양형의 조건을 종합적으로 참작하여 볼 때 형을 선고하지 않더라도 피고인이 다시 범행을 저지르지 않으리라는 사정이 현저하게 기대되는 경우를 가리킨다고 해석할 것이고, 이와 달리 여기서의 '개전의 정상이 현저한 때'가 반드시 피고인이 죄를 깊이 뉘우치는 경우만을 뜻하는 것으로 제한하여 해석하거나, 피고인이 범죄사실을 자백하지 않고 부인할 경우에는 언제나 선고유예를 할 수 없다고 해석할 것은 아니다(대판(전) 2003.2.20, 2001도6138).

㉣ (○) 형법 제61조 제1항에서 말하는 '형의 선고유예를 받은 자가 자격정지 이상의 형에 처한 전과가 발견된 때'란 형의 선고유예의 판결이 확정된 후에 비로소 위와 같은 전과가 발견된 경우를 말하고 그 판결확정 전에 이러한 전과가 발견된 경우에는 이를 취소할 수 없으며, 이때 판결확정 전에 발견되었다고 함은 검사가 명확하게 그 결격사유를 안 경우만을 말하는 것이 아니라 당연히 그 결격사유를 알 수 있는 객관적 상황이 존재함에도 부주의로 알지 못한 경우도 포함한다(대판 2008.2.14, 2007모845).

# 형사법 7회 모의고사 정답 및 해설

## 제7회 모의고사 정답

| | | | | | | | | | |
|---|---|---|---|---|---|---|---|---|---|
| 01 | ④ | 02 | ③ | 03 | ④ | 04 | ① | 05 | ③ |
| 06 | ② | 07 | ② | 08 | ③ | 09 | ③ | 10 | ③ |

### 01 정답 ④

④ (×) 소극적 구성요건표지이론에 의하면 위법성조각사유의 전제된 사실의 착오는 구성요건착오가 되어 구성요건착오에 관한 규정이 직접적으로 적용되며 고의가 탈락되어 과실범으로 처벌하거나 벌하지 않게 된다.

### 02 정답 ③

③ (×) 구성요건과 위법성을 총체적으로 보아 처음부터 구성요건에도 해당하지 않는 행위와 구성요건에는 해당하지만 위법성이 조각되는 행위 사이의 가치 차이를 무시함으로써 경고, 지시기능을 무시하였다.

### 03 정답 ④

④ (×) 사실의 착오(구성요건적 착오)로 해결한다.

### 04 정답 ①

① ㉠, ㉡만 옳다. ㉢ 구성요건은 위법성의 존재근거이다. ㉣ 위법성조각사유의 객관적 전제사실에 대한 착오는 과실범으로 처벌되므로 이에 악의로 가담한 자는 간접정범이 성립한다.

### 05 정답 ③

③ (×) 소극적 구성요건표지이론에 의하면 위법성조각사유의 객관적 전제사실에 관한 착오(오상방위)는 사실인식에 대해 흠이 생겼으므로 구성요건적 착오가 되므로 제13조가 직접 적용되어 고의를 조각되고 과실범의 문제가 될 뿐이다.

### 06 정답 ②

② (×) 법익침해는 결과반가치의 내용이다.

### 07 정답 ②

② (×) 일원적·주관적·인적 불법론에 의하면 살인죄와 과실치사죄의 법정형이 다르게 되는 이유를 잘 설명할 수 있다. 살인죄와 과실치사죄의 법정형이 다르게 되는 이유를 잘 설명할 수 없는 것은 결과반가치일원론이다.

### 08 정답 ③

③ (×) 일원적·주관적 인적 불법론에서 불법은 오직 행위반가치만으로 구성되며 결과반가치는 객관적 처벌조건으로 이해한다. 형법의 규범으로 파악할 때 행위반가치는 의사결정규범으로 이해되고, 결과반가치는 평가규범으로 이해된다.

### 09 정답 ③

③ (×) 인적불법론에 의하면 행위반가치는 1차적(핵심적) 구성부분이고, 결과반가치는 불법을 구성하는 것이 아니라 불법을 제한하는 부차적 요소가 된다. 따라서 인적불법론은 결과반가치를 무시하는 것이 아니라 부차적 요소로 본다.

### 10 정답 ③

③ (○) 甲은 자신의 생명에 대한 현재의 부당한 침해가 있음에도 불구하고(객관적 정당화상황의 존재) 방위의사 없이(주관적 정당화요소의 결여) 자신을 살해하려는 A를 살해한 이른바 우연방위에 해당하는 사례이다. 철저한 결과반가치론에 의하면 甲의 행위는 객관적 정당화 상황에 의하여 위법성이 조각되므로 무죄가 된다.

# 형사법 8회 모의고사 정답 및 해설

제8회 모의고사 정답

| | | | | | | | | | |
|---|---|---|---|---|---|---|---|---|---|
| 01 | ③ | 02 | ② | 03 | ② | 04 | ④ | 05 | ① |
| 06 | ④ | 07 | ③ | 08 | ② | 09 | ① | 10 | ④ |

## 01 정답 ③

형법서론 ▮ 난이도 중

③ (×) 기업구매전용카드는 구 여신전문금융업법 제2조 제3호에서 규정한 '신용카드'처럼 실물형태의 '증표'가 발행되는 것이 아니라 단지 구매기업이 이용할 수 있는 카드번호만이 부여될 뿐이며, 거래방법도 구매기업이 판매기업에 기업구매전용카드를 '제시'할 것이 요구되지 않고, 구매기업이 카드회사에 인터넷 등을 통하여 구매사실을 통보하면 카드회사가 판매기업에 물품대금을 지급하여 결제가 이루어지게 하는 온라인거래 수단을 지칭하는 데 지나지 않는 점, 구매기업은 카드회사와 가맹점가입계약을 체결한 모든 판매기업과 거래를 할 수 있는 것은 아니고 구매기업이 지정한 특정 판매기업과 사이에서만 기업구매전용카드를 이용한 거래를 할 수 있을 뿐이므로 판매기업을 일반 신용카드거래의 가맹점과 동일하게 보기 어려운 점 등을 종합할 때, 기업구매전용카드에 의한 거래는 구 여신전문금융업법 제70조 제2항 제2호에서 정한 '신용카드에 의한 거래'에 해당하지 않는다는 이유로 기업구매전용카드는 '신용카드'에 해당하지 않는다(대판 2013.7.25, 2011도14687).

① (O) 대판 2013.6.27, 2013도4279

② (O) 대판 2011.8.25, 2011도7725

④ (O) 대판 2015.5.29, 2015도1022

## 02 정답 ②

형법서론 ▮ 난이도 중

② (×) 약취·유인죄나 인신매매죄 또는 그 미수범은 세계주의를 도입하고 있으나, 예비·음모죄는 그러하지 아니하다(제296조의2).

① (O) 대판 1998.2.24, 97도183

③ 형법 제8조

④ 대판 1992.6.23, 92도954

## 03 정답 ②

범죄의 기본개념 ▮ 난이도 중

② (×) 중감금죄는 생명에 대한 위험발생을 요건으로 하는 구체적 위험범이 아니라, "감금행위 + 가혹한 행위"를 구성요건으로 하는 결합범이다(제277조).

① (O) 중손괴죄는 "생명 또는 신체에 대한 위험발생"을 구성요건으로 하는 구체적 위험범이다(제368조).

③ (O) 체포죄는 계속범으로서 체포의 행위에 확실히 사람의 신체의 자유를 구속한다고 인정할 수 있을 정도의 시간적 계속이 있어야 하나, 체포의 고의로써 타인의 신체적 활동의 자유를 현실적으로 침해하는 행위를 개시한 때 체포죄의 실행에 착수하였다고 볼 것이다(대판 2018.2.28, 2017도21249).

④ (O) 일반교통방해죄에서 교통방해 행위는 계속범의 성질을 가지는 것이어서 교통방해의 상태가 계속되는 한 가벌적인 위법상태는 계속 존재한다. 따라서 신고 범위를 현저히 벗어나거나 집회 및 시위에 관한 법률 제12조에 따른 조건을 중대하게 위반함으로써 교통방해를 유발한 집회에 참가한 경우, 참가 당시 이미 다른 참가자들에 의해 교통의 흐름이 차단된 상태였더라도 교통방해를 유발한 다른 참가자들과 암묵적·순차적으로 공모하여 교통방해의 위법상태를 지속시켰다고 평가할 수 있다면 일반교통방해죄가 성립한다(대판 2018.1.24, 2017도 11408).

## 04 정답 ④

구성요건론 ▮ 난이도 하

④ ㉠, ㉡, ㉣이 옳다.

㉠ (O) 작위의무는 법적인 의무이어야 하므로 단순한 도덕상 또는 종교상의 의무는 포함되지 않으나 작위의무가 법적인 의무인 한 성문법이건 불문법이건 상관이 없고 또 공법이건 사법이건 불문하므로, 법령, 법률행위, 선행행위로 인한 경우는 물론이고 기타 신의성실의 원칙이나 사회상규 혹은 조리상 작위의무가 기대되는 경우에도 법적인 작위의무는 있다(대판 1996.9.6, 95도2551).

㉡ (O) 진정부작위범·부진정부작위범을 불문하고 과실범 처벌규정이 있는 경우에는 과실에 의한 부작위범이 성립할 수 있다. 예컨대, 모친이 잊어버리고 유아에게 젖을 주지 않아서 유아가 사망한 경우 과실에 의한 부작위범이 성립할 수 있다. 그러나 형법상 과실의 진정부작위범을 처벌하는 규정은 없다.

㉢ (×) 부작위범에 대한 공범은 보증인 지위가 없어도 공동정범, 간접정범, 교사범, 방조범 모두 성립이 가능하다.

㉣ (O) 부작위에 의한 방조는 결과발생을 방지해야 할 보증인지위에 있는 자가 정범의 범행을 방지한 경우에 가능하다(대판 2006.4.28, 2003도4128).

## 05 정답 ①

구성요건론 ▮난이도 하

① (×) 치사량의 청산가리를 음독했을 경우 미처 인체에 흡수되기 전에 지체없이 병원에서 위 세척을 하는 등 응급 치료를 받으면 혹 소생할 가능은 있을지 모르나 이미 이것이 혈관에 흡수되어 피고인이 피해자를 변소에서 발견했을 때의 피해자의 증상처럼 환자의 안색이 변하고 의식을 잃었을 때는 우리의 의학기술과 의료시설로서는 그 치료가 불가능하여 결국 사망하게 되는 것이고 또 일반적으로 병원에서 음독환자에게 위세척 호흡촉진제 강심제주사 등으로 응급가료를 하나 이것이 청산가리 음독인 경우에는 아무런 도움도 되지 못하는 것이므로 피고인의 유기행위와 피해자의 사망 간에는 상당인과관계가 없다 할 것이다(대판 1967.10.31, 67도1151).
② (○) 대판 1991.2.26, 90도2856
③ (○) 대판 1978.11.18, 78도1691
④ (○) 대판 1982.12.28, 82도2525

## 06 정답 ④

구성요건론 ▮난이도 중

④ 옳은 것은 ㉢, ㉣이다.
㉢ (○) 직접성의 원칙이란 결과적 가중범에 있어서 중한 결과를 항상 기본범죄에 내포된 전형적인 위험이 중간 원인을 거치지 않고 직접 실현된 것이어야 한다는 것으로서, 절도나 사기라는 기본범죄에 치사상의 결과를 가져올 만큼 전형적인 위험이 내포되어 있다고 보기 어렵기 때문이다.
㉣ (○) 대판 2000.5.12, 2000도745
㉠ (×) 결과적 가중범은 기본범죄는 고의범이어야 한다. 과실치사상죄는 결과적 가중범이 아니다.
㉡ (×) 행위시에 중한 결과의 발생을 예견할 수 없으면 결과적 가중범은 성립하지 않는다.

## 07 정답 ③

위법성론 ▮난이도 하

③ (×) 피고인의 어머니가 갑자기 기절을 하여 이를 치료하기 위하여 군무를 이탈하였더라도 이는 범행의 동기에 불과하므로 이를 긴급피난에 해당한다고 할 수 없다(대판 1969.6.10, 69도690).
① (○) 대판 1986.10.14, 86도1091
② (○) 대판 1984.9.25, 84도1611
④ (○) 대판 1995.1.12, 94도2781

## 08 정답 ②

책임론 ▮난이도 상

② (○) 소극적 구성요건표지이론은 위법성조각사유의 전제사실의 착오는 구성요건 착오로 해결하는 명쾌한 이론을 가지고 있다.

## 09 정답 ①

미수론 ▮난이도 하

① (×) 금융기관의 직원이 전산단말기를 이용하여 다른 공범들이 지정한 특정계좌에 돈이 입금된 것처럼 허위의 정보를 입력하는 방법으로 위 계좌로 입금되었다면 바로 기수가 되는 것이지 돈을 인출하지 못하였더라도 이는 미수가 되는 것은 아니다(대판 2006.1.26, 2005도8507).
② (○) 민사소송법상의 소송비용의 청구는 소송비용액 확정절차에 의해서만 가능하므로 소송비용의 지급을 구하는 소를 제기한 것은 부적법한 소송이고 손해배상청구의 소를 제기하였더라도 객관적으로 소송비용의 청구방법에 관한 법률지식을 가진 일반인의 판단으로 보아 결과발생의 가능성이 없어 위험성이 인정되지 않아 소송사기죄의 불능범으로 처벌할 수 없다(대판 2005.12.8, 2005도8105).
③ (○) 대판 2004.11.18, 2004도5074
④ (○) 대판 1988.9.13, 88도55

## 10 정답 ④

공범론 ▮난이도 중

④ (×) 수표의 발행인 아닌 자는 부정수표단속법상 허위신고죄의 주체가 될 수 없지만, 허위신고의 고의 없는 발행인을 이용하여 간접정범의 형태로는 허위신고죄를 범할 수도 없다(대판 1992.11.10, 92도1342).
① (○) 대판 1955.2.25, 53도39
② (○) 대판 1983.5.24, 83도200
③ (○) 대판 1997.4.17, 96도3376

# 형사법 9회 모의고사 정답 및 해설

## 제9회 모의고사 정답

| | | | | | | | | | |
|---|---|---|---|---|---|---|---|---|---|
| 01 | ① | 02 | ① | 03 | ④ | 04 | ④ | 05 | ② |
| 06 | ② | 07 | ① | 08 | ① | 09 | ① | 10 | ① |

### 01 정답 ①

실체적 경합범을 부정하는 것은 ㉡ 1개이다.

㉠ (○) 사기죄와 별도로 업무상배임죄의 실체적 경합이 성립한다(대판 2010.11.11, 2010도10690).

㉡ (×) 살인의 수단으로 방화하였으므로 丙과 A에 관하여 현주건조물방화치사죄가 성립한다(대판 1983.1.18, 82도2341).

㉢ (○) 방화 후 살인하였으므로 B·C에 관하여 현주건조물방화죄와 살인죄의 실체적 경합이 성립한다(대판 1983.1.18, 82도2341).

㉣ (○) 토지수용보상금 일부 소비에 대한 횡령죄와 나머지 부동산 전체의 반환 거부에 대한 횡령죄의 실체적 경합이 성립한다(대판 2001.11.27, 2000도3463).

### 02 정답 ①

① (×) 사기죄에서 수인의 피해자에 대하여 각 피해자별로 기망행위를 하여 각각 재물을 편취한 경우에 그 범의가 단일하고 범행방법이 동일하다고 하더라도 포괄일죄가 성립하는 것이 아니라 피해자별로 1개씩의 죄가 성립하는 것으로 보아야 한다. 다만, 피해자들이 하나의 동업체를 구성하는 등으로 피해법익이 동일하다고 볼 수 있는 사정이 있는 경우에는 피해자가 복수이더라도 이들에 대한 사기죄를 포괄하여 일죄로 볼 수도 있다(대판 2011.4.14, 2011도769).

② (○) 대판 2011.2.10, 2010도16742

③ (○) 대판 2008.9.11, 2006도8376

④ (○) 대판 2005.10.28, 2005도4915

### 03 정답 ④

④ (×) 포괄일죄에 해당한다(대판 2007.7.12, 2007도2191).

① (○) 피해자별로 수개의 사기죄의 실체적 경합이 성립한다(대판 1995.8.22, 95도594).

② (○) 수개의 집총거부죄의 실체적 경합이 성립한다(대판 1992.9.14, 92도1534).

③ (○) 피해자별로 수개의 강도죄의 실체적 경합이 성립한다(대판 1991.6.25, 91도643).

### 04 정답 ④

④ (○) [1] 형법 제37조 후단 및 제39조 제1항의 문언, 입법취지 등에 비추어 보면, 아직 판결을 받지 아니한 죄가 이미 판결이 확정된 죄와 동시에 판결할 수 없었던 경우에는 형법 제37조 후단의 경합범관계가 성립할 수 없고, 형법 제39조 제1항에 따라 동시에 판결할 경우와 형평을 고려하여 형을 선고하거나 그 형을 감경 또는 면제할 수도 없다고 해석함이 타당하다.
[2] 아직 판결을 받지 아니한 수개의 죄가 판결확정을 전후하여 저질러진 경우, 판결확정 전에 범한 죄를 이미 판결이 확정된 죄와 동시에 판결할 수 없었던 경우라고 하여 마치 확정된 판결이 존재하지 않는 것처럼 그 수개의 죄 사이에 형법 제37조 전단의 경합범관계가 인정되어 형법 제38조가 적용된다고 볼 수도 없으므로 판결확정을 전후한 각각의 범죄에 대하여 별도로 형을 정하여 선고할 수밖에 없다(대판 2014.3.27, 2014도469).

① (×) 벌금 이상의 형이 아니라 금고 이상의 형에 처한 판결이 확정된 죄와 그 판결확정 전에 범한 죄를 경합범으로 한다(제37조).

② (×) 그 형을 감경 또는 면제할 수 있다(제39조).

③ (×) 가장 중한 죄에 정한 형으로 처벌한다(제40조).

▶ 경합범의 처벌

> 제38조(경합범과 처벌례)
> ① 경합범을 동시에 판결할 때에는 다음의 구별에 의하여 처벌한다.
> 1. 가장 중한 죄에 정한 형이 사형 또는 무기징역이나 무기금고인 때에는 가장 중한 죄에 정한 형으로 처벌한다.
> 2. 각 죄에 정한 형이 사형 또는 무기징역이나 무기금고 이외의 동종의 형인 때에는 가장 중한 죄에 정한 장기 또는 다액에 그 2분의 1까지 가중하되 각 죄에 정한 형의 장기 또는 다액을 합산한 형기 또는 액수를 초과할 수 없다. 단, 과료와 과료, 몰수와 몰수는 병과할 수 있다.
> 3. 각 죄에 정한 형이 무기징역이나 무기금고 이외의 이종의 형인 때에는 병과한다.
>
> ② 전 항 각 호의 경우에 있어서 징역과 금고는 동종의 형으로 간주하여 징역형으로 처벌한다.
>
> 제40조(상상적 경합)
> 1개의 행위가 수개의 죄에 해당하는 경우에는 가장 중한 죄에 정한 형으로 처벌한다.

### 05 정답 ②

② (×) 형법이 제225조 내지 제230조에서 공문서에 관한 범죄를 규정하고, 이어 제231조 내지 제236조에서 사문서에 관한 범죄를 규정하고 있는 점 등에 비추어 볼 때 형법 제233조 소정의 허위진단서작성죄의 대상은 공무원이 아닌 의사가 사문서로서 진단서를 작성한 경우에 한정되고, 공무원인 의사가 공무소의 명의로 허위진단서를 작성한 경우에는 허위공문서작성죄만이 성립하고 허위진단서작성죄는 별도로 성립하지 않는다(대판 2004.4.9, 2003도7762).

① (O) 대판 1989.12.8, 98도3416
③ (O) 대판 2011.1.13, 2010도9330
④ (O) 대판 2002.7.18, 2002도669

## 06 정답 ②

② (×) 강도죄와 공무집행방해죄의 실체적 경합이 성립한다(대판 1987.5.26, 87도527).
① (O) 부정수표 단속법 위반죄와 업무상배임죄의 상상적 경합이 성립한다(대판 2004.5.13, 2004도1299).
③ (O) 사기죄와 배임죄의 상상적 경합이 성립한다[대판(전) 2002.7.18, 2002도669].
④ (O) 수뢰 후 부정처사죄 외에 별도로 공도화변조 및 동행사죄가 성립하고 이들 죄와 수뢰 후 부정처사죄는 각각 상상적 경합이 성립한다(대판 2001.2.9, 2000도1216).

## 07 정답 ①

① (×), ② (O) 상습범이란 어느 기본적 구성요건에 해당하는 행위를 한 자가 범죄행위를 반복하여 저지르는 습벽, 즉 상습성이라는 행위자적 속성을 갖추었다고 인정되는 경우에 이를 가중처벌사유로 삼고 있는 범죄유형을 가리키므로, 상습성이 있는 자가 같은 종류의 죄를 반복하여 저질렀다 하더라도 상습범을 별도의 범죄유형으로 처벌하는 규정이 없는 한 각 죄는 원칙적으로 별개의 범죄로서 경합범으로 처단할 것이다. 저작재산권 침해행위는 저작권자가 같더라도 저작물별로 침해되는 법익이 다르므로, 각각의 저작물에 대한 침해행위는 원칙적으로 각 별개의 죄를 구성한다. 다만, 단일하고도 계속된 범의 아래 동일한 저작물에 대한 침해행위가 일정기간 반복하여 행하여진 경우에는 포괄하여 하나의 범죄가 성립한다고 볼 수 있다(대판 2012.5.10, 2011도12131).
③ (O) 대판 2015.1.15, 2011도14198
④ (O) 대판 2005.9.30, 2005도4051

## 08 정답 ①

① (×) 피고인이 수개의 선거비용 항목을 허위기재한 하나의 선거비용 보전청구서를 제출하여 대한민국으로부터 선거비용을 과다 보전받아 이를 편취하였다면 이는 일죄로 평가되어야 하고, 각 선거비용 항목에 따라 별개의 사기죄가 성립하는 것은 아니다(대판 2017.5.30, 2016도21713).
② (O) 대판 2003.8.22, 2002도5341
③ (O) 대판 2015.9.10, 2015도7081
④ (O) 대판 2007.7.12, 2007도2191

## 09 정답 ①

① (×) 배임행위는 금원을 편취한 사기죄와는 전혀 다른 새로운 보호법익을 침해하는 행위로서 사기 범행의 불가벌적 사후행위가 되는 것이 아니라 별죄를 구성한다(대판 2008.3.27, 2007도9328).
② (O) 대판 1970.11.24, 70도1998
③ (O) 대판 1969.6.24, 69도692
④ (O) 대판 2010.2.25, 2010도93

## 10 정답 ①

① (O) 미등기 건물의 관리를 위임받아 보관하고 있는 자가 임의로 건물에 대하여 자신의 명의로 보존등기를 하거나 동시에 근저당권설정등기를 마치는 것은 객관적으로 불법영득의 의사를 외부에 발현시키는 행위로서 횡령죄에 해당하고, 피해자의 승낙 없이 건물을 자신의 명의로 보존등기를 한 때 이미 횡령죄는 완성되었다 할 것이므로 횡령행위의 완성 후 근저당권설정등기를 한 행위는 피해자에 대한 새로운 법익의 침해를 수반하지 않는 불가벌적 사후행위로서 별도의 횡령죄를 구성하지 않는다(대판 1993.3.9, 92도2999).
② (×) 연대보증채무 부담으로 인한 배임죄와 다른 새로운 보호법익을 침해하는 것으로서 배임 범행의 불가벌적 사후행위가 되는 것이 아니라 별죄인 횡령죄를 구성한다(대판 2011.4.14, 2011도277).
③ (×) 불가벌적 사후행위가 되는 것은 아니다(대판 2008.5.8, 2008도198).
④ (×) 조세포탈행위는 횡령 범행과는 전혀 다른 새로운 법익을 침해하는 행위로서 이를 횡령의 불가벌적 사후행위라고 볼 수 없다(대판 1992.3.10, 92도147).

# 형사법 10회 모의고사 정답 및 해설

제10회 모의고사 정답

| | | | | | | | | | |
|---|---|---|---|---|---|---|---|---|---|
| 01 | ④ | 02 | ④ | 03 | ④ | 04 | ③ | 05 | ③ |
| 06 | ① | 07 | ③ | 08 | ② | 09 | ① | 10 | ② |

## 01 정답 ④

구성요건론 ▮ 난이도 하

㉠ (○) 일정한 기간 내에 잘못된 상태를 바로 잡으라는 행정청의 지시를 이행하지 않는다는 것을 구성요건으로 하는 범죄는 이른바 진정부작위범으로서 그 의무이행기간의 경과에 의하여 범행이 기수에 이른다(대판 1994.4.26, 93도1731).

㉡ (×) 부작위에 의한 처분행위에 해당한다(대판 2007.7.12, 2005도9221).

㉢ (○) 대판 2007.4.12, 2007도967

㉣ (×) 부작위에 위한 사기죄에 해당한다(대판 2007.4.12, 2007도1033).

## 02 정답 ④

구성요건론 ▮ 난이도 중

④ 구체적 부합설과 법정적 부합설이 동일한 결론에 이르는 경우는 구체적 사실의 착오 중 객체의 착오와 추상적 사실의 착오이다.

㉠ (×) 구체적 사실의 착오 중 방법의 착오

㉡ (○) 추상적 사실의 착오 중 방법의 착오

㉢ (○) 구체적 사실의 착오 중 객체의 착오

㉣ (×) 병발사례이다. 구체적 부합설은 乙에 대한 살인미수와 丙에 대한 과실치사의 상상적 경합이 되나, 법정적 부합설은 丙에 대한 살인기수만을 인정한다.

㉤ (○) 추상적 사실의 착오 중 객체의 착오

## 03 정답 ④

구성요건론 ▮ 난이도 중

④ (○) 일부실행 전부책임의 원칙상 특수공무집행방해치상죄의 공동정범이 성립한다(대판 2002.4.12, 2000도3485).

① (×) 강도치사죄가 성립하기 위해서는 강도의 기회에 사망의 결과가 발생하여야 한다. 강도의 기회란 강도범행의 실행 중이거나 그 실행 직후 또는 실행의 범의를 포기한 직후로서 사회통념상 범죄행위가 완료되지 아니하였다고 볼 수 있는 단계를 말한다. 강도의 실행의 착수전은 강도의 기회가 아니므로 강도치사죄를 인정할 수 없다(대판 1996.7.12, 96도1108).

② (×) 상해에 대한 예견가능성이 있으므로 강도치상죄 성립한다(대판 1985.1.15, 84도2397).

③ (×) 결과적 가중범은 기본범죄에서 직접적으로 중한 결과가 발생되어야 한다. 하지만 중체포·감금죄는 체포 또는 감금 후 별도의 행위인 가혹행위가 있을 경우 성립하므로 이는 결과적 가중범이 아니다.

## 04 정답 ③

위법성론 ▮ 난이도 중

㉠ (○) 정황에 의하여 형을 감경 또는 면제할 수 있는 과잉방위 규정은 정당방위, 긴급피난, 자구행위 모두에 존재한다(제21조 제2항, 제22조 제3항, 제23조 제2항).

㉡ (○) 현재의 위법한 침해가 있는 경우 정당방위는 당연히 가능하고, 침해자의 법익이 아닌 제3자의 법익이라면 긴급피난도 가능하다.

㉢ (○) 결과반가치일원론은 객관적 정당화상황이 존재하면 불법의 내용인 결과반가치가 상쇄되어 주관적 정당화 요소가 없는 경우라 하더라도 위법성이 조각된다.

㉣ (×) 정당방위에서 장래의 침해를 예상하여 미리 방위조치를 취해두었지만 그 방위조치의 효과가 현재의 부당한 침해가 있을 때에 발생하도록 되어 있는 경우에는 현재의 침해성이 인정되어 정당방위로 허용된다. 침해의 현재성은 방어행위가 아니라 침해당시를 기준으로 평가하기 때문이다.

㉤ (×) 형법 제24조는 "처분할 수 있는 자의 승낙에 의하여 그 법익을 훼손한 행위는 법률에 특별한 규정이 없는 한 벌하지 아니한다"고 규정하고 있다.

## 05 정답 ③

책임론 ▮ 난이도 하

③ (×) 가감삼십전대보초와 한약 가지 수에만 차이가 있는 십전대보초를 제조하고 그 효능에 관하여 광고를 한 사실에 대하여 이전에 검찰의 혐의 없음 결정을 받은 적이 있다면, 피고인이 비록 한의사, 약사, 한약업사 면허나 의약품판매업 허가가 없이 의약품인 가감삼십전대보초를 판매하였다고 하더라도 자기의 행위가 법령에 의하여 죄가 되지 않는 것으로 믿을 수밖에 없었고, 또 그렇게 오인함에 있어서 정당한 이유가 있는 경우에 해당한다(대판 1995.8.25, 95도717).

① (○) 대판 1995.7.11, 94도1814

② (○) 대판 1983.2.22, 81도2763

④ (○) 대판 2002.5.10, 2000도2807

## 06 정답 ①

미수론 ▮ 난이도 하

① (×) 금융기관의 직원이 전산단말기를 이용하여 다른 공범들이 지정한 특정계좌에 돈이 입금된 것처럼 허위의 정보를 입력하는 방법으로 위 계좌로 입금되었다면 바로 기수가 되는 것이지 돈을 인출하지 못하였더라도 이는 미수가 되는 것은 아니다(대판 2006.1.26, 2005도8507).

② (○) 민사소송법상의 소송비용의 청구는 소송비용액 확정절차에 의해서만 가능하므로 소송비용의 지급을 구하는 소를 제기한 것은 부적법한 소송이고 손해배상청구의 소를 제기하였더라도 객관적으로 소송비용의 청구방법에 관한 법률지식을 가진 일반인의 판단으로 보아 결과발생의 가능성이 없어 위험성이 인정되지 않아 소송사기죄의 불능범으로 처벌할 수 없다(대판 2005.12.8, 2005도8105).

③ (○) 대판 2004.11.18, 2004도5074

④ (○) 대판 1988.9.13, 88도55

## 07 정답 ③

미수론 ▮ 난이도 하

③ (×) 불능미수가 성립하려면 기수의 고의가 있어야 한다. 처음부터 불가능을 알면서 행위자가 이를 실행한 경우 불능미수를 인정할 수 없다.

④ (○) 대판 2007.7.26, 2007도3687

## 08 정답 ②

죄수론 ▮ 난이도 중

② 〈입장〉은 공범과 신분에 관한 판례(소수설)의 입장으로 ㉠과 ㉣이 틀린 설명이 된다. ㉠ 어머니와 아들은 존속살해죄가 성립되고 어머니의 경우 단서에 의하여 보통살인죄로 처벌된다. ㉣ 비신분자와 신분자(은행원)는 업무상배임죄의 공동정범이 성립하고 단서에 의하여 비신분자는 단순배임죄로 처벌된다.

## 09 정답 ①

죄수론 ▮ 난이도 하

① (×) 대마취급자가 아닌 자가 절취한 대마를 흡입할 목적으로 소지하는 행위는 절도죄의 보호법익과는 다른 새로운 법익을 침해하는 행위이므로 절도죄의 불가벌적 사후행위로서 절도죄에 포괄흡수된다고 할 수 없고 절도죄 외에 별개의 죄를 구성한다고 할 것이며, 절도죄와 무허가대마소지죄는 경합범의 관계에 있다(대판 1999.4.13, 98도3619).

② (○) 강도가 시간적으로 접착된 상황에서 가족을 이루는 수인에게 폭행・협박을 가하여 집안에 있는 재물을 탈취한 경우 그 재물은 가족의 공동점유 아래 있는 것으로서, 이를 탈취하는 행위는 그 소유자가 누구인지에 불구하고 단일한 강도죄의 죄책을 진다(대판 1996.7.30, 96도1285).

③ 운전한 날마다 무면허운전으로 인한 도로교통법위반의 일죄가 성립한다고 보아야 할 것이고 비록 계속적으로 무면허운전을 할 의사를 가지고 여러 날에 걸쳐 무면허운전행위를 반복하였다 하더라도 이를 포괄하여 일죄로 볼 수는 없다(대판 2002.7.23, 2001도6281).

④ 피고인이 당초부터 피해자를 기망하여 약속어음을 교부받은 경우에는 그 교부받은 즉시 사기죄가 성립하고 그 후 이를 피해자에 대한 피고인의 채권의 변제에 충당하였다 하더라도 불가벌적 사후행위가 됨에 그칠 뿐, 별도로 횡령죄를 구성하지 않는다(대판 1983.4.26, 82도3079).

## 10 정답 ②

죄수론 ▮ 난이도 상

② (×) 형법 제37조 후단의 경합범에 있어서 판결이 확정된 죄라 함은 수개의 독립한 죄 중의 어느 죄에 대하여 확정판결이 있었던 사실 자체를 의미하고 그 확정판결이 있은 죄의 형의 집행을 종료한 여부, 형의 집행유예가 실효된 여부는 묻지 않는다고 해석할 것이므로 형법 제55조에 의하여 집행유예를 선고한 확정판결에 의한 형의 선고가 그 효력을 잃었다 하더라도 확정판결을 받은 존재가 이에 의하여 소멸되지 않는 이상 위 법 제37조 후단의 판결이 확정된 죄에 해당한다고 보아야 할 것이다(대결 1984.8.21, 84모1297).

① (○) 형법 제35조 제1항 제2호

PART

# 03

# 경찰학

## 정답 및 해설편

# 경찰학 1회 모의고사 정답 및 해설

### 제1회 모의고사 정답

| | | | | | | | | | |
|---|---|---|---|---|---|---|---|---|---|
| 01 | ① | 02 | ③ | 03 | ① | 04 | ③ | 05 | ③ |
| 06 | ④ | 07 | ④ | 08 | ① | 09 | ③ | 10 | ③ |

## 01 정답 ①

① (×) 경찰청장은 외부에서 모집할 수 없다.
② (×) 국가수사본부장은 국가경찰위원회의 동의를 받지 않는다.
③ (×) 중임할 수 없다.
④ (×) 국회의 탄핵심판 소추 의결권이 규정되어 있다. 탄핵심판권은 헌법재판소의 권한이다.

## 02 정답 ③

③ (×) 정당의 당원이거나 당적을 이탈한 날부터 3년이 지나지 아니한 사람은 국가수사본부장이 될 수 없다.
② (○) 10년 이상 수사업무에 종사한 사람 중에서 「국가공무원법」 제2조의2에 따른 고위공무원단에 속하는 공무원, 3급 이상 공무원 또는 총경 이상 경찰공무원으로 재직한 경력이 있는 사람은 자격이 있다.

## 03 정답 ①

① (×) 국가경찰위원회에 보고하여야 한다.

## 04 정답 ③

③ (×) '해당 시·도의 경찰력으로는 국민의 생명·신체·재산의 보호 및 공공의 안녕과 질서유지가 어려워 경찰청장의 지원·조정이 필요한 경우'에 미리 국가경찰위원회의 의결을 거쳐야 하며 긴급한 경우에는 우선 조치 후 지체 없이 국가경찰위원회의 의결을 거쳐야 한다.

▶ **경찰청장의 자치경찰(제주 자치경찰 포함) 지휘·명령 사유 (제32조 제1항)**

| | | | |
|---|---|---|---|
| 제1호 | 전시·사변·전재지변 등 비상사태에서 전국적 치안유지 | | • 경찰청장은 국경위·시경위에 보고(통보)<br>• 국경위·시경위는 중단요청 가능 |
| 제2호 | 시·도에 동일하게 적용되는 시책 시행 | | |
| 제3호 | 해당 시·도의 경찰력으로 질서유지가 어려워 지원·조정이 필요한 경우 | • 국경위 **사전 의결 원칙**, 긴급 시 사후 의결<br>• 시경위는 경찰청장에게 지원·조정을 요청 가능 | |

## 05 정답 ③

③ (×) 수임 및 수탁사무에 관한 권한을 행사할 때에는 수임 및 수탁기관의 명의로 하여야 한다. 위임 및 위탁기관은 사무에 대한 감독책임이 있다.

## 06 정답 ④

④ (×) 직무대리자는 사고자의 모든 권한을 가지고 그에 상응하는 책임을 진다.
③ (○) 사고 기간이 15일 이하인 경우에는 직무대리 명령서 발급을 생략할 수 있다.

## 07 정답 ④

④ (×) 현재 경과를 부여받고 1년이 지나지 아니한 사람은 전과를 할 수 없다(시행규칙 제28조 제2항). 특정분야 근무 조건으로 채용된 경우는 5년이 지나야 전과가 가능하다.
① (○) 경과의 종류에는 일반경과, 수사경과, 보안경과, 특수경과(항공경과, 정보통신경과)가 있다(임용령 제3조). **【일수보특, 항정살】**
② (○) 시행규칙 제22조
③ (○) 시행규칙 제27조 제1항

## 08 정답 ①

① (×) 지구대 및 파출소에서 근무하는 경찰공무원을 제외한다.

## 09 정답 ③

③ (×) 국가수사본부장의 추천을 받아야 한다. **【총수행 지위】**

| | |
|---|---|
| 추천 | ① 총경 이상 임용 시 경찰청장 추천 → 행안부장관 제청<br>② 수사부서에서 총경을 보직 시 국수본부장 추천<br>③ 시경위 임용권 행사 시 시·도청장 추천 |
| 의견 | ① 지·파 소장 보직 시 시경위의 사전 의견 청취<br>② 시경위는 시·도지사와 시·도청장의 의견을 들어 그 권한의 일부를 시·도청장에 위임 |

## 10 정답 ③

㉡, ㉥ (×) 총경의 전보, 휴직, 직위해제, 강등, 정직 및 복직은 경찰청장이 한다. **【총경의 강정전복휴직】**
㉤ (×) 경정으로의 신규채용, 승진임용 및 면직은 경찰청장의 제청으로 국무총리를 거쳐 대통령이 한다. **【경정의 신승면】**

# 경찰학 2회 모의고사 정답 및 해설

## 제2회 모의고사 정답

| | | | | | | | | | |
|---|---|---|---|---|---|---|---|---|---|
| 01 | ④ | 02 | ① | 03 | ④ | 04 | ② | 05 | ② |
| 06 | ④ | 07 | ③ | 08 | ④ | 09 | ② | 10 | ③ |

### 01 정답 ④

④ (×) 징계에 의하여 파면 또는 해임처분을 받은 사람은 「경찰공무원법」상 결격사유에 해당하지만, 「국가공무원법」상 결격사유는 징계로 파면처분을 받은 때부터 5년이 지나지 아니한 자 또는 징계로 해임처분을 받은 때부터 3년이 지나지 아니한 자이다.

### 02 정답 ①

① (×) '학업을 계속하는 경우'로 규정되어 있으며, '6개월 이상' 학업을 계속하는 경우로 제한되어 있지 않다. 참고로 '6개월 이상 장기요양이 필요한 질병이 있는 경우'는 임용유예 사유에 해당한다.
② (○) 제21조 제1항
③ (○) 제20조 제2항
④ (○) 제18조 제3항

### 03 정답 ④

④ (×) 휴직 · 직위해제의 사유는 6개월, 신규채용 · 승진의 사유는 2개월이 지난 후부터 근무성적을 평정하여야 한다(제8조).

### 04 정답 ②

② (×) 공무원 자신에 대한 장기요양은 직권휴직 대상이다. 임용권자는 본인의 의사에 불구하고 휴직을 명해야 한다.

### 05 정답 ②

㉢ (×) 약식명령이 청구된 자는 제외한다.
㉣ (×) 직권휴직 사유이다.
㉤ (×) 직권면직 사유이다.
㉥ (×) 직권휴직 사유이다.

### 06 정답 ④

④ (○) 국가공무원법 제70조 제1항 제5호

▶ 직권면직(경찰공무원법 제28조)

| 징계위 동의 필요 | 동의 불요 |
|---|---|
| ① 직무수행 능력 부족으로 직위해제 후 여전히 능력향상 곤란<br>② 직무능력 및 성실성 결여(지능/판단력/책임감 부족, 위험직무 기피)<br>③ 위험한 성격 · 도덕적 결함(인격장애, 알콜 · 약물 중독, 도박, 재산낭비, 불륜 등) | ① 직제 · 정원 개폐, 예산 감소<br>② 휴직 후 직무 복귀 거부<br>③ 자격증 · 면허 취소<br>【정복자】 |

### 07 정답 ③

③ (×) 경비가 아닌 외사이다. 수사 · 정보 · 외사 · 보안 · 자치경찰사무 등 특수부문 총경 · 경정은 4년 범위에서 연장 가능하며, 전시 · 사변, 그 밖의 비상사태에서 위 기간을 2년 범위에서 연장 가능하다. 【수정외보자 특사(4)비리(2)】

### 08 정답 ④

① (×) 비밀엄수의 의무는 신분상 의무이다.
② (×) '수사 이의제기'에 관한 규정은 「국가경찰과 자치경찰의 조직 및 운영에 관한 법률」 제6조에 규정되어 있다.
③ (×) 공무원은 직무와 관련하여 직접적이든 간접적이든 사례 · 증여 또는 향응을 주거나 받을 수 없다.

### 09 정답 ②

① (×) '친절공정의 의무'는 직무상 의무에 해당한다.
③ (×) 기관장이 아닌 상관의 허가가 필요하다.
④ (×) 수사기관이 공무원을 구속하려면 그 소속 기관의 장에게 미리 통보하여야 하지만, 현행범은 그러하지 아니하다.

### 10 정답 ③

① (×) 10일 이내의 포상휴가【열(10)심히 일한 당신 떠나라!】
② (×) 허가하여야 한다.
④ (×) 경찰공무원은 **상사의 허가**를 받거나 그 명령에 의한 경우를 제외하고는 직무와 관계없는 장소에서 직무수행을 하여서는 아니 된다(제8조).

▶ 상사(상관)와 기관장 구별

| 구분 | 상사(상관) – 주요 3개 | 기관장 |
|---|---|---|
| 허가 | • 직장 **이탈** 금지(국공법)【이탈 상관하는 상관】<br>• 지정장소 외 근무 금지(**직무와 관계없는 장소**에서 직무수행 금지)(경찰공무원 복무규정) | • **겸직**(국공법)<br>• **연일 · 휴일(1일), 당직 · 철야(14시 기준)** 휴무 허가하여야 한다(경찰공무원 복무규정).<br>• **관외여행허가**(치안상 특별한 기간)<br>• **10일 내 포상휴가**(경찰공무원 복무규정) |
| 신고 | 신규채용 · 승진 · 전보 · 파견 · 출장 · 연가 · 교육기관 입교 신고(경찰공무원 복무규정) | 관외여행신고(2시간 내 복귀 어려운 지역) |

# 경찰학 3회 모의고사 정답 및 해설

**제3회 모의고사 정답**

| 01 | ③ | 02 | ② | 03 | ① | 04 | ② | 05 | ① |
|---|---|---|---|---|---|---|---|---|---|
| 06 | ④ | 07 | ④ | 08 | ③ | 09 | ② | 10 | ③ |

## 01 정답 ③

③ (×) 1/4을 감액하여 지급한다.

## 02 정답 ②

② (×) 경감 이하에 대하여는 징계위원회가 설치된 기관의 장이 처분한다. 경찰서 소속 경감 이하에 대한 중징계는 임용권자가 처분권자이므로 경감에 대한 임용권자인 시·도경찰청장이 처분한다.

▶ 징계처분권자

<table>
<tr><td colspan="2" rowspan="2">징계 / 관할</td><td>국무총리 중앙징계위</td><td colspan="2">경찰청 중앙징계위</td><td>보통징계위</td></tr>
<tr><td>경무관 이상</td><td>총경</td><td>경정</td><td>경감 이하</td></tr>
<tr><td rowspan="4">중징계</td><td>파면</td><td rowspan="4">대통령<br>⇧<br>(장관·총리)<br>청장 제청</td><td colspan="2" rowspan="2"></td><td rowspan="6">관할 징계위원회가 설치된 기관의 장<br>(중징계는 임용권자에게 제청)</td></tr>
<tr><td>해임</td></tr>
<tr><td>강등</td><td colspan="2" rowspan="2">경찰청장</td></tr>
<tr><td>정직</td></tr>
<tr><td rowspan="2">경징계</td><td>감봉</td><td colspan="3" rowspan="2">경찰청장</td></tr>
<tr><td>견책</td></tr>
</table>

## 03 정답 ①

① (×) **경무관 이상의 강등 및 정직과 경정 이상의 파면 및 해임**은 경찰청장의 제청으로 행정안전부장관과 국무총리를 거쳐 대통령이 하고, 총경 및 경정의 강등 및 정직은 경찰청장이 한다(경찰공무원법 제33조).

## 04 정답 ②

① (×) 상위계급과 하위계급자의 관련 사건은 상위계급자 관할 징계위원회에서 관할하며 경위 이하에 대하여는 경찰서에 징계위원회를 설치하므로, 경찰서에 설치된 징계위원회에서 심의·의결한다.

③, ④ (×) 총경 및 경정의 강등 및 정직은 경찰청장이 한다(경공법 제33조).

## 05 정답 ①

① (×) 경정이 아닌 경감 이하이다.

② (○) 기관이나 단체에 수여된 단체표창은 징계대상자에 대한 징계양정의 임의적 감경사유에 해당하지 않는다(대판 2012.10.11, 2012두13245).

▶ **경찰공무원 징계령 세부시행규칙**【경찰청예규】

> 제8조(징계의 감경) ① 징계위원회는 징계의결이 요구된 자가 다음 각 호의 어느 하나에 해당하는 공적이 있는 경우 별표 9에 따라 **징계를 감경할 수 있다.【**총포모 감경(경감 이하는 경찰청장 이상)**】**
> 1. 「상훈법」에 따라 훈장 또는 포장을 받은 공적 ※ 포장 이상
> 2. 「정부표창규정」에 따라 국무총리 이상의 표창을 받은 공적 다만, **경감 이하의 경찰공무원 등은 경찰청장 또는 중앙행정기관 차관급 이상 표창을 받은 공적** ※ 총리 이상
> 3. 「모범공무원규정」에 따라 모범공무원으로 선발된 공적
>
> ② 경찰공무원 등이 징계처분 또는 징계위원회의 권고에 의한 경고를 받은 사실이 있는 경우에는 **그 징계처분 또는 경고처분 전의 공적은 제1항에 따른 감경대상 공적에서 제외한다.**
>
> ③ (요약) 금품수수·성범죄·소극행정·음주운전 등의 경우는 감경할 수 없다.

## 06 정답 ④

① (×) 징계위원회 개최일 5일 전까지 도달되어야 한다.

② (×) 관보 게재일부터 10일이 지나면 출석통지가 송달된 것으로 본다.【징괘씸(징계－10)】

③ (×) 30일 이내에 징계의결을 하여야 하고 30일을 더 연장할 수 있다.【30＋30】

## 07 정답 ④

① (×) 각 징계위원회는 위원장 1명을 포함하여 11명 이상 51명 이하의 공무원위원과 민간위원으로 구성한다. 「공무원징계령」상 국무총리 소속의 중앙징계위원회는 17명 이상 33명 이하로 구성된다.

② (×) 대학에서 경찰 관련 학문을 담당하는 정교수 이상으로 재직 중인 사람이다.

③ (×) 총경 또는 4급 이상의 공무원으로 근무하고 퇴직한 사람[퇴직 전 5년부터 퇴직할 때까지 근무했던 적이 있는 경찰기관(해당 경찰기관이 소속된 중앙행정기관 및 그 중앙행정기관의 다른 소속기관에서 근무했던 경우를 포함한다)의 경우에는 퇴직일부터 3년이 경과한 사람을 말한다]이어야 하며, 20년 이상 근무한 공무원은 보통징계위원회의 위원으로 위촉될 수 있다.

◆ 경찰 징계위원회 구성

| 보통 징계위원회 | 중앙 징계위원회 |
|---|---|
| ① 변호사 5년 이상<br>② 부교수 이상<br>③ 20년 이상 근속 퇴직공무원<br>④ 민간부문 인사・감사 임원급 | ① 총경 또는 4급 이상 퇴직 공무원<br>② 정교수 이상<br>③ 법・검・변 10년 이상<br>④ 민간부문 인사・감사 임원급<br>【중앙 총정렬임】 |

※ 퇴직 공무원: 퇴직 전 5년부터 퇴직할 때까지 근무했던 적이 있는 경찰기관의 경우 퇴직일부터 3년이 경과한 사람

08 정답 ③

③ (×) 경찰공무원 고충심사위원회의 심사를 거친 재심청구와 경정 이상의 경찰공무원의 인사상담 및 고충심사는 「국가공무원법」에 따라 설치된 중앙고충심사위원회에서 한다.

④ (○) 「국가공무원법」 제75조

09 정답 ②

② (×) 소청심사위원회의 취소・변경 명령은 그에 따른 행정청의 징계나 처분이 있을 때까지는 종전에 행한 징계(징계부가금) 처분에 영향이 없다.

10 정답 ③

① (×) 소청 사건의 결정은 재적 위원 3분의 2 이상의 출석과 출석 위원 과반수의 합의에 따르는 것이 원칙이다.

② (×) 의견이 나뉘어 출석 위원 과반수의 합의에 이르지 못하였을 때에는 과반수에 이를 때까지 소청인에게 가장 불리한 의견에 차례로 유리한 의견을 더하여 그중 가장 유리한 의견을 합의된 의견으로 본다.

④ (×) 위원장만 정무직으로 보한다.

# 경찰학 4회 모의고사 정답 및 해설

**제4회 모의고사 정답**

| | | | | | | | | | |
|---|---|---|---|---|---|---|---|---|---|
| 01 | ④ | 02 | ③ | 03 | ④ | 04 | ② | 05 | ② |
| 06 | ② | 07 | ② | 08 | ④ | 09 | ② | 10 | ① |

## 01 정답 ④

㉠ (○) 국유재산법상 국유재산의 무단점유자에 대한 변상금 부과는 공권력을 가진 우월적 지위에서 행하는 것으로서 행정소송의 대상이 되는 행정처분이다(대판 1988.2.23, 87누1046 · 1047).

㉡ (○) 신청에 의한 거부행위도 처분에 해당한다.

㉢ (○) 행정청은 국가 또는 지방자치단체의 기관 이외에도 공무를 위임·위탁받은 공공기관이나 사인(私人)도 될 수 있으며, 교통안전공단이 교통안전공단법에 의한 교통안전분담금 납부통지는 행정처분에 해당한다(대판 2000.9.8, 2000다12716).

㉣ (○) 기능상 의미의 행정청인 경찰공무원의 표시나 지시도 처분에 해당한다.

㉤ (×) 상급행정기관의 지시는 일반적으로 행정조직 내부에서만 효력을 가질 뿐 대외적으로 국민이나 법원을 구속하는 효력이 없다. 국민의 권리·의무와 직접 관계가 없는 행위는 행정처분으로 볼 수 없다. 지방경찰청장이 횡단보도를 설치하여 보행자의 통행방법 등을 규제하는 것은 행정처분에 해당한다(대판 2000.10.27, 98두8964).

## 02 정답 ③

① (×) 유효한 것으로 통용된다.

② (×) 무효인 처분은 처음부터 그 효력이 발생하지 아니한다.

④ (×) 위반행위에 대한 제재처분은 위반한 행위 당시의 법령등에 따른다. 다만, 법령등을 위반한 행위 후 법령등의 변경에 의하여 그 행위가 법령등을 위반한 행위에 해당하지 아니하거나 제재처분 기준이 가벼워진 경우로서 해당 법령등에 특별한 규정이 없는 경우에는 변경된 법령등을 적용한다(제14조 제3항).

## 03 정답 ④

④ (○) 행정기본법 제18조 제1항

① (×) 구체적 사실에 관하여 행하는 법 집행이다.

② (×) 제19조(적법한 처분의 철회) ① 행정청은 적법한 처분이 다음 각 호의 어느 하나에 해당하는 경우에는 그 처분의 전부 또는 일부를 장래를 향하여 철회할 수 있다.

1. 법률에서 정한 철회 사유에 해당하게 된 경우
2. 법령등의 변경이나 사정변경으로 처분을 더 이상 존속시킬 필요가 없게 된 경우
3. 중대한 공익을 위하여 필요한 경우

【법공사 철에(철회)】

③ (×) 제20조(자동적 처분) 행정청은 법률로 정하는 바에 따라 완전히 자동화된 시스템(인공지능 기술을 적용한 시스템을 포함한다)으로 처분을 할 수 있다. 다만, 처분에 재량이 있는 경우는 그러하지 아니하다.

## 04 정답 ②

② (×) 국민에게 불리한 처분은 첫날을 산입하여 그 기간을 짧게 하는 것이 원칙이다. 다만, 첫날을 산입하는 것이 오히려 국민에게 불리한 경우에는 그러하지 아니하다.

## 05 정답 ②

② (×) 위법한 행정처분은 반복되었다고 하더라도 행정청은 이에 구속되지 않는다.

① (○) 법률유보의 원칙은 법률에 의한 규율만을 뜻하는 것이 아니라 법률에 근거한 규율을 요청하는 것이므로 반드시 법률의 형식일 필요는 없다(현재 2018.2.22, 2016헌마780).

## 06 정답 ②

① (×) 신뢰보호원칙에 위반된다.

③ (×) 위법하지만, 토지 가액은 그 100분의 1 상당의 금액에 불과한 데다가(중대하지 않음), 사업자가 그동안 그 부관에 대하여 아무런 이의를 제기하지 아니하다가 지방자치단체장이 업무착오로 기부채납한 토지에 대하여 보상협조요청서를 보내자 그때서야 비로소 부관의 하자를 들고 나온 사정(명백하지 않음)에 비추어 볼 때 <u>부관의 하자가 중대하고 명백하여 당연무효라고는 볼 수 없다</u>(대판 1997.3.11, 96다49650).

④ (×) 재량권을 일탈·남용한 것이 아니다(대판 2018.2.28, 2017두67476).

> 제93조(운전면허의 취소·정지) ① 시·도경찰청장은 운전면허(연습운전면허는 제외한다. 이하 이 조에서 같다)를 받은 사람이 다음 각 호의 어느 하나에 해당하면 행정안전부령으로 정하는 기준에 따라 운전면허(<u>운전자가 받은 모든 범위의 운전면허를 포함한다</u>. 이하 이 조에서 같다)를 취소하거나 1년 이내의 범위에서 운전면허의 효력을 정지시킬 수 있다.
>
> 1. 제44조 제1항을 위반하여 술에 취한 상태에서 자동차등을 운전한 경우

07 정답 ②

② (×) 사후부관은 법률의 근거가 있거나 당사자의 동의 또는 사정변경이 있는 경우에 가능하다. 【사후부관-법동사】

③ (○) 【목연필】

08 정답 ④

④ (○) 고속국도관리청이 고속도로 부지와 접도구역에 송유관 매설을 허가하면서 상대방과 체결한 협약에 따라 송유관 시설을 이전하게 될 경우 그 비용을 상대방에게 부담하도록 한 경우 위 협약에 포함된 부관이 부당결부금지의 원칙에 반하지 않는다(대판 2009.2.12. 2005다65500).

① (×) 부담은 처분의 효과 발생·소멸과 직결되지 아니하며, 부담의 불이행이 있더라도 당연히 처분의 효력이 소멸되는 것은 아니다.

② (×) 사법상 매매행위가 당연히 무효화하는 것은 아니다(대판 2009.6.25. 2006다18174).

③ (×) 실질적 관련성이 있어야 한다(행정기본법 제17조 제4항).

09 정답 ②

② (×) 운전면허취소처분을 받은 후 자동차를 운전하였으나 그 취소처분이 행정쟁송절차에 의하여 취소된 경우, 운전면허취소처분은 그 처분시에 소급하여 효력을 잃게 되고 행정행위에 인정되는 공정력에도 불구하고 무면허운전이 성립되지 않는다(대판 98도4239).

① (○) 직권취소는 행정청이 스스로 반성하는 것이므로 원칙적으로 기간에 제한이 없으나, 사례와 같이 3년 후에 면허취소를 한 경우는 공익보다 사익의 침해가 더 가혹하다고 보았다(대판 87누373).

③ (○) 행정기본법 제19조 제1항

④ (○) 대판 1989.10.24. 89누2431

10 정답 ①

① (×) 조사대상자가 **행정조사의 실시를 거부하거나 방해하는 경우** 행정조사를 담당하는 공무원이 **조사대상자의 신체와 재산에 대해 실력을 행사하여 강제조사를 할 수 있는가에 대하여 행정조사기본법에는 명문규정이 없다.** 권력적 행정조사에 상대방이 저항하는 경우 실력으로 그 저항을 배제할 수 있는지에 관해서는 **허용되지 않는다는 부정설이 다수설이다.** 이 경우 **허가취소, 행정벌 부과 등 간접강제가 가능하다**는 점에서 즉시강제와 구별된다.

② (○) 제3조

③ (○) 제5조

④ (○) 제17조

# 경찰학 5회 모의고사 정답 및 해설

제5회 모의고사 정답

| | | | | | | | | | |
|---|---|---|---|---|---|---|---|---|---|
| 01 | ④ | 02 | ③ | 03 | ③ | 04 | ② | 05 | ④ |
| 06 | ② | 07 | ② | 08 | ③ | 09 | ③ | 10 | ② |

## 01 정답 ④

④ (×) 손실보상청구권은 경찰관의 적법한 직무집행으로 인한 손실에 대한 보상이므로 특별한 희생에 해당하는 경우에 한하여 인정된다. 특별한 희생이란 사회적 제약을 벗어나는 희생으로서 그 존부는 침해의 중대성, 침해의 불평등 여부, 상대방의 수인가능 여부, 경찰상 위험서의 존부 등을 종합하여 판단하여야 한다. 「경찰관직무집행법」 제11조의2(손실보상)는 손실발생의 원인에 대하여 책임이 없는 자 또는 손실발생의 원인에 대하여 책임이 있는 자가 자신의 책임에 상응하는 정도를 초과하는 손실을 입은 경우에 정당한 보상을 하도록 규정하고 있다.

③ (○) 법적 의무가 있는 부작위의 경찰의무위반이 있는 경우에도 책임은 인정된다.

## 02 정답 ③

③ (×) 경찰 스스로 또는 위임을 받은 제3자가 위험을 방지할 수 있는 상태가 아니어야 한다. 만약 위험을 방지할 수 있는 상태에 있다면 그러한 자가 위험을 방지하여야 한다.

▶ 경찰긴급권의 요건

| |
|---|
| ⓐ 목전의 중대한 위험방지 |
| ⓑ 직접원인제공자가 위험제거를 할 수 없을 것 |
| ⓒ 경찰관이 스스로 또는 위임을 통해서 해결이 불가능할 것 |
| ⓓ **제3자의 중대한 법익(생명·건강 등) 침해가 없을 것** |
| ⓔ **법률의 근거가 있을 것** 등이다. 제3자의 승낙은 필요하지 않다. |

## 03 정답 ③

㉠ (×) 경찰벌은 과거의 의무위반에 대하여 가해지는 제재이나, 경찰상 강제는 의무를 현실적으로 실현시키는 것을 목적으로 한다.

㉣ (×) 부작위 의무를 해제하는 것은 허가이고, 작위·수인·급부의무를 해제하여 주는 것은 면제이다.

㉤ (×) 특허에 대한 설명이다. 허가는 법률로써 개인의 자유를 제한한 후 일정한 요건이 구비된 경우에 그 제한을 해제하여 본래의 자유를 회복시켜 주는 행정행위이다.

## 04 정답 ②

② (×) 하명이나 허가 등 명령적 행정행위를 위반하여도 그 사법적 효력은 유효하다.

① (○) 하명의 대상은 사실행위인 경우(불법광고물의 철거, 통행금지 등)가 일반적이고, 법률행위인 경우도 있다.

③ (○) 통행금지, 주차금지 등 불특정다수인을 대상으로 행하는 일반처분이 있다.

④ (○) 하명은 개인의 자유를 제한하여 의무를 부과시키는 침익적 행위이므로 법령의 근거를 필요로 한다.

## 05 정답 ④

④ (○) 특허는 특정인에 대하여 새로운 권리나 능력 또는 포괄적 법률관계를 설정하는 행위이다. 공무원 임용이나 귀화 허가는 포괄적 법률관계를 설정하는 행위로서 특허에 해당한다.

① (×) 강학상 허가이다. 허가는 질서유지·위험예방 등을 위하여 법률로써 개인의 자유를 제한한 후 일정한 요건이 구비된 경우에 그 제한을 해제하여 본래의 자유를 회복시켜 주는 행정행위로서, 운전면허 또는 의사면허는 대인적 허가에 해당한다.

② (×) 인가이다. 인가는 제3자의 법률적 행위를 보충하여 그 법률상의 효과를 완성시키는 행정행위로서, 행정청이 일정한 법률행위에 대하여 공익적 관점에서 동의함으로써 그 효력을 완성시켜 준다.

③ (×) 허가이다.

## 06 정답 ②

전통적 의무이행확보수단으로 행정상 강제와 행정벌(행정형벌, 행정질서벌)이 있고, 행정상 강제는 행정상 강제집행과 즉시강제가 있으며, 행정상 강제집행에는 대집행, 강제징수, 직접강제, 이행강제금 부과가 있다.

㉠ (×) 즉시강제에 해당한다.

㉡ (×) 대인적 즉시강제에 해당한다.

㉢ (○) 강제집행에 해당한다. 행정상 강제에는 의무불이행을 전제로 하는 강제집행과 미리 의무를 명할 시간적 여유가 없거나 성질상 의무를 미리 명할 수 없어서 의무불이행을 전제로 하지 않는 즉시강제로 구분되며 강제집행에는 대집행, 강제징수, 직접강제, 이행강제금 부과등이 있다.【집행! 대강직이】

㉣ (○) 해산명령에 불응할 경우 강제해산을 하는 직접강제에 해당하므로 강제집행에 해당한다.

㉤ (×) 행정벌에 해당한다.

07 정답 ②

② (×) 직접강제에 대한 설명이다. "즉시강제"는 현재의 급박한 행정상의 장해를 제거하기 위하여 행정청이 미리 행정상 의무 이행을 명할 시간적 여유가 없거나 그 성질상 행정상 의무의 이행을 명하는 것만으로는 행정목적 달성이 곤란한 경우에 행정청이 곧바로 국민의 신체 또는 재산에 실력을 행사하여 행정목적을 달성하는 것이다.

④ (○) 제30조 제3항

08 정답 ③

③ (×) 통고처분은 상대방의 임의의 승복을 그 발효요건으로 하기 때문에 그 자체만으로는 통고이행을 강제하거나 상대방에게 아무런 권리의무를 형성하지 않으므로 행정심판이나 행정소송의 대상으로서의 처분성을 부여할 수 없다는 것이 다수설이다. 통고처분은 이행하지 아니하면 당연히 그 효력을 상실하므로 행정소송의 대상이 되는 행정처분이 아니다(대판 1995.6.29, 95누4674).

09 정답 ③

③ (×) 이의제기가 있는 경우에는 행정청의 과태료 부과처분은 그 효력을 상실한다.

10 정답 ②

② (○) 질서위반행위규제법

> 제13조(수개의 질서위반행위의 처리)
> ① **하나의 행위가 2 이상의 질서위반행위에 해당**하는 경우에는 각 질서위반행위에 대하여 정한 과태료 중 **가장 중한 과태료를 부과한다.**
> ② 제1항의 경우를 제외하고 **2 이상의 질서위반행위가 경합**하는 경우에는 **각 질서위반행위에 대하여 정한 과태료를 각각 부과한다.** 다만, 다른 법령(지방자치단체의 조례를 포함한다. 이하 같다)에 특별한 규정이 있는 경우에는 그 법령으로 정하는 바에 따른다.

① (×) 행위 시의 법률에 따른다.

③ (×) 오인에 정당한 이유가 있는 때에 한하여 과태료를 부과하지 아니한다.

④ (×) 14세 미만자에게는 부과하지 않는다.

# 경찰학 6회 모의고사 정답 및 해설

제6회 모의고사 정답

| | | | | | | | | | |
|---|---|---|---|---|---|---|---|---|---|
| 01 | ③ | 02 | ④ | 03 | ③ | 04 | ② | 05 | ④ |
| 06 | ① | 07 | ③ | 08 | ① | 09 | ① | 10 | ② |

## 01 정답 ③

① (×) 변호인의 도움을 받을 권리가 있음을 알려야 한다.
② (×) 적법한 불심검문이다(대판 2012.9.13, 2010도6203).
④ (×) 목적과 이유를 **설명하여야 하며**, 동행 장소를 **밝혀야 한다**.

## 02 정답 ④

④ (○) 경찰관이 연고자 없는 구호대상자를 관계기관에 인계하였을 때에는 반드시 경찰서장에게 보고하여야 하고, 경찰서장이 동 기관에 통보하여야 한다.
① (×) 위험발생조치는 경찰관서의 장에게 보고한다. 경찰관서의 장에 경찰서장도 포함되지만 반드시 경찰서장에게만 보고해야 하는 것은 아니다.
② (×) **경찰관서의 장**은 직무 수행에 필요하다고 인정되는 상당한 이유가 있을 때에는 국가기관이나 공사(公私) 단체 등에 직무 수행에 관련된 사실을 **조회**할 수 있다. 다만, 긴급한 경우에는 소속 **경찰관**으로 하여금 현장에 나가 해당 기관 또는 단체의 장의 협조를 받아 그 사실을 **확인**하게 할 수 있다(제8조 제1항).
③ (×) 대간첩 작전지역이나 국가중요시설에 대한 접근·통행제한·금지 조치는 경찰관서의 장이 할 수 있다. 따라서 지역경찰관서(지구대·파출소)의 장도 할 수가 있다.

▶ 경찰관서장의 임무 【위대사】

1. 위험발생 방지 조치시 관서장에 보고, 관서장이 관계기관 협조요청(제5조 제4항)
2. 대간첩 작전지역이나 경찰관서·무기고 등 국가중요시설 접근·통행 제한(제5조 제2항)
3. 사실 조회(제8조)

## 03 정답 ③

③ (×) 경찰관은 즉시 그 사실을 소속 경찰서장이나 해양경찰서장에게 보고하여야 하고, 보고를 받은 소속 경찰서장이나 해양경찰서장은 대통령령으로 정하는 바에 따라 구호대상자를 인계한 사실을 지체 없이 해당 공공보건의료기관 또는 공공구호기관의 장 및 그 감독행정청에 통보하여야 한다.

## 04 정답 ②

㉠ (×) 적절한 조치를 할 수 있다.
㉡ (×) 적절한 조치를 할 수 있다.
㉢ (○) 경찰관은 위험방지를 위한 출입할 때 증표를 제시하여야 한다.
㉣ (○) 경찰관서의 장이 할 수 있으므로, 출장소장 또는 파출소장도 할 수 있다.
㉤ (×) 경찰관은 면허 정지·취소 등 행정처분을 위한 교통사고 조사에 필요한 사실 확인을 위하여 출석요구할 수 있다. 형사처벌을 위한 경우에는 경찰관직무집행법이 아닌 형사소송 절차에 따라서 출석요구를 하여야 한다.

## 05 정답 ④

④ (×) '**현행범이나 사형·무기 또는 장기 3년 이상의 징역이나 금고에 해당하는 죄를 범한 범인의 체포** 또는 도주 방지'이다. 장구의 경우 다른 장비와 다르게 현행범이나 긴급체포 대상자로 한정하고 있다. 이에 대한 보완으로 「위해성 경찰장비의 사용기준 등에 관한 규정」 제4조(영장집행등에 따른 수갑등의 사용기준)에 의하여 체포·구속영장을 집행하는 경우에 수갑이나 포승을 사용할 수 있도록 규정하고 있다.

## 06 정답 ①

① (×) 가스발사총은 1미터 이내에서 상대방의 얼굴을 향하여 발사할 수 없는 제한만 있다. 참고로 「경찰 물리력 행사의 기준과 방법에 관한 규칙(경찰청예규)」 3.7.2.에 의하여 대상자가 14세 미만이거나 임산부 또는 호흡기 질환을 가지고 있음을 인지한 경우(고위험 물리력을 사용할 수 있는 경우는 제외)에는 정당방위나 긴급피난 요건이 충족되지 않는 한 분사기를 사용할 수 없다.

## 07 정답 ③

③ (×) 전자충격기는 상대방이 폭력적 공격일 때 사용할 수 있는 중위험물리력에 해당한다. 대상자가 '적극적 저항'인 경우 경찰관은 저위험 물리력으로 분사기를 사용할 수 있으며, 대상자를 넘어뜨리거나, 관절 꺾기, 조르기 등을 할 수 있다. 【넘꺾조】

| 구분 | 수단 | 물리력 수준 | 사용 장비 |
|---|---|---|---|
| 저위험 물리력 【넘꺾조】 | 넘어뜨리기<br>꺾기<br>조르기 | • **통증**을 주는 정도<br>• 방패로 밀어내기 | 가스분사기 |
| 중위험 물리력 【가격－충격】 | 손·발, 경찰봉으로 가격 | • 신체적 **부상**을 입힐 수 있으나 생명·신체에 대한 중대한 위해 발생 가능성은 낮은 정도<br>• 방패로 강하게 압박하거나 세게 미는 행위 | 전자충격기 |

## 08 정답 ①

① (×) 저위험 물리력에 대한 설명이다. 접촉통제는 대상자 신체 접촉을 통해 경찰목적 달성을 강제하지만 신체적 부상을 야기할 가능성은 극히 낮은 물리력을 말한다.

| | |
|---|---|
| 접촉 통제 | 신체 접촉을 통해 경찰목적 달성 |
| 저위험 물리력 | 대상자를 넘어뜨리기, 꺾기, 조르기, 분사기 사용 가능 (통증 ○, 부상 ×)【넘꺾조】 |
| 중위험 물리력 | 대상자에 대한 가격, 전자충격기 사용 가능 (부상 ○) |

## 09 정답 ①

① (×) 손실을 보상받으려는 사람은 보상금 지급 청구서에 손실내용과 손실금액을 증명할 수 있는 서류를 첨부하여 **손실보상청구 사건 발생지를 관할하는 국가경찰관서의 장에게** 제출하여야 한다(제10조 제1항). 보상금 지급 청구서를 받은 국가경찰관서의 장은 해당 청구서를 제11조 제1항에 따른 손실보상청구 사건을 심의할 손실보상심의위원회가 설치된 **경찰청, 해양경찰청, 시·도경찰청 및 지방해양경찰청의 장에게 보내야 한다**(제10조 제2항).

② (○)【보상 결정하면 식기(10일) 전에 통지】

## 10 정답 ②

㉡ (○) 제1호에서 제3호 외에 경직법 시행령(제18조)으로 정하는 사람(범인의 신원을 특정할 수 있는 정보를 제공한 사람, 범죄사실을 입증하는 증거물을 제출한 사람, 그 밖에 수사에 협조한 사람 중 보상금심사위원회가 인정하는 사람)에게도 보상금을 지급할 수 있다.

㉠ (×) 보상금을 지급할 수 있다.

㉢ (×) 위원장 1명을 포함한 5명 이내의 위원으로 구성한다.【공로(05)자 보상금위원회】

㉣ (×) 위원은 모두 경찰공무원으로 구성되며 외부위원은 없다. 위원의 과반수 이상은 경찰공무원이 아닌 사람으로 하여야 하는 경우는 손실보상심의위원회이다.

# 경찰학 7회 모의고사 정답 및 해설

제7회 모의고사 정답

| | | | | | | | | | |
|---|---|---|---|---|---|---|---|---|---|
| 01 | ② | 02 | ④ | 03 | ③ | 04 | ③ | 05 | ② |
| 06 | ③ | 07 | ① | 08 | ③ | 09 | ② | 10 | ① |

## 01 정답 ②

② (×) 긴급피난은 구조대상에 포함된다.

| | |
|---|---|
| 구조대상 포함 | 형사미성년자, 심신장애인, 강요된 행위, 긴급피난으로 인한 피해 |
| 구조대상 제외 | 정당행위, 정당방위, 과실에 의한 행위 【정정과】 |

① (○) 범죄피해자 : 당사자, 배우자(사실혼 포함), 직계친족, 형제자매, 구조활동 피해자
③ (○) 생명·신체에 한하며 재산(사기죄)이나 정신적 피해(명예훼손죄)는 제외된다.
④ (○) 사망, 장해, 중상해를 입은 경우만 해당하므로 단순폭행은 해당하지 않는다. 【사장중】

## 02 정답 ④

④ (×) 행정청이 당사자에게 의무를 부과하거나 권익을 제한하는 처분을 할 때 청문을 실시하거나 공청회를 개최하는 경우 외에는 당사자 등에게 의견제출의 기회를 주어야 한다(제22조 제3항).

## 03 정답 ③

③ (○) 제출 의견의 반영 등

> 제27조의2(제출 의견의 반영 등)
> ① 행정청은 처분을 할 때에 당사자 등이 제출한 의견이 상당한 이유가 있다고 인정하는 경우에는 이를 반영하여야 한다.
> ② 행정청은 당사자 등이 제출한 의견을 반영하지 아니하고 처분을 한 경우 당사자 등이 처분이 있음을 안 날부터 90일 이내에 그 이유의 설명을 요청하면 서면으로 그 이유를 알려야 한다. 다만, 당사자 등이 동의하면 말, 정보통신망 또는 그 밖의 방법으로 알릴 수 있다.

① (×) 공청회에 대한 설명이다. "청문"이란 행정청이 어떠한 처분을 하기 전에 당사자등의 의견을 직접 듣고 증거를 조사하는 절차를 말한다.
② (×) 청문을 개최한다(제22조 제1항).
④ (×) 법령에서 규정한 청문 절차를 결여한 처분은 위법한 처분으로서 취소사유에 해당한다(대판 2007.11.16, 2005두15700).

## 04 정답 ③

③ (×) 위원회는 사정재결을 하는 경우 재결의 주문(主文)에서 그 처분 또는 부작위가 위법하거나 부당하다는 것을 구체적으로 밝혀야 한다(제44조).

## 05 정답 ②

② (○) 심판청구를 인용하는 재결은 피청구인과 그 밖의 관계 행정청을 기속(羈束)한다(행정심판법 제49조 제1항). 당사자들이나 법원이 이에 기속되어 모순되는 주장이나 판단을 할 수 없게 되는 것은 아니다(대판 2015.11.27, 2013다6759).
① (×) 심판청구기간의 제한은 성질상 취소심판과 거부처분에 대한 의무이행심판에만 적용되고, 무효등확인심판과 부작위에 대한 의무이행심판에는 적용되지 않는다(행정심판법 제27조 제7항).
③ (×) 사정재결은 무효등확인심판에는 적용하지 아니한다(법 제44조 제3항).
④ (×) 재결의 기속력은 재결의 주문 및 그 전제가 된 요건사실의 인정과 판단, 즉 처분 등의 구체적 위법사유에 관한 판단에만 미친다고 할 것이고, 종전 처분이 재결에 의하여 취소되었다 하더라도 종전 처분시와는 다른 사유를 들어서 처분을 하는 것은 기속력에 저촉되지 않는다(대판 2005.12.9, 2003두7705).

## 06 정답 ③

③ (×) 대통령이 아닌 국무총리가 임명한다.

▶ 중앙행정심판위원회 구성

> 제8조(중앙행정심판위원회의 구성)
> ① 중앙행정심판위원회는 **위원장 1명을 포함하여 70명 이내의** 위원으로 구성하되, 위원 중 **상임위원은 4명 이내로 한다.**
> ② 중앙행정심판위원회의 **위원장은 국민권익위원회의 부위원장 중 1명이 되며,** 위원장이 없거나 부득이한 사유로 직무를 수행할 수 없거나 위원장이 필요하다고 인정하는 경우에는 상임위원(상임으로 재직한 기간이 긴 위원 순서로, 재직기간이 같은 경우에는 연장자 순서로 한다)이 위원장의 직무를 대행한다.
> ③ 중앙행정심판위원회의 **상임위원은 일반직공무원으로서** 「국가공무원법」 제26조의5에 따른 **임기제공무원으로 임명하되,** 3급 이상 공무원 또는 고위공무원단에 속하는 일반직공무원으로 3년 이상 근무한 사람이나 그 밖에 행정심판에 관한 지식과 경험이 풍부한 사람 중에서 중앙행정심판위원회 **위원장의 제청으로 국무총리를 거쳐 대통령이 임명한다.**
> ④ 중앙행정심판위원회의 **비상임위원은** 제7조 제4항 각 호의 어느 하나에 해당하는 사람 중에서 중앙행정심판위원회 **위원장의 제청으로 국무총리가 성별을 고려하여 위촉한다.**
>
> 제9조(위원의 임기 및 신분보장 등)
> ① 제7조 제4항에 따라 지명된 위원은 그 직에 재직하는 동안 재임한다.

② 제8조 제3항에 따라 임명된 중앙행정심판위원회 **상임위원의 임기는 3년으로 하며, 1차에 한하여 연임**할 수 있다.
③ 제7조 제4항 및 제8조 제4항에 따라 위촉된 **위원의 임기는 2년으로 하되, 2차에 한하여 연임**할 수 있다.

## 07 정답 ①

① (×) 행정심판에는 취소심판, 무효등확인심판, 의무이행심판이 있고, 행정소송에는 취소소송, 무효등확인소송, 부작위위법확인소송이 있다.
②, ③ (○) 행정소송법 제23조

## 08 정답 ③

③ (○) 경찰관이 총기사용에 이르게 된 동기나 목적, 경위 등을 고려하여 형사사건에서 무죄판결이 확정되었더라도 당해 경찰관의 과실의 내용과 그로 인하여 발생한 결과의 중대함에 비추어 민사상 불법행위책임이 인정된다(대판 2006다6713).
① (×) 청원경찰(국가기관이나 지방자치단체에 근무하는 청원경찰은 제외한다)의 직무상 불법행위에 대한 배상책임에 관하여는 「민법」의 규정을 따른다(청원경찰법 제10조의2).
② (×) 국가배상청구의 요건인 '공무원의 직무'에는 **권력적 작용만이 아니라 비권력적 작용도 포함되며** 단지 행정주체가 **사경제주체로서 하는 활동은 제외된다**(대판 2001.1.5, 98다39060).
④ (×) "결과적으로"라는 말이 있다면 과실을 인정하기 곤란하다.

> 영업허가취소처분이 나중에 행정심판에 의하여 재량권을 일탈한 위법한 처분임이 판명되어 취소되었다고 하더라도 그 처분이 당시 시행되던 공중위생법시행규칙에 정하여진 행정처분의 기준에 따른 것인 이상 그 영업허가취소처분을 한 행정청 공무원에게 그와 같은 위법한 처분을 한 데 있어 어떤 직무집행상의 과실이 있다고 할 수는 없다(대판 1994.11.8, 94다26141).

## 09 정답 ②

② (×) 국민의 이익과는 관계없이 순전히 행정기관 내부의 질서를 유지하기 위한 것이거나, 또는 국민의 이익과 관련된 것이라도 직접 국민 개개인의 이익을 위한 것이 아니라 전체적으로 공공 일반의 이익을 도모하기 위한 것이라면 그 의무에 위반하여 국민에게 손해를 가하여도 국가 또는 지방자치단체는 배상책임을 부담하지 아니한다(대판 2001.10.23, 99다36280).
① (○) 대판(전) 1996.2.15, 95다38677
③ (○) **경찰서 지서의 숙직실(연탄가스 중독사건)은** 국가배상법 제2조 제1항 단서에서 말하는 **전투·훈련에 관련된 시설이라고 볼 수 없으므로** 위 숙직실에서 순직한 경찰공무원의 유족들은 국가배상법 제2조 제1항 본문에 의하여 국가배상법 및 민법의 규정에 의한 **손해배상을 청구할 권리가 있다**(대판(전) 1979.1.30, 77다2389).
④ (○) 경찰공무원이 **낙석사고 현장 주변** 교통정리를 위하여 사고현장 부근으로 이동하던 중 **대형 낙석이 순찰차를 덮쳐 사망한 사안에서**, 국가배상법 제2조 제1항 단서의 면책조항은 전투·훈련 또는 이에 준하는 직무집행뿐만 아니라 **'일반 직무집행'에 관하여도 국가나 지방자치단체의 배상책임을 제한하는 것**이라고 해석하였다(대판 2011.3.10, 2010다85942).

## 10 정답 ①

① (×) 공무원의 선임 및 감독에 상당한 주의를 하였다고 하더라도 국가나 지방자치단체는 국가배상책임을 면하지 못한다. 국가배상법에는 민법과 달리 사용자가 피용자의 선임감독에 무과실인 경우에 면책되도록 하는 규정을 두고 있지 않다. 따라서 가해 공무원에 고의나 과실이 인정되는 경우에는 국가 또는 지방자치단체는 책임을 면할 수 없다.
② (○) 국가배상법 제2조 또는 제5조에 의한 배상책임을 부담하는 것은 지방경찰청장이 소속된 국가가 아니라, 그 권한을 위임한 지방자치단체장이 소속된 지방자치단체라고 할 것이나, 교통신호기를 관리하는 지방경찰청장 산하 경찰관들에 대한 봉급을 부담하는 국가도 국가배상법 제6조 제1항에 의한 배상책임을 부담한다(대판 1999.6.25, 99다11120).
③ (○) 국가배상법이 정한 손해배상청구의 요건인 '공무원의 직무'에는 국가나 지방자치단체의 권력적 작용뿐만 아니라 비권력적 작용도 포함되지만, 단순한 사경제의 주체로서 하는 작용은 포함되지 아니한다(대판 1999.11.26, 98다47245).
④ (○) 영업허가취소처분이 나중에 행정심판에 의하여 재량권을 일탈한 위법한 처분임이 판명되어 취소되었다고 하더라도 그 처분이 당시 시행되던 공중위생법시행규칙에 정하여진 행정처분의 기준에 따른 것인 이상 그 영업허가취소처분을 한 행정청 공무원에게 그와 같은 위법한 처분을 한 데 있어 어떤 직무집행상의 과실이 있다고 할 수는 없다(대판 1994.11.8, 94다26141).

# 경찰학 8회 모의고사 정답 및 해설

### 제8회 모의고사 정답

| | | | | | | | | | |
|---|---|---|---|---|---|---|---|---|---|
| 01 | ① | 02 | ③ | 03 | ① | 04 | ① | 05 | ④ |
| 06 | ② | 07 | ② | 08 | ③ | 09 | ④ | 10 | ④ |

## 01 정답 ①

① (×) 용어의 정의

| | |
|---|---|
| 출동요소 | 112순찰차, 형사기동대차, 교통순찰차, 고속도로순찰차, 지구대·파출소의 근무자 및 인접 경찰관서의 근무자 등 |
| 112요원 | 112치안종합상황실에 근무하는 112신고 및 치안상황처리 업무에 종사하는 자 |

## 02 정답 ③

① (×) 출장소는 해당하지 아니한다.
② (×) 비번자, 휴무자 순으로 동원할 수 있다.
④ (×) 휴게 및 식사 시간을 대기 근무로 지정할 수 있다(제29조 제2항).

## 03 정답 ①

㉠ (×) 시·도경찰청장이 설치한다.
㉡ (×) 관리팀원 및 순찰팀원에 대한 일일근무 지정 및 지휘·감독은 순찰팀장의 직무이다.
㉢ (×) 시설·예산·장비의 관리는 지역경찰관서장의 직무이고, 시설 및 장비의 관리, 예산의 집행은 관리팀의 직무이다.
㉣ (×) 경계근무자에 대한 설명이다. 순찰근무를 지정받은 지역경찰은 지정된 장소가 아닌 순찰근무 중에 검문검색을 실시하며 '범법자 등을 단속·검거'하기 위한 목적 없이 '통행인 및 차량에 대한 검문검색 등'을 실시한다.

## 04 정답 ①

② (×) 20명 이상이다.
③ (×) 3개월 전까지 직접 고용한 경우에는 배치할 수 있다.
④ (×) '100명 이상의 사람이 모이는 국제·문화·예술·체육 행사장'은 해당한다.

> 제7조(경비업자의 의무)
> ⑥ 경비업자는 **집단민원현장에 경비원을 배치하는 때에는 경비지도사를 선임**하고 그 장소에 배치하여 **행정안전부령으로 정하는 바에 따라** 경비원을 지도·감독하게 하여야 한다.

> 제7조의2(경비업무 도급인 등의 의무)
> ② 누구든지 **집단민원현장에 경비인력을 20명 이상 배치하려고 할 때에는** 그 경비인력을 직접 고용하여서는 아니 되고, 경비업자에게 경비업무를 **도급하여야 한다**. 다만, 시설주 등이 집단민원현장 발생 **3개월 전까지 직접 고용하여** 경비업무를 수행하는 피고용인의 경우에는 **그러하지 아니하다**.

## 05 정답 ④

④ (×) 청소년이 성매매를 한 경우 성매매 피해자에 해당하므로 처벌하지 아니한다.

## 06 정답 ②

② (×) 18세 미만인 사람은 범칙자에 해당하지 아니한다.

## 07 정답 ②

① (×) 신고 접수한 지 48시간이 경과한 경우이다. **【장기실종 신48】**
③ (×) "가출인"이란 신고 당시 보호자로부터 이탈된 18세 이상의 사람을 말한다. '아동 등'은 실종 당시 18세 미만, 가출인은 신고 당시 18세 이상 **【아실 가신당】**
④ (×) 발견한 장소와 보호 중인 장소가 서로 다른 경우에는 보호 중인 장소를 말한다.

## 08 정답 ③

③ (×) 영업장을 벗어나 차 종류 등을 배달·판매하게 하는 영업에 대한 고용이 금지된다. 손님으로 출입하여 차를 마시는 것은 가능하다.

## 09 정답 ④

④ (×) 국회 소관 상임위원회에 신분비공개수사 관련 자료를 반기별로 보고하여야 한다.

## 10 정답 ④

④ (×) 형제자매는 동거하는 경우에 한하여 해당한다.
▶ 가정구성원의 범위(제2조 제2호) **【배직동】**

> 2. "가정구성원"이란 다음 각 목의 어느 하나에 해당하는 사람을 말한다.
> 가. 배우자(사실상 혼인관계에 있는 사람을 포함한다. 이하 같다) 또는 배우자였던 사람
> 나. 자기 또는 배우자와 직계존비속관계(사실상의 양친자관계를 포함한다. 이하 같다)에 있거나 있었던 사람
> 다. 계부모와 자녀의 관계 또는 적모(嫡母)와 서자(庶子)의 관계에 있거나 있었던 사람
> 라. 동거하는 친족

# 경찰학 9회 모의고사 정답 및 해설

## 제9회 모의고사 정답

| | | | | | | | | | |
|---|---|---|---|---|---|---|---|---|---|
| 01 | ④ | 02 | ③ | 03 | ④ | 04 | ① | 05 | ③ |
| 06 | ① | 07 | ② | 08 | ③ | 09 | ③ | 10 | ② |

### 01 정답 ④

④ (×) 응급조치는 72시간을 넘을 수 없다. 검사가 임시조치를 법원에 청구한 경우에는 법원의 임시조치 결정 시까지 응급조치 기간이 연장된다.

① (○) 검사는 10일 이내에 고소할 수 있는 사람을 지정하여야 한다.

② (○) 피해아동의 보호 및 사례관리를 위한 범위에서만 조사해야 하는 사람은 아동학대전담공무원이다.

> 제11조(현장출동)
> ② 아동학대범죄 신고를 접수한 사법경찰관리나 아동학대전담공무원은 아동학대범죄가 행하여지고 있는 것으로 신고된 현장 또는 피해아동을 보호하기 위하여 필요한 장소에 출입하여 아동 또는 아동학대행위자 등 관계인에 대하여 조사를 하거나 질문을 할 수 있다. 다만, 아동학대전담공무원은 다음 각 호를 위한 범위에서만 아동학대행위자 등 관계인에 대하여 조사 또는 질문을 할 수 있다.
> 1. 피해아동의 보호
> 2. 「아동복지법」 제22조의4의 사례관리계획에 따른 사례관리(이하 "사례관리"라 한다)

③ (○) **유죄판결(선고유예 제외)** · 약식명령 고지 시 수강 · 이수명령

| 200시간 이내<br>(~병과할 수 있다) | 500시간 이내<br>(~병과하여야 한다) |
|---|---|
| • 가정폭력처벌법<br>• 아동학대처벌법<br>• 스토킹처벌법 | • 아동청소년성보호법<br>• 성폭력처벌법<br>【비타 500】 |

### 02 정답 ③

㉠ (×) 상대방등의 개인정보나 개인위치정보를 정보통신망을 이용하여 제3자에게 제공하거나 배포 또는 게시하는 행위도 스토킹행위에 해당한다.

㉡ (×) 처벌 서면경고를 하여야 한다. 응급조치는 모두 강행규정으로서 '~하여야 한다'로 규정되어 있으며, 긴급응급조치 및 잠정조치는 임의규정으로서 '~할 수 있다'로 규정되어 있다.

㉢ (×) 해당 긴급응급조치에 대한 사후승인을 지방법원 판사에게 청구하여 줄 것을 신청하여야 한다.

▶ 스토킹행위 유형

> 1. 접근하거나 따라다니거나 진로를 막아서는 행위
> 2. 주거, 직장, 학교, 그 밖에 일상적으로 생활하는 장소(이하 "주거등"이라 한다) 또는 그 부근에서 기다리거나 지켜보는 행위
> 3. 우편 · 전화 · 팩스 또는 「정보통신망 이용촉진 및 정보보호 등에 관한 법률」 제2조 제1항 제1호의 정보통신망을 이용하여 물건이나 글 · 말 · 부호 · 음향 · 그림 · 영상 · 화상(이하 "물건등"이라 한다)을 도달하게 하는 행위
> 4. 직접 또는 제3자를 통하여 물건등을 도달하게 하거나 주거등 또는 그 부근에 물건등을 두는 행위
> 5. 주거등 또는 그 부근에 놓여져 있는 물건등을 훼손하는 행위
> 6. 상대방등의 개인정보나 개인위치정보를 정보통신망을 이용하여 제3자에게 제공하거나 배포 또는 게시하는 행위
> 7. 정보통신망을 통하여 상대방등의 이름, 명칭, 사진, 영상 또는 신분에 관한 정보를 이용하여 자신이 상대방등인 것처럼 가장하는 행위 **【가게(에서) 따지기도해(훼)】**

### 03 정답 ④

④ (×) 유치장 또는 구치소에의 유치하는 잠정조치는 1개월을 초과할 수 없으며, 연장할 수 없다.

▶ 임시조치(잠정조치) 기간 비교

| 가정폭력처벌법 | 아동학대처벌법 | 스토킹처벌법 |
|---|---|---|
| 격 · 접 : 2개월<br>(2회연장)<br>요 · 구 : 1개월<br>(1회연장) | 격 · 접 : 2개월<br>(2회연장)<br>친 · 교 · 요 · 구 : 2개월<br>(1회연장) | 접 · 전 : 3개월<br>(2회연장, 총9개월)<br>구 : 1개월<br>(연장불가) |
| 【격 · 접 : 2+2】【요 · 구 등 : 1+1, 2+1, 1 ×】 | | |

### 04 정답 ①

① (×) 검시의 주체는 검사이다. 형사소송법 제222조에 의하여 지방검찰청 검사가 검시하여야 하며, 검사는 사법경찰관에게 처분을 명할 수 있다.

② (○) 수사준칙 제17조

③ (○) 경찰수사규칙 제27조 제1항

④ (○) 경찰수사규칙 제30조

### 05 정답 ③

③ (×) 통신비밀보호법상 '감청'이란 대상이 되는 전기통신의 송 · 수신과 동시에 이루어지는 경우만을 의미하고, 이미 수신이 완료된 전기통신의 내용을 지득하는 등의 행위는 포함되지 않는다(대판 2012.10.25, 2012도4644).

① (○) 전기통신사업법 제83조 제3항

## 06 정답 ①

① (×) 공개 결정일 전후 30일 이내의 모습으로 한다.

▶ 특정중대범죄 피의자 등 신상정보 공개에 관한 법률(24.1.25. 시행)

> 제4조(피의자의 신상정보 공개)
> ① 검사와 사법경찰관은 다음 각 호의 요건을 모두 갖춘 특정중대범죄사건의 피의자의 얼굴, 성명 및 나이(이하 "신상정보"라 한다)를 공개할 수 있다. 다만, **피의자가 미성년자인 경우에는 공개하지 아니한다.**
> 1. 범행수단이 **잔**인하고 중대한 피해가 발생하였을 것(제2조 제3호부터 제6호까지의 죄에 한정한다)
> 2. 피의자가 그 죄를 범하였다고 믿을 만한 **충**분한 증거가 있을 것
> 3. 국민의 알권리 보장, 피의자의 재범 방지 및 범죄예방 등 오로지 **공**공의 이익을 위하여 필요할 것
>
> ② 검사와 사법경찰관은 제1항에 따라 **신상정보 공개를 결정할 때에는 범죄의 중대성, 범행 후 정황, 피해자 보호 필요성, 피해자(피해자가 사망한 경우 피해자의 유족을 포함한다)의 의사 등을 종합적으로 고려**하여야 한다.
> ③ 검사와 사법경찰관은 제1항에 따라 신상정보를 공개할 때에는 피의자의 인권을 고려하여 신중하게 결정하고 이를 남용하여서는 아니 된다.
> ④ 제1항에 따라 공개하는 **피의자의 얼굴은 특별한 사정이 없으면 공개 결정일 전후 30일 이내의 모습**으로 한다. 이 경우 검사와 사법경찰관은 다른 법령에 따라 적법하게 수집·보관하고 있는 사진, 영상물 등이 있는 때에는 이를 활용하여 공개할 수 있다.
> ⑤ 검사와 사법경찰관은 제1항에 따라 피의자의 얼굴을 공개하기 위하여 필요한 경우 피의자를 식별할 수 있도록 **피의자의 얼굴을 촬영할 수 있다. 이 경우 피의자는 이에 따라야 한다.**
> ⑥ 검사와 사법경찰관은 제1항에 따라 피의자의 신상정보 공개를 결정하기 전에 **피의자에게 의견을 진술할 기회를 주어야 한다.** 다만, 신상정보공개심의위원회에서 피의자의 의견을 청취한 경우에는 이를 생략할 수 있다.
> ⑦ 검사와 사법경찰관은 피의자에게 신상정보 **공개를 통지한 날부터 5일 이상의 유예기간**을 두고 신상정보를 공개하여야 한다. 다만, 피의자가 신상정보 공개 결정에 대하여 서면으로 이의 없음을 표시한 때에는 유예기간을 두지 아니할 수 있다.
> ⑧ 검사와 사법경찰관은 **정보통신망을 이용하여 그 신상정보를 30일간 공개한다.**
> ⑨ 신상정보의 공개 등에 관한 절차와 방법 등 그 밖에 필요한 사항은 대통령령으로 정한다.

## 07 정답 ②

② (×) 수갑 또는 수갑·포승을 **사용할 수 있다**(제50조 제1항).

① (○) 형사범과 구류 처분을 받은 자, 19세 이상의 사람과 19세 미만의 사람(미성년자), 신체장애인 및 사건관련의 공범자 등은 유치실이 허용하는 범위 내에서 분리하여 유치하여야 하며, 신체장애인에 대하여는 신체장애를 고려한 처우를 하여야 한다(제7조 제2항). 【구미공장 분리】

③ (○) 호송관은 호송주무관의 허가를 받아 호송대상자에 대하여 수갑 또는 수갑·포승을 **사용할 수 있다.** 다만, 구류선고 및 감치명령을 받은 자와 미성년자, 고령자, 장애인, 임산부 및 환자 중 주거와 신분이 확실하고 도주의 우려가 없는 자에 대하여는 수갑 또는 수갑·포승을 **채우지 아니한다.** 【구감미고장임】

## 08 정답 ③

③ (○) 【반항(**반합성**)하면 하옥해!】

① (×) 한외마약이란 다른 약물이나 물질과 혼합되어 다시 제조하거나 제제(製劑)할 수 없고, 그것에 의하여 **신체적 또는 정신적 의존성을 일으키지 아니하는 것**으로서 총리령으로 정하는 것을 말한다(「마약류 관리에 관한 법률」 제2조). 약국에서 감기약 등으로 판매가 된다.

② (×) 향정신성의약품으로 지정되어 있다.

④ (×) 정글주스는 러미나(덱스트로메트로판)이다. 【미나리덱 주스 진해】

## 09 정답 ③

① (×) L.S.D.에 대한 설명이다. 메스카린은 페이요트라는 선인장에서 추출 합성한 향정신성의약품이다.

② (×) 대마초의 뿌리, 종자, 성숙한 줄기는 마약류 관리에 관한 법률(제2조)에서 규제하는 대마에 해당하지 않는다.

④ (×) 향정신성의약품에 해당한다.

## 10 정답 ②

① (×) 대통령선거 후보자는 경호를 원하지 않더라도 항상 근접 배치하지만, 국회의원선거 후보자는 각 선거구를 관할하는 경찰서에서 후보자가 원할 경우에만 배치한다.

③ (×) 제2선(울타리 내곽)에서 출입자를 통제하며 가급적 정문만 사용한다. 경호 행사장 경비에서는 제1선(안전구역)에서 출입자 통제(MD 운용, 비표확인)한다.

④ (×) 구·시·군 선관위원장이나 위원이 개표소의 질서유지를 위하여 정복을 한 경찰공무원 또는 경찰관서장에게 원조를 요구한 경우 외에는 개표소 안에서 무기나 흉기 또는 폭발물을 지닐 수 없다(제183조 제6항).

# 경찰학 10회 모의고사 정답 및 해설

제10회 모의고사 정답

| | | | | | | | | | |
|---|---|---|---|---|---|---|---|---|---|
| 01 | ③ | 02 | ④ | 03 | ① | 04 | ③ | 05 | ③ |
| 06 | ② | 07 | ② | 08 | ④ | 09 | ③ | 10 | ② |

## 01 정답 ③

① (×) "재난관리" : **재난의 예방·대비·대응 및 복구**를 위하여 하는 **모든 활동**
"안전관리" : 재난이나 그 밖의 각종 사고로부터 사람의 **생명·신체 및 재산의 안전을 확보**하기 위하여 하는 **모든 활동**
② (×) 재난의 복구 단계에서 대통령이 특별재난지역을 선포한다.
④ (×) 대응 단계에서 재난관리주관기관의 장이 발령할 수 있다.

## 02 정답 ④

▶ 통합방위기구

| | | |
|---|---|---|
| 중앙통합방위협의회 | 의장 : 국무총리<br>위원은 각 부 장관, 경찰청장, 시·도경찰청장 | 총시참작<br>(의장－의장 ×)<br>(본부장－본부장 ×) |
| 지역통합방위협의회 | 의장 : 시·도지사, 시·군·구청장 | |
| 통합방위본부 | 본부장 : 합동참모의장<br>부본부장 : 합동참모본부 합동작전본부장 | |

## 03 정답 ①

① (×) 정착 근무에 대한 설명이다. 정위치 근무는 감독순시, 현장근무, 사무실 대기 등 관할구역 내에 위치하는 것을 말한다.

## 04 정답 ③

① (×) '외국인테러전투원'에 대한 설명이다.
② (×) 국무총리 소속으로 관계기관 공무원으로 구성되는 대테러센터에서 테러경보를 발령한다.
④ (×) 90일로 한다.

## 05 정답 ③

③ (×) 청원경찰(국가기관이나 지방자치단체에 근무하는 청원경찰은 제외한다)의 직무상 불법행위에 대한 배상책임에 관하여는 「민법」의 규정을 따른다.
① (○) 청원경찰의 징계에는 강등이 없다.
② (○) 시·도경찰청장은 요청할 수 있다.
④ (○) 특수복장은 시·도경찰청장의 승인을 받아야 한다.

▶ 청원경찰에 대한 임용권 등

| | 청원주 | 시·도청장 | 경찰서장 |
|---|---|---|---|
| 임용 | ○ | 승인 | |
| 교육 | ○ | | |
| 근무감독 | ○ | | ○ |
| 징계 | ○ | | 징계요구 |
| 무기 | 기부채납 | 시·도청장은 서장으로 하여금 대여하게 함 | |
| 분사기 | ○ | | |
| 특수복장 | | 승인 | |

## 06 정답 ②

② (○) "앞지르기 시기·장소" 위반은 모든 긴급자동차에 특례가 적용되고, "앞지르기 방법" 위반은 소·구·혈·경에 한하여 특례가 인정된다.
① (×) 모든 긴급자동차에 적용되는 특례는 앞지르기 금지 시기·장소, 자동차의 속도, 끼어들기 금지이다. 【앞시장 속끼】
③ (×) 소방차, 구급차, 혈액 공급차량, 대통령령으로 정하는 경찰용 자동차만 교통사고 등에서 감면할 수 있다(제158조의2). 【소구혈경】
④ (×) 교차로나 그 부근에서는 일시정지하여야 하고, 교차로나 그 부근 외의 곳에서는 진로를 양보하여야 한다.

## 07 정답 ②

② (×) 회전교차로에 진입하려는 차는 이미 진행하고 있는 차에게 진로를 양보하여야 한다.

> 제25조의2(회전교차로 통행방법)
> ① 모든 차의 운전자는 회전교차로에서는 반시계방향으로 통행하여야 한다.
> ② 모든 차의 운전자는 회전교차로에 진입하려는 경우에는 서행하거나 일시정지하여야 하며, 이미 진행하고 있는 다른 차가 있는 때에는 그 차에 진로를 양보하여야 한다.

## 08 정답 ④

① (×) 0.01퍼세트를 초과한 경우이다.
② (×) 3회 이상의 인적피해 교통사고 전력이다. 물적피해는 제외된다.
③ (×) 과거 5년 이내에 음주운전 전력이 있는 경우이다.

09 정답 ③

③ (×) 개인형 이동장치를 음주운전(측정불응)한 경우는 횟수에 상관없이 통고처분 금액이 동일하다(음주운전 10만원, 측정불응 13만원).

▶ 자전거 및 개인형 이동장치 통고처분(도로교통법 시행령)

| 구분 | 음주운전 | 측정불응 |
|---|---|---|
| 자전거 | 3만원 | 10만원 |
| 개·이 | 10만원 | 13만원 |

10 정답 ②

② (×) 도로교통법상 음주측정은 호흡 측정만을 의미하는 것으로서, 혈액채취 거부는 음주측정에 불응한 것으로 볼 수 없다(대판 2010.7.15, 2010도2935).

> 제44조(술에 취한 상태에서의 운전 금지) ② 경찰공무원은 교통의 안전과 위험방지를 위하여 필요하다고 인정하거나 제1항을 위반하여 술에 취한 상태에서 자동차등, 노면전차 또는 자전거를 운전하였다고 인정할 만한 상당한 이유가 있는 경우에는 운전자가 술에 취하였는지를 호흡조사로 측정할 수 있다. 이 경우 운전자는 경찰공무원의 측정에 응하여야 한다.

① (○) 도로교통법 위반(음주운전)죄는 운전자가 혈중 알코올농도의 최저기준치를 초과한 상태에서 운전한 경우이고, 특정범죄가중처벌 등에 관한 법률 위반(위험운전치사상)죄는 도로교통법 위반(음주운전)죄의 경우와는 달리 형식적으로 혈중 알코올농도의 법정 최저기준치를 초과하였는지 여부와는 상관없이 운전자가 음주의 영향으로 실제 정상적인 운전이 곤란한 상태에 있어야만 하고, 그러한 상태에서 자동차를 운전하다가 사람을 상해 또는 사망에 이르게 한 행위를 처벌대상으로 하고 있다. 따라서 양 죄가 모두 성립하는 경우 두 죄는 실체적 경합관계에 있는 것으로 보아야 할 것이다(대판 2008.11.13, 2008도7143).

> 도교법 제44조 ④ 제1항에 따라 운전이 금지되는 술에 취한 상태의 기준은 운전자의 **혈중알코올농도가 0.03퍼센트 이상인 경우로 한다.**

> 특가법 제5조의11(위험운전 등 치사상) ① 음주 또는 약물의 영향으로 정상적인 운전이 곤란한 상태에서 자동차(원동기장치자전거를 포함한다)를 운전하여 사람을 상해에 이르게 한 사람은 ~

# 박문각 경찰

## 경찰직 모의고사

**3권 | 헌법·형사법·경찰학**

---

**제1판 인쇄** 2024. 4. 25. | **제1판 발행** 2024. 4. 30. | **편저자** 박충신·최정훈·박용증

**발행인** 박 용 | **발행처** (주)박문각출판 | **등록** 2015년 4월 29일 제2015-000104호

**주소** 06654 서울시 서초구 효령로 283 서경 B/D 4층 | **팩스** (02)584-2927

**전화** 교재 문의 (02)6466-7202

저자와의
협의하에
인지생략



정가 30,000원

ISBN 979-11-6987-859-3(3권)

979-11-6987-856-2(세트)

MEMO